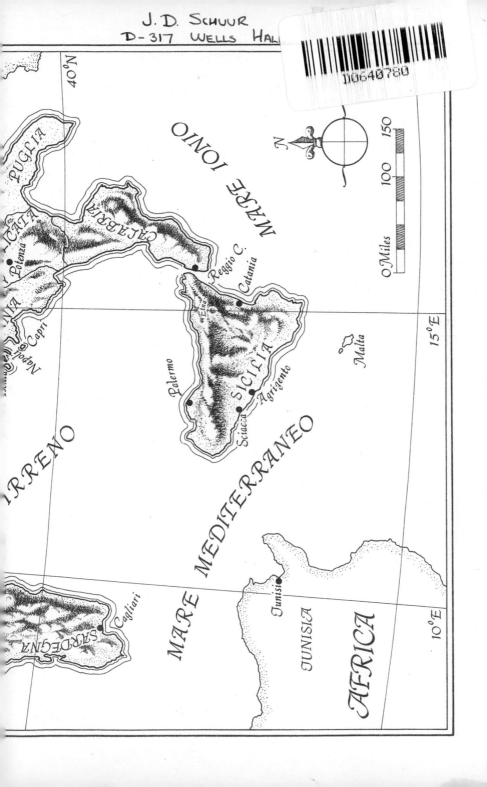

Beginning Readings in Italian

Beginning Readings
in Italian

Edited by

ALFRED GALPIN

ISABELLA PANZINI

MARILYN SCHNEIDER

University of Wisconsin

The Macmillan Company
Collier-Macmillan Limited, London

Sixth Printing, 1969

Library of Congress catalog card number: 66–16095

THE MACMILLAN COMPANY
COLLIER-MACMILLAN CANADA, LTD.,
TORONTO, ONTARIO

Printed in the United States of America

ACKNOWLEDGMENTS

Nuova Accademia Editrice, Milan. "Lui e io" by Natalia Ginzburg, reprinted by permission of the author and publisher.

Luigi Barzini, "La mia New York," reprinted from *The American Review* by permission of the author and *The American Review*.

Giuseppe Berto, "Tra due fuochi" from *Le opere di Dio* by Giuseppe Berto (Milan: Nuova Accademia Editrice), reprinted by permission of the author.

Casa Editrice Valentino Bompiani & C., Milan. "Stranieri a Roma" from *Roma vestita di nuovo* by Corrado Alvaro; "Storia di un uomo che per due volte non rise" from *Il vecchio con gli stivali e i racconti* by Vitaliano Brancati; copyright by Casa Editrice Valentino Bompiani & C., and reprinted by permission of the publisher.

Casa Editrice Licinio Cappelli. "La dolce vita" from *La dolce vita di Federico Fellini*, edited by Tullio Kezich, copyright by Casa Editrice Cappelli, and reprinted by permission of the publisher.

Giulio Einaudi Editore, Turin. "La camicia dell'uomo contento," adapted by permission of the author, and "Bellinda e il Mostro," from *Fiabe italiane* by Italo Calvino; "La donna" and "Americani" from *Cristo si è fermato a Eboli* by Carlo

Acknowledgments (Cont.)

Levi; "Donna" and "La capra" from *Il Canzoniere* by Umberto Saba; all copyright by Giulio Einaudi Editore, and reprinted by permission of the publisher.

Farrar, Straus & Giroux New York. "Antico inverno" by Salvatore Quasimodo, reprinted from *The Selected Writings of Salvatore Quasimodo*, translated by Allen Mandelbaum, by permission of Farrar, Straus & Giroux, Inc. Copyright © 1959, 1960 by Arnoldo Mondadori Editore.

Arnoldo Mondadori Editori, Milan. "L'angelo umile" from *Donna nel sole e altri idilli* by Massimo Bontempelli; "Grandezza dell'uomo" from *Sessanta racconti*, and "Nuovi strani amici" from *Paura alla Scala* by Dino Buzzati; "Pisa" from *Viaggio di un povero letterato* by Alfredo Panzini; "Sappho" from *Lirici Greci tradotti da Salvatore Quasimodo*; "Soldato," "Sereno," and "Vanita" from *Vita di un uomo* by Guiseppe Ungaretti; all copyright by Arnoldo Mondadori editore and reprinted by permission of the publisher.

Edizioni Scolastiche Mondadori, Milan. "L'estate di San Martino," "Il sorcetto," "La leggenda dei re magi," adapted from *Prime letture per stranieri*, edited by Armida Roncari; "Una città che galleggia" by Pompeo Molmenti, from *La lingua italiana insegnata agli stranieri* by Armida Roncari and C. Brighenti, copyright 1940 by Casa Edizione Mondadori; "Roma regina delle acque" by Giosuè Borsi, "Il napoletano che cammina" by Gino Doria, "Firenze città dei fiori" by Enrico Nencioni, "Venezia città del sogno" by Elio Zorzi, condensed from *Letture italiane per stranieri*, Vol. II, edited by Mario Bormioli and G. Alfonso Pellegrinetti, copyright 1954 by Edizioni Scolastiche Mondadori, reprinted by permission of the publisher.

Aldo Palazzeschi, "Lo sconosciuto" from *Opere giovanili* by Aldo Palazzeschi (Milan: Arnoldo Mondadori Editore), reprinted by permission of the author.

Luigi Pirandello, "Il capretto nero," copyright by Amministrazione degli eredi di Luigi Pirandello, reprinted by their permission.

Società Editrice Internazionale, Turin. "Capri" from *Acquerelli napoletani* by Francesco Stocchetti, copyright by Societa Editrice Internazionale, reprinted by permission of the publisher.

Vittorio Sereni, "Non sa più nulla" from *Diario d'Algeria* (Turin: Einaudi Editore), reprinted by permission of the author.

Vallecchi Editore, Florence. "Le rose" ("Lirica per S.A.") from *Canti Orifici e altri scritti* by Dino Campana, copyright © 1960 by Vallecchi Editore, Firenze; "Mister Smith a Firenze" adapted from *Firenze* by Giacomo Lumbroso, copyright 1945 by Vallecchi Editore, Firenze; "Il pesce mi guarda," from *I racconti della torre* by Carlo Scarfoglio, copyright © 1962 by Vallecchi Editore, Firenze; reprinted by permission of the publisher.

Foreword

The purpose of this book is to introduce the student to Italian literature
while at the same time acquainting him with idiomatic modern Italian. We
offer only original texts, with a minimum of adaptation, and with ample
representation of modern writers. In many schools this reader would furnish
enough material for the first-year course; other schools, which introduce
reading more gradually, may prefer to use it also in later semesters.

We begin with brief texts from the age of Dante. In adapting these first
passages we limit ourselves mainly to the present tense. By the time the
student reaches our first unaltered text, "La scoperta di una vocazione" by
Goldoni, he should be able to understand simple prose containing most of
the common verb tenses. From that point on, Part I has no alterations except
occasional cuts, and none at all in the passages by Leopardi, Berto, and
Scarfoglio. No changes are made in the poetry except to modernize spelling
in the "Canzoni popolari" and the "Poesia del Trecento." The vocabulary
range in Part I is large but the syntax and constructions remain relatively
simple.

In Part II the texts by Boccaccio and Machiavelli are adapted, but all
others are unaltered except for minor cuts in some of the "Visioni d'Italia"
and in the passages by Nievo, Manzoni, and Barzini. Rather than make any
deletions in the somewhat difficult story by Pirandello, "Il capretto nero,"
we give in footnotes full translations of certain passages.

Only an insignificant number of these readings has ever been edited for
American students of first- or second-year Italian. The proportion of new
material is especially high for writers of the twentieth century. All adaptations
are our own.

In the series of "Visioni d'Italia," distinguished Italian writers give their impressions of some of the outstanding sites and monuments of their country; these sites are illustrated also by many of our photographs. To facilitate linguistic assimilation we offer a variety of exercises.

We wish to acknowledge with special thanks the photographs so kindly furnished by the Comitato nazionale monumento a Pinocchio, by the Amministrazione degli eredi di Luigi Pirandello, by the Italian State Tourist Office in New York, and by our friends Hélène de Franchis and the distinguished sculptor Emilio Greco. Dr. Guiseppe Cardillo of the Istituto italiano di cultura in New York was most generous with advice and help in the selection of photographs.

A. G.

I. P.

M. S.

Note on Pronunciation and Spelling

Our aim in transcribing texts for publication has been to depart as little as possible from standard spelling and hence to use as few diacritical marks as possible. In conformity with standard Italian orthography we place a written accent on final stressed vowels as in *città, virtù, così, parlò,* and *perchè.** We further use an arbitrary diacritical sign, a dot placed under the vowel in all cases where the stress is irregular by the standards defined below. These marks show only the stress, not the quality (open or closed) of the vowel.

We consider as *regular* all words stressed on the penult, including the apocopated form; for example, *vedere* or *veder, amore* or *amor, piano* or *pian.* We consider the combination *i* plus final vowel to constitute a single syllable, as it does in fact in the majority of cases: *moglie, aria, bacio, Francia, serio, voglio, adagio, faccio, vecchio,* etc. So also for *acqua* since the combination *qu* is purely consonantal.

The following cases are considered *irregular,* and the stressed vowel is indicated by a dot:

All cases where the stress falls before the penult: *parlano, vẹdono, vịdero, uscịrono, telẹfono, telẹfonano, rọseo, Lạura, mẹdico, Nạpoli, pịccolo, giọvane, pọvero,* etc.

Cases where the *i* is stressed in words such as *Marịa, addịo, compagnịe, uscịi,* etc.

Finally, in order to conform to the above definitions, we use a dot in

* For accent on final *e,* Italian usage varies; we have made no effort to standardize it except in vocabulary, so that the reader will find in text *perché* and *affinché* as well as *perchè* and *affinchè,* etc.

certain words ending in two vowels other than *i* plus vowel, such as *sangue*, *lingua*, *seguo*, and a very few others.

As stated previously, stress is marked as for the normal spelling, without any allowance for the irregular forms produced by apocopation, particularly common in early poetry: *simil*, *parlan*, *vedon*, and so forth. When Italian terms or foreign proper names occur outside the limits of the Italian text, we avoid using the diacritical dot except when we feel it is called for.

Contents

Beginning Readings in Italian

PART I

Veduta di Assisi e chiesa di Santa Chiara. [Hélène de Franchis]

Cinque favole

In all ages and societies, story-telling has served as entertainment, as a vehicle for religious or social tradition, and as moral instruction. From the beginnings of their literature, the Italians have excelled in this art.

Of the following little tales, the first two, "Narciso" and "La bellezza delle donne" are taken from one of the earliest European narrative collections in prose, the *Novellino*, which first appeared toward the end of the thirteenth century. It has served ever since as a storehouse of plots and material for writers of fiction. Like Boccaccio's *Decameron* (see p. 111), it contains one-hundred tales derived from a great variety of sources, such as classical mythology, Christian legends, oriental lore, fables, and contemporary events.

The third story, "L'estate di San Martino," is of the type found in *The Lives of the Saints*. St. Martin's greatest historical importance is as the apostle of the Gauls, the St. Patrick of France, but to many he is best known for this episode of his cloak.

The last two tales, "Il sorcetto" and "La camicia dell'uomo contento," point a moral, which is somewhat similar in both: the hills look greener far away. The last story is ascribed by its distinguished compiler, Italo Calvino (see p. 172), to no less illustrious a source than Alexander the Great.

3

I. NARCISO

Un giorno Narciso si posa sopra una bella fontana. Guarda nell'acqua e vede l'ombra sua, che è molto bella. Comincia a guardare e a rallegrarsi sopra la fonte, e l'ombra fa lo stesso. Crede che quella è la sua persona che ha vita e sta nell'acqua, e non s'accorge[1] che è l'ombra sua. E comincia ad amarla,[2] e si innamora sì forte che la vuol pigliare,[3] e mette le mani nell'acqua; e l'acqua intorbidisce e l'ombra sparisce. Onde egli comincia a piạngere sopra la fonte. L'acqua rischiara e Narciso vede l'ombra che piange come lui. Allora si lascia cadere nella fonte e muore.

Il tempo è di primavera; alcune donne vẹngono a sollazzarsi alla fonte; vẹdono il bel Narciso annegato; con grandịssimo pianto lo cạvano dalla fonte e lo appọggiano ritto alle sponde della fontana. Onde il Dio d'Amore ne fa un bellịssimo mạndorlo, molto verde e vigoroso; è il primo ạlbero a fiorire e rinnovella amore.[4]

[1] **non s'accorge,** he does not realize.
[2] **comincia ad amarla = la comincia ad amare; la = l'ombra.**
[3] **la vuol pigliare = vuol pigliarla,** he tries to grasp it.
[4] *Note that this version of the story differs from the usual one in which Narcissus is converted into the flower that bears his name.*

II. LA BELLEZZA DELLE DONNE

A un Re nasce un figliolo. I savi astrọlogi prevẹdono che se egli non sta dieci anni senza vedere il sole, perderà la vista. Onde il Re lo fa custodire, e pạssano i dieci anni. Gli fa vedere il mondo e il cielo, il mare, l'oro e l'argento, e le bestie, e la gente; tra le altre cose gli fa vedere delle[1] belle donne. Il giọvane domanda chi sono; e il Re dice che sono demoni. Allora il giọvane dice: – I demoni mi piạcciono sopra tutte le altre cose. E il Re dice: – Ben si può vedere che strana cosa è la bellezzạ delle donne.

[1] **gli fa vedere delle,** shows him some.

Santa Maria dei Falleri, Lazio, XII secolo, abside. [Hélène de Franchis]

III. L'ESTATE DI SAN MARTINO

Nei primi giorni di novembre, San Martino è in viaggio per paesi molto freddi.

Il Santo passa sul suo cavallo coperto dal suo mantello.

Due poveri mendicanti, mal coperti nei loro poveri cenci estivi, domandano al forte e bel cavaliere la carità.   30

Egli senz'altro si leva il[1] mantello, lo taglia con la spada in due parti e ne porge una al mendicante più vicino.

– E a me – domanda l'altro mendicante – non date nulla, signore?

[1] **senz'altro si leva il,** without hesitation takes off his

5

Martino allora, con la spada, taglia la metà rimasta del 35
mantello e porge al mendicante la quarta parte del mantello
intero.

Il primo mendicante ha metà del mantello, il Santo e l'altro
mendicante un quarto del mantello ciascuno e così il sacrificio
del Santo è inutile perchè, col freddo che fa, nessuno è ben 40
riparato e tutti soffrono.

Allora il buon Dio comanda a Novembre di rasserenare il
cielo e di mitigare l'aria per tutta la durata del viaggio di
Martino.

E siccome Dio non ritira più il suo ordine, i primi giorni di 45
novembre sono sempre rallegrati da un tepido sole. Noi
chiamiamo quest'epoca l'estate di San Martino.[2]

> [2] *This explanation of the term may or may not be related to the fact
> that the Church has set the dates of November 11 and 12 as the feast
> days of two saints named Martin; the former date for the apostle of the
> Gauls (St. Martin in this story), the latter date for the St. Martin who
> was pope from 649 to 655.*

IV. IL SORCETTO

Un re, molto ambizioso, non è mai soddisfatto delle sue
nuove conquiste.

Un giorno, mentre è in viaggio, vede una vasta provincia 50
benedetta dal sorriso del cielo, baciata dal mare azzurro.

Il re sospira da mattina a sera:

– Oh! come sarei felice se potessi avere[1] quella provincia!

Nella provincia c'è una bella villa con un parco magnifico e
un palazzo con le scale di marmo e i saloni pieni di mobili 55
preziosi, di tappeti, di specchi.

Passa un milionario e sospira:

– Oh! come sarei felice se avessi[2] quella villa!

Nella villa c'è una signora bella come una fata, la quale

> [1] **come sarei felice se potessi avere,** how happy I would be if I could get
> (conquer), *a standard type of conditional sentence with verb* **potere** *in
> the imperfect subjunctive.*
> [2] **se avessi,** if I had (*imp. subj. of* **avere**).

guarda dal balcone un vispo piccino coi capelli biondi e sospira 60
continuamente:

– Oh! come sarei felice se avessi quel bimbo!

Sul tetto del palazzo va a scaldarsi al sole un bel micio bianco
e nero; il bambino biondo lo guarda da mattina a sera e
sospira: 65

– Oh! come sarei felice se avessi quel micio!

Il micio, dal suo posto di osservazione, vede un sorcio che
entra e esce dalla soffitta e sospira:

– Oh! come sarei felice se avessi quel sorcio!

Il sorcio nelle sue gite cerca di arrivare a una forma di 70
formaggio parmigiano sospesa a una trave e sospira:

– Oh! come sarei felice se avessi quel formaggio!

Una buona fata, la quale ode tutti quei desideri, pensa che,
con la sua potenza sovrannaturale, può rendere felici sei
creature, e ordina che i loro sogni si avverino.[3]   75

Così finalmente il sorcio riesce a mettere i suoi dentini nel
formaggio, il gatto può avere fra le sue zampe il sorcio, il
bambino biondo può impadronirsi del gatto, la bella signora
può adottare come figlio il bambino biondo, il milionario
compera la villa della signora ed il re riesce a conquistare la 80
vasta provincia.

Ma ben presto la fata si accorge che si è ingannata.[4] Il sorcio
mangia il cacio, il gatto mangia il sorcio, il bimbo prende il
gatto, la signora adotta il bimbo, il milionario compera la villa,
il re conquista la provincia, ... ma tutti quanti riprendono a 85
sospirare per altre cose.

Uno soltanto, il povero sorcio divorato dal gatto, non può
avere nuovi desideri, ma tutti gli altri sono più scontenti di
prima.

E così la fata si convince che su questa terra gli uomini, con 90
la loro incontentabilità, si rendono infelice l'esistenza.[5]

[3] **si avverino,** shall (should) be realized (*present subjunctive of avverarsi,*
to become true).

[4] **si è ingannata,** she was wrong (*lit.,* has deceived herself, *present
perfect of reflexive verb ingannarsi*).

[5] **si rendono infelice l'esistenza,** make life unhappy for themselves.

V. LA CAMICIA DELL'UOMO CONTENTO

Un Re ha un figlio unico e gli vuole bene come alla luce dei suoi occhi. Ma questo Prìncipe è sempre scontento. Passa giornate intere affacciato al balcone, a guardare lontano.

– Ma cosa ti manca? – gli chiede il Re. – Che cos'hai?[1]   95
– Non lo so, padre mio, non lo so neanch'io.

– Sei innamorato? Se vuoi una qualche ragazza, dìmmelo, e te la farò sposare,[2] fosse[3] la figlia del Re più[4] potente della terra o la più pòvera contadina!

– No, padre, non sono innamorato.   100

E il Re prova tutti i modi per distrarlo! Teatri, balli, mùsiche, canti; ma nulla serve, e dal viso del Prìncipe di giorno in giorno scompare il color di rosa.

Il Re mette fuori un editto, e da tutte le parti del mondo viene la gente più istruita: filòsofi, dottori e professori. Mostra loro 5 il Prìncipe e domanda consiglio. Quelli si ritìrano a pensare, poi tòrnano dal Re.[5]

– Maestà, abbiamo pensato, abbiamo letto le stelle; ecco cosa dovete fare. Cercate un uomo che sia contento, ma contento in tutto e per tutto, e cambiate la camicia di vostro 10 figlio con la sua.

Quel giorno stesso, il Re manda gli ambasciatori per tutto il mondo a cercare l'uomo contento.

Gli condùcono un prete: – Sei contento? – gli domanda il Re.
– Io sì, Maestà!   15
– Bene. Ci avresti piacere[6] a diventare il mio vèscovo?
– Oh, magari, Maestà!
– Va' via! Fuori di qua! Cerco un uomo felice e contento del suo stato; non uno che voglia star meglio di com'è.

E il Re prende ad aspettare un altro. È un altro Re suo 20

---

[1] **Che cos'hai = Cosa hai,** What's wrong with you?
[2] **te la farò sposare,** I'll let you marry her.
[3] **fosse = anche se fosse,** were she (even).
[4] **più,** the most; *cf.* **più istruita** *below.*
[5] **dal Re,** before the King, to (the presence of) the King.
[6] **Ci avresti piacere,** Would you like.

vicino, gli dicono, che è proprio felice e contento: ha una moglie bella e buona, un mucchio di figli, ha vinto tutti i nemici in guerra, e il paese sta in pace. Subito, il Re pieno di speranza manda gli ambasciatori a chiedergli la camicia.

Il Re vicino riceve gli ambasciatori, e: 25
– Sì, sì, non mi manca nulla, peccato però che quando si hanno[7] tante cose, poi si debba morire e lasciare tutto! Con questo pensiero, soffro tanto che non dormo alla notte! – E gli ambasciatori pensano bene di tornare indietro.

Per sfogare la sua disperazione, il Re va a caccia. Tira a una 30 lepre e crede d'averla presa, ma la lepre, zoppicando, scappa via. Il Re le tiene dietro,[8] e s'allontana dal seguito.[9] In mezzo ai campi, sente una voce d'uomo che canta. Il Re si ferma: «Chi canta così non può che essere[10] contento!» e seguendo il canto, s'infila in una vigna, e tra i filari vede un giovane che canta 35 potando le viti.

Buon dì, Maestà, – dice quel giovane. – Così di buon'ora[11] già in campagna?

– Benedetto te,[12] vuoi che ti porti con me alla capitale? Sarai mio amico.   40

– Ahi, ahi, Maestà, no, non ci penso nemmeno, grazie. Non mi cambierei[13] neanche col Papa.

– Ma perchè, tu, un così bel giovane . . .

– Ma no, vi dico. Sono contento così e basta.

«Finalmente un uomo felice!» pensa il Re. – Giovane, senti: 45 devi farmi un piacere.

– Se posso, con tutto il cuore, Maestà.

– Aspetta un momento, – e il Re, che non sta più nella pelle dalla contentezza,[14] corre a cercare il suo seguito:

---

[7] **si hanno,** one has (*verb agrees with grammatical subject* **cose**).
[8] **le tiene dietro,** keeps after it, follows it.
[9] **dal seguito,** from his suite (*of companions and servants*).
[10] **non può che essere** = **non può essere altro che.**
[11] **Così di buon'ora,** So early.
[12] **Benedetto te,** Bless your heart.
[13] **Non mi cambierei,** I wouldn't change places.
[14] **non sta . . . contentezza,** is beside himself with joy (*lit. can no longer stay in his skin*).

– Venite! Venite! Mio figlio è salvo. – E li porta da[15] 50
quel giọvane.
– Benedetto giọvane, – dice, – ti darò tutto quel che vuoi!
Ma dammi, dammi . . .
– Che cosa, Maestà?
– Mio figlio sta per morire! Solo tu lo puoi salvare. Vieni 55
qua, aspetta! – e lo afferra, comincia a sbottonargli la giacca.
Tutt'a un tratto si ferma, gli cạscano le braccia.
L'uomo contento non ha camicia.

[15] **da,** *cf. n. 5.*

Esercizi

NARCISO

I. Rispọndere in italiano:

1. Dove si posa Narciso?
2. Cosa vede nell'acqua?
3. Perchè si rallegra sopra la fonte?
4. Dove mette le mani?
5. Perchè comincia a piạngere?
6. Chi piange come lui?
7. Come muore Narciso?
8. Che fanno le donne quando vẹdono Narciso annegato?
9. Che cosa ne fa il Dio d'Amore?
10. Com'è il mạndorlo?

II. Tradurre in italiano le espressioni in parẹntesi:

1. L'ombra (does the same).
2. (He is not aware) che è l'ombra sua.
3. Si innamora (so much).
4. Onde egli (begins crying) sopra la fonte.
5. Narciso vede l'ombra che piange (like him).
6. Il tempo è (springtime).
7. Il Dio d'Amore (makes of him) un bellịssimo mạndorlo.

LA BELLEZZA DELLE DONNE

I. Rispọndere in italiano:

1. A chi nasce un figliolo?
2. Che cosa prevẹdono i savi astrọlogi?
3. Cosa fa vedere il Re al figliolo dopo dieci anni?
4. Che domanda il giọvane?
5. Che dice il Re?
6. Perchè il giọvane dice, «I demoni mi piạcciono sopra tutte le altre cose?»

II. Tradurre in italiano le espressioni in parẹntesi:

1. Il figliolo sta dieci anni (without seeing) il sole.
2. Il Re (has him) vedere il mondo e il cielo.
3. Gli fa vedere (some beautiful women).
4. (I like devils) sopra tutte le altre cose.
5. (One can easily see) che strana cosa è la bellezza delle donne.

L'ESTATE DI SAN MARTINO

I. Rispọndere in italiano:

1. Quando è in viaggio San Martino?
2. Da che cosa è coperto?
3. Che gli domạndano due pọveri mendicanti?
4. Che fa allora San Martino?
5. A chi porge la metà del mantello?
6. E a chi porge la quarta parte del mantello intero?
7. Perchè il sacrificio del Santo è stato inụtile?
8. Che cosa comanda allora il buon Dio a Novembre?
9. Come sono sempre i primi giorni di novembre?
10. Come chiamiamo quest' ẹpoca?

II. Completare in italiano:

1. San Martino è _____ per paesi molto freddi.
2. Due pọveri _____ domạndano la carità.
3. Egli _____ si leva il mantello.
4. Il primo mendicante ha _____ del mantello.
5. _____ è ben riparato e tutti sọffrono.
6. Il buon Dio comanda a Novembre di rasserenare il _____.
7. Noi chiamiamo quest'ẹpoca _____.

IL SORCETTO

I. Rispọndere in italiano:

1. Che vede un giorno il re ambizioso?
2. Perchè sospira da mattina a sera?
3. Che cosa c'è nella provincia?
4. Chi passa e sospira?
5. Chi c'è nella villa?
6. Che fa la signora?
7. Cosa vuole il bimbo?
8. Che vede il gatto?
9. Che vuole il sorcio?
10. Che cosa ọrdina la buona fata, e perchè?
11. Che fanno allora il sorcio, il gatto, il bambino, la signora, il milionario e il re?
12. Perchè poi tutti riprẹndono a sospirare?
13. Chi non può avere nuovi desideri, e perchè?
14. Qual'è la morale di questa fạvola?

II. Completare in italiano:

1. Un re, molto ambizioso, non è mai _____ delle sue nuove conquiste.
2. Il re sospira _____ a sera.
3. Nella villa c'è una signora bella come _____.
4. Guarda dal balcone un vispo piccino coi _____.
5. Il micio, dal suo _____ di osservazione, vede un sorcio.
6. Il sorcio _____ di arrivare a una forma di formaggio.
7. Finalmente il sorcio _____ a mẹttere i suoi dentini nel formaggio.
8. Ma _____ la fata si accorge che si è ingannata.
9. La fata si convince che gli uọmini _____ infelice l'esistenza.

LA CAMICIA DELL'UOMO CONTENTO

I. Rispọndere in italiano:

1. Perchè il figlio del Re passa giornate intere a guardare lontano?
2. È innamorato questo Prịncipe?
3. Che cosa prova il Re per distrarlo?

4. A chi domanda consiglio?
5. Cosa consigliano filosofi, dottori e professori?
6. Dove manda il Re gli ambasciatori quel giorno stesso?
7. Chi gli conducono?
8. Perchè il prete non è contento?
9. Perchè non è felice il Re vicino?
10. Che fa il Re per sfogare la sua disperazione?
11. Che sente in mezzo ai campi?
12. Chi vede tra i filari?
13. Perchè il giovane è un uomo contento?
14. Perchè non può salvare il figlio del Re?

II. Tradurre in italiano le espressioni in parentesi:

1. Un Re ha (an only son).
2. Passa giornate intere (looking into the distance).
3. (What's the matter with you), gli chiede il Re.
4. No, padre, (I'm not in love).
5. (From day to day), scompare il color di rosa.
6. (This is what) dovete fare.
7. (Go away!) Fuori di qua!
8. Chi canta così (must be) contento.
9. (So early) già in campagna?
10. Sono contento così e (that's enough).
11. Mio figlio (is about to) morire.
12. (Suddenly) si ferma.

Giotto (1266–1336), San Francesco predica agli uccelli. [Alinari, Firenze]

14

Dai *Fioretti di San Francesco*

The following episodes are from *I Fioretti di San Francesco*, a collection of stories on the life of the saint and some of his companions. The original Latin version of the work is usually ascribed to friar Ugolino da Montegiorgio, writing within a few years after the death of Saint Francis, who was born in 1182 and died in 1226. The Italian version appeared in the second half of the fourteenth century.

I Fioretti is one of the most poetic works in Italian literature. In it the religious ardor of Saint Francis, his love for God, for his fellow men, for nature, and for all of God's creatures, are brought to life in short, simple tales, as vividly as in Giotto's frescoes.

Saint Francis was himself a poet. His "Cantico delle creature," a hymn of praise to God for His creation, which he dictated while suffering excruciating pain on his sickbed, is considered the first great lyrical poem in Italian literature.

I. LA PREDICA AGLI UCCELLI

Allora San Francesco si leva con grandissimo fervore e dice: «Andiamo, al nome di Dio»; e prende per compagni frate Masseo e frate Agnolo, uomini santi. E andando con fervore di spirito arrivano a un castello[1] che si chiama Carmano e San

---

[1] **castello,** village (*originally fortified or walled, a term still used of the Castelli Romani south of Rome, such as Frascati and Castel Gandolfo*).

15

Francesco comincia a predicare. Prędica con tanto fervore che 5 tutti gli uọmini e le donne di quel castello per devozione gli vọgliono andar dietro e abbandonare il castello. E passando oltre Carmano e Bevagno, alza gli occhi e vede degli ạlberi, sui quali è quasi infinita moltitụdine di uccelli; di che San Francesco si meraviglia e dice ai compagni: «Voi mi aspettate qui nella via 10 e io vado a predicare alle mie sirocchie[2] uccelli.» E entra nel campo e comincia a predicare agli uccelli che sono in terra; e sụbito quelli che sono sugli ạlberi vẹngono a lui, e tutti insieme stanno fermi, mentre San Francesco finisce di predicare.

La sostanza della prẹdica di San Francesco è questa: 15 «Sirocchie mie uccelli, voi siete molto tenute[3] a Dio vostro creatore poichè vi ha dato libertà di volare e vi ha dato il vestimento duplicato e triplicato; egli ha anche serbato il vostro seme nell'Arca di Noè. Voi non seminate e non mietete,[4] e Dio vi nutre e vi dà i fiumi e le fonti per vostro bere, e vi dà i 20 monti e le valli per vostro rifugio, e gli ạlberi alti per fare il vostro nido; e poichè voi non sapete filare nè cucire, Dio vi veste, voi e i vostri figlioli. Il vostro Creatore vi ama molto poichè egli vi dà tanti benefici, e però guardạtevi, sirocchie mie, dal peccato della ingratitụdine, ma sempre lodate Dio.» Dicendo 25 San Francesco queste parole,[5] tutti quegli uccelli comịnciano ad aprire i becchi, distẹndere i colli, aprire le ali e riverentemente inchinare i capi fino a terra, e con atti e con canti dimostrare che le parole del padre santo danno loro grandịssimo diletto. E San Francesco insieme con loro si rallegra e si diletta, e si meraviglia 30 molto di tanta moltitụdine di uccelli e della loro bellịssima varietà e della loro attenzione e familiarità. Finita[6] la prẹdica, San Francesco fa loro il segno della Croce e dà loro licenza di

[2] **sirocchie** = **sorelle.**
[3] **tenute,** beholden (*bound in gratitude*).
[4] *Even more than the rest of the episode, this portion is strongly influenced by Matthew VI, 26–28 (Sermon on the Mount).*
[5] **Dicendo . . . parole,** As St. Francis says these words; *note Italian practice, which can not be followed in English translation, of placing subject after participle.*
[6] **Finita** = **Avendo finito.**

partire, e allora tutti quegli uccelli si lęvano in aria con meravigliosi canti; e poi, secondo la Croce che aveva fatta loro 35 San Francesco, si divįdono in quattro parti: e l'una parte vola verso l'oriente, e l'altra verso l'occidente, e l'altra verso il mezzogiorno, la quarta verso il settentrione, e ciascuna schiera va cantando meravigliosi canti.

A lạude di Cristo. Amen.   40

Esercizi

I. Rispọndere in italiano:

1. Dove e quando è nato San Francesco?
2. In che regione d'Italia è Assisi?
3. Perchè tutti gli uọmini e le donne del castello vọgliono andar dietro a San Francesco?
4. Che cosa vede il Santo sugli ạlberi?
5. Dove va a predicare?
6. Che cosa ha dato Dio agli uccelli?
7. Perchè Dio dà agli uccelli i fiumi e le fonti?
8. Cosa fanno gli uccelli mentre ascọltano le parole di San Francesco?
9. Che fanno quando egli dà loro licenza di partire?
10. Perchè si divįdono in quattro parti?
11. Che cosa va cantando ciascuna schiera?

II. Tradurre in italiano le espressioni in paręntesi:

1. Allora San Francesco dice: – Andiamo (in God's name).
2. Arrịvano a un castello (which is called) Carmano.
3. (He begins to preach) agli uccelli che sono in terra.
4. Tutti insieme (stay still) mentre San Francesco finisce di predicare.
5. Egli (gives you) tanti benefici.
6. Quegli uccelli comịnciano ad inchinare i capi (down to the ground).
7. Le parole del padre santo (give them) grandịssimo diletto.
8. (Having finished) la prędica, San Francesco fa loro il segno della croce.
9. (Each) schiera va cantando meravigliosi canti.

II. SAN FRANCESCO E IL LEBBROSO

In un ospedale presso a quello dove dimora San Francesco, i frati servono i lebbrosi ed infermi; nel quale è un lebbroso sì impaziente e perverso, che ognuno lo crede invasato dal demonio, e nessuno lo può o lo vuole servire.

San Francesco viene a questo lebbroso perverso e lo saluta 5 dicendo: – Iddio ti dia pace,[1] fratello mio carissimo.

Risponde il lebbroso rimbrottando: – E che pace posso io avere da Dio che mi ha fatto tutto marcio?

E San Francesco dice: – Figliuolo, abbi pazienza, poichè le infermità dei corpi ci sono date da Dio in questo mondo per 10 salute dell'anima, ed esse sono di grande merito, quando sono portate pazientemente.

Risponde l'infermo: – E come posso io portare pazientemente la pena continua che mi tormenta il dì e la notte? E non sola-mente io sono tormentato dall'infermità mia ma peggio mi 15 fanno i frati[2] che non mi servono come debbono.

Allora San Francesco, conoscendo per rivelazione che questo lebbroso è posseduto dal maligno spirito, va e prega Iddio devotamente per lui. Ritorna a lui e dice così:– Figliuolo, io ti voglio servire io, poichè tu non ti contenti degli altri.   20

E l'infermo dice: – Mi piace, ma che puoi tu fare più che gli altri?

Risponde San Francesco: – Ciò che tu vorrai io farò.

Dice il lebbroso: – Io voglio che tu mi lavi tutto quanto,[3] poichè io puzzo sì fortemente, ch'io medesimo non mi posso 25 patire.

Allora San Francesco fa subito scaldare l'acqua[4] con molte erbe odorifere, poi spoglia il lebbroso e comincia a lavarlo con le sue mani; e per divino miracolo, dove San Francesco tocca con le sue sante mani, sparisce la lebbra e rimane la 30 carne perfettamente sanata. E come si comincia a sanare la

---

[1] **Iddio ti dia pace,** *lit.,* May God give you peace.
[2] **peggio mi fanno i frati,** the friars make it worse for me.
[3] **che . . . quanto,** you to wash me all over.
[4] **fa . . . l'acqua,** immediately has water heated.

carne, così si comincia a sanare l'anima; onde il lebbroso vedendosi cominciare a guarire, comincia ad avere grande compunzione e pentimento dei suoi peccati e a piangere amarissimamente; così, mentre il corpo si sana di fuori della 35 lebbra, l'anima si sana dentro del peccato per contrizione e per le lagrime. Ed essendo compiutamente sanato, il lebbroso si riconosce in colpa e dice piangendo ad alta voce: – Guai a me, ch'io sono degno dell'inferno, per le villanie e ingiurie ch'io ho fatte e dette ai frati, e per l'impazienza e bestemmie ch'io ho 40 avute contro a Dio. – Onde per quindici dì persevera in amaro pianto dei suoi peccati, e in chiedere misericordia a Dio. E San Francesco, vedendo così manifesto miracolo, che Iddio ha operato per le sue mani, ringrazia Iddio e parte di là, andando in paesi assai lontani, poichè per umiltà vuole fuggire ogni 45 gloria mondana, e in tutte sue operazioni solo cerca la gloria di Dio e non la propria.

A laude di Cristo benedetto.
Amen.

Esercizi

I. Rispondere in italiano:

1. Chi servono i frati?
2. È buono e gentile il lebbroso?
3. Come lo saluta San Francesco?
4. Che risponde il lebbroso?
5. Perchè Dio ci dà le infermità?
6. Perchè San Francesco vuol servire egli stesso il lebbroso?
7. Che cosa gli chiede l'infermo?
8. Come lo lava San Francesco?
9. Come rimane la carne dell'infermo dove il Santo la tocca con le sue mani?
10. Perchè piange il lebbroso?
11. Insieme con il corpo, si sana anche la sua anima?
12. Per quanti giorni egli piange e chiede misericordia?
13. Dove va San Francesco partendo di lì e perchè vuol partire?

II. Tradurre in italiano le espressioni in parentesi:

1. In un ospedale (near) a quello dove dimora San Francesco, i frati servono i lebbrosi.
2. Figliuolo (be patient) poichè le infermità dei corpi ci sono date da Dio per salute dell'anima.
3. I frati non mi (help) come debbono.
4. Io ti voglio servire io, poichè tu (are not happy) degli altri.
5. (Whatever) tu vorrai io farò.
6. Io voglio che tu mi lavi (completely).
7. Il lebbroso dice piangendo (aloud) – Guai a me!
8. Per quindici dì persevera in chiedere (mercy) a Dio.
9. San Francesco ringrazia Iddio e parte (from there).

I tre re

The visit of the Three Kings to the infant Jesus is commemorated in the Christian feast of Epiphany (Twelfth Night), giving rise to the custom of making gifts in the Christmas season. The Kings are also traditionally represented in the *presepio* or crib, the first form of popular "Christmas art," originated in the twelfth century by St. Francis.

The first excerpt, written for young people, gives a conventional picture of the visit of the Magi. It is simplified and adapted from *Favole di Natale* (1887), an early work of the poet Gabriele d'Annunzio (1863–1938). The second excerpt offers an interesting variation of the same theme written by the Venetian trader and traveler Marco Polo.

Marco Polo (1254–1325 c.) at the age of about fifteen years went with his father and uncle to the Far East, spending some twenty years in China and another four on the return trip through such regions as Burma, Ceylon, India, Iran, and the Caucasus. The Chinese empire was at that time the greatest in the world and Marco came to know it intimately by carrying out important missions in commerce, administration, and diplomacy for the Emperor Kublai Khan. After his return to Venice in 1295, he was taken prisoner in a naval battle against the Genoese, and dictated the story of his travels while in prison. The first and no doubt most famous account by a European of the life and customs of the Far East, it has come down to us in a variety of forms and languages.

In his introductory remarks to our passage, Marco explains that
he came to the city from which the Three Kings or Three Magi
(priests of the Zoroastrian religion) started out to adore the infant
Jesus; this was Sava in Persia, or, in modern Iran, Saveh. Marco
saw the tombs of the Kings and reports their names as Baldassare,
Gaspare, and Melchiorre. He inquired about their story and reports
what, with some difficulty, he finally learned. The result can be
interpreted as a fascinating document in comparative religion: the
biblical story told in terms of the Persian cult of fire-worshipers,
followers of Zoroaster or Zarathustra who lived in the sixth and
seventh centuries before Christ. Of the priests of this religion, the
Catholic Encyclopedia (Macmillan, 1943, *s. v.* magi) says: "It is
uncertain whether they found the prophecy (of the birth of the

Giotto, Adorazione dei Magi. [Alinari, Firenze]

Christ-child) in the books of the Zoroastrian religion or in the
Jewish scriptures (Num. XXIV, 17), as Jewish colonies were spread
throughout Persia since the seventh century B.C."

I. LA LEGGENDA DEI RE MAGI

La notte è senza luna; ma tutta la campagna risplende di una
luce bianca ed eguale, come nel plenilunio, perché il Divino è
nato. Dalla capanna lontana i raggi si diffondono per la
solitudine, le terre coperte di neve paiono fiorite di rose.

Il bambino Gesù ride teneramente, tenendo le braccia aperte 5
verso l'alto come in atto di adorazione; e l'asino e il bue lo
riscaldano del loro fiato che fuma nell'aria gelida.

Vengono i pastori, dal piano e dal monte, portando doni. E
vengono anche i Re Magi. Sono tre: il Re Vecchio, il Re
Giovane e il Re Moro.[1]   10

Quando giunge la lieta novella della natività di Gesù, si
adunano. E uno dice:

– È nato un altro Re. Vogliamo andare a visitarlo?

– Andiamo – rispondono gli altri due.

– Ma con quali doni?   15

– Con mirra e oro e incenso.

Nel viaggio, i Re Magi discutono poiché non possono
ancora stabilire chi deve essere il primo ad offrire il dono.

Primo vuole essere chi porta l'oro. E dice:

– L'oro è più prezioso della mirra e dell'incenso; dunque io 20
devo essere il primo donatore.

Gli altri due alla fine cedono.

Quando entrano nella capanna, il primo a farsi innanzi[2] è
dunque il Re con l'oro.

S'inginocchia ai piedi del Bambino; e accanto a lui s'ingi- 25
nocchiano i due con l'incenso e la mirra.

Gesù mette la sua piccola mano sul capo del Re che gli offre

---

[1] **il Re Moro** = **Gaspare,** *see editors' introduction.*
[2] **farsi innanzi,** come forward.

l'oro, quasi volesse abbassarne la superbia.[3] Rifiuta l'oro:
soltanto prende la mirra e l'incenso, dicendo: – L'oro non è
per me.   30

[3] **quasi . . . superbia,** as if he wished to humble his pride.

II. GLI ADORATORI DEL FUOCO

Tre re di quella contrada[1] vanno ad adorare un profeta nato
da poco e portano con loro tre offerte – oro, incenso e mirra –
per conoscere se quel profeta è dio o re terreno o medico.
Poiché pensano: se prende oro, è re terreno; se prende incenso,
è dio; se prende mirra è medico. Venuti al luogo dov'è nato il 35
bambino, il più giovane di questi re va da solo a vederlo: e lo
trova che somiglia a lui stesso, chè pare della sua età e della sua
figura. Esce fuori pertanto molto meravigliato. Dopo di lui
entra il re ch'è d'età mezzana: ed il bambino gli pare come
all'altro, della sua figura e della sua età. Esce fuori anche lui 40
tutto stupefatto. Ci va quindi il terzo, il più anziano, e gli succede
il medesimo[2] che agli altri due. Ed esce fuori anche lui molto
turbato. Quando si ritrovano tutti e tre insieme, i tre re si
raccontano quello che hanno visto. Ne fanno le più grandi
meraviglie e decidono di andarci tutti e tre insieme. Si recano 45
quindi tutti insieme a vedere il bambino, e lo trovano dell'aspetto
e dell'età che ha: chè ha soltanto tredici giorni.[3] Allora lo
adorano e gli offrono l'oro, l'incenso e la mirra. Il bambino
prende tutte e tre le offerte. Poi dà loro un bossolo chiuso. Ed i
tre re partono per ritornare nella loro contrada.   50
   Dopo aver cavalcato per alcuni giorni, decidono di vedere
ciò che il bambino ha dato loro. Aprono il bossolo e vi trovano

[1] **contrada,** see introduction.
[2] **gli succede il medesimo,** the same thing happens to him.
[3] **chè,** for (*usual meaning with accent*). *The age of* **tredici giorni**
   *obviously reflects Christian tradition, which places Epiphany twelve
   days after Christmas; it can hardly be reconciled with a realistic view
   of the circumstances: the town of Saveh is separated from Bethlehem
   by about one thousand miles of difficult and mountainous terrain (see
   introduction).*

dentro una pietra. Rẹstano meravigliati ed incerti. Il bambino
l'aveva data loro per significare che dovẹvano essere fermi
come pietra⁴ nella fede incominciata. Poiché i tre re, vedendo 55
che il bambino aveva preso tutte e tre le offerte, ne avẹvano
conchiuso ch'egli era dio, re terreno e mẹdico; e il bambino,
ben sapendo che nei tre re era nata quella fede, aveva dato loro
la pietra per significare che dovẹvano ẹssere fermi e costanti
nella loro credenza. I tre re prẹndono la pietra e la gẹttano in 60
un pozzo: chè non sanno perchè è stata loro donata. Ed appena
la pietra è gettata nel pozzo, scende dal cielo una fiamma e
viene diritto al pozzo dove hanno gettato la pietra.

Veduta quella gran meraviglia i tre re ne rimạngono tutti
stupiti, e si pẹntono di aver buttata la pietra, ben comprendendo 65
allora che quello è un sịmbolo grande e buono. Prẹndono
sụbito di quel fuoco, lo pọrtano nel loro paese, e lo mẹttono
in una loro chiesa, molto bella e ricca. Non cẹssano mai di
farlo ạrdere e lo adọrano come un dio. Cuọciono con quel
fuoco tutti i loro sacrifizi e olocạusti. Se per caso quel fuoco 70
viene a spẹgnersi, ricọrrono agli altri che hanno la medẹsima
fede e sono pure adoratori del fuoco, si fan dare del fuoco che
arde nella loro chiesa e tọrnano a riaccẹndere il loro; nè mai lo
riaccẹndono con fuoco diverso da quello di cui v'ho parlato. E
molte volte dẹvono fare, per trovar di quel fuoco, dieci giornate 75
di marcia.

Sono questi i motivi per cui gli abitanti di quella contrada
adọrano il fuoco.

> ⁴ **fermi come pietra,** *there may be here also an influence of Christian
> tradition in which the Rock (**Pietro** = **pietra**) is the foundation of the
> Church, as in Matthew XVI, 18.*

Esercizi

LA LEGGENDA DEI RE MAGI

I. Rispọndere in italiano:

    1. Com'è la notte in cui è nato Gesù?
    2. Come ride il bambino?

3. Chi lo riscalda?
4. Di dove vengono i pastori?
5. Come si chiamano i Re Magi?
6. Con che doni vanno a visitare il bambino?
7. Perchè i Re Magi discutono durante il viaggio?
8. Chi vuole essere il primo donatore, e perchè?
9. Perchè Gesù mette la piccola mano sul capo del Re che gli offre l'oro?
10. Quali doni prende, e perchè?

II. Completare in italiano:

1. La notte è _____.
2. Il Bambino Gesù ride _____.
3. L'asino e il bue _____ il Bambino del loro fiato.
4. Vengono i pastori, dal piano e _____, portando doni.
5. Primo vuole essere chi porta _____.
6. L'oro è _____ della mirra e dell'incenso.
7. Gli altri due Re _____ cedono.
8. Il Bambino prende soltanto la mirra e l'incenso, dicendo: L'oro _____.

GLI ADORATORI DEL FUOCO

I. Rispondere in italiano:

1. Chi vanno ad adorare i tre re?
2. Che offerte portano con loro, e perchè?
3. Come pare il bambino al più giovane dei re? E agli altri due?
4. Quale aspetto ha quando i tre re vanno tutti insieme a vederlo?
5. Che età ha il bambino?
6. Cosa trovano i tre re nel bossolo?
7. Perchè il bambino aveva dato loro la pietra?
8. Dove la gettano i re?
9. Che cosa scende dal cielo?
10. Che cosa comprendono i tre re?
11. Dove portano quel fuoco e come lo adorano?
12. Che somiglianze avete notate tra il primo e il secondo racconto?

II. Completare in italiano:

1. Tre re vanno ad adorare un profeta nato _____.
2. Essi pensano: se prende oro è _____; se prende incenso è _____; se prende mirra è _____.
3. Il più giovane di questi re trova che il bambino _____ a lui stesso.
4. Esce fuori pertanto molto _____.
5. Il bambino prende _____ le offerte.
6. I tre re partono per _____ nella loro contrada.
7. I tre re prendono _____ e la gettano in un pozzo.
8. Veduta quella gran meraviglia i tre re ne rimangono_____.
9. Molte volte devono fare, per trovar di quel fuoco, _____ di marcia.

Giovanni della Casa

Un po' di galateo

The following advice on proper social behavior is given for the benefit of a young nephew by a Renaissance prelate, poet, humanist, and diplomat, Monsignor Giovanni della Casa (1503–1556), in his book *Galateo ovvero De' Costumi*. This work, whose purpose is to help men live agreeably together in polite society, met with so much favor that its title has become synonymous in Italy with good manners.

È costume poco gentile quello che molti usano, cioè di dormire volentieri in pubblico, poichè così facendo dimostrano che poco apprezzano la compagnia; senza contare che chi dorme, specialmente stando a disagio,[1] spesso fa qualche atto spiacevole ad udire o a vedere, e diviene sudato e bavoso.   5

Peggio ancora fa chi, con delle forbicine, si dà tutto a tagliarsi le unghie, dimostrando poco riguardo per la compagnia. Non si devono nemmeno tenere quei modi che alcuni usano: cioè cantare fra i denti, o suonare il tamburino con le dita, o dimenar le gambe, perchè tali modi mostrano mancanza di rispetto.   10

Nessuno si deve spogliare, e specialmente scalzare, in pubblico; può infatti anche avvenire che quelle parti del corpo che per usanza si coprono, si scoprano con vergogna di lui e di

---

[1] **stando a disagio,** in an uncomfortable position.

chi le vede. Non si deve nè pettinarsi, nè lavarsi tra le persone,[2]
poichè queste sono cose da fare in camera e non in pubblico, 15
salvo (io dico del lavar le mani) quando si vuole andare a
tavola, poichè allora conviene lavarsele pubblicamente, anche
se tu non ne hai bisogno, per farlo sapere con certezza a chi
intinge con te nel medesimo piatto.[3]

Non sta bene nè mostrar la lingua, nè troppo stuzzicarsi la 20
barba, come molti hanno per usanza di fare. Nè stropicciar le
mani una contro l'altra. Nè gettar sospiri. Nè lamentarsi
altamente. Nè tremare o riscuotersi, come fanno alcuni. Nè
distendersi, e distendendosi gridare per dolcezza: Oimè, Oimè,
come villano che si desti.   25

Non sta bene grattarsi, sedendo a tavola; e in quel tempo[4] non
si deve sputare o, se pure si fa, si deve fare in modo garbato.
Io ho più[5] volte udito che vi sono delle nazioni così sobrie che
non sputano mai. Ben possiamo noi tenercene[6] per breve
spazio.   30

Non sta neanche bene fregarsi i denti con il tovagliolo, e
meno col dito, che sono atti sconvenienti. Nè sta bene ri-
sciacquarsi la bocca e sputare il vino in pubblico. Nè levandosi
da tavola è gentil costume portare lo stuzzicadenti in bocca, come
uccello che fa il suo nido, o sopra l'orecchia, come un barbiere. 35
E chi porta legato al collo lo stuzzicadenti, sbaglia senz'altro,
poichè quello è uno strano arnese a veder trar di seno ad un
gentiluomo,[7] e io non so dire perchè questi tali non portino
anche il cucchiaio legato al collo.

Non deve l'uomo nobile correre per via, nè troppo affrettarsi, 40
che ciò conviene a palafreniere, non a gentiluomo. Nè perciò si
deve andare così lento e contegnoso come femmina o come
sposa. E camminando, è sconveniente dimenarsi troppo. Nè

---

[2] **tra le persone = in pubblico.**
[3] *It was still common then to use the hands in eating.*
[4] **in quel tempo = a tavola.**
[5] **più,** *note here the common idiomatic meaning,* several.
[6] **tenercene,** abstain (*lit., keep ourselves*) from it.
[7] **veder . . . gentiluomo,** see a gentleman take from his bosom *or* see taken from his bosom by a gentleman.

si devono tenere le mani spenzolate, nè scagliare le braccia, nè
gettarle come per seminare le biade nel campo. 45

Vi sono alcuni che camminando levano il piede tanto alto
come cavallo che ha spavento, altri battono il piede in terra sì
forte, che poco maggiore è il rumore dei carri.

Bisogna anche far attenzione a come si muove il corpo,
specialmente nel parlare; poichè avviene assai spesso che uno è 50
così attento a quel che dice, che poco d'altro gli preme.[8] E chi[9]
dimena il capo. E chi straluna gli occhi e leva un ciglio a mezzo
la fronte, e l'altro[10] china fino al mento. E tale torce la bocca.
E alcuni altri sputano nel viso a coloro con cui conversano. Si
trovano anche di quelli che muovono le mani come per voler 55
cacciar mosche: che sono maniere sconvenienti e spiacevoli.

Ora che debbo io dire di chi porta il fazzoletto in bocca? e di
chi mette una gamba sulla tavola? e di chi si sputa sulle dita?

Non si devon fare risa sciocche, e neanche grasse o difformi.
Nè rider per usanza, e non per bisogno. Nè devi ridere dei 60
tuoi medesimi motti, che è un lodarti da te stesso. Tocca di
ridere a chi ode, e non a chi dice.

Non offrirai il tuo moccichino, anche se di bucato, a nessuno,
poichè la persona a cui tu lo offri non lo sa e potrebbe sentir
disgusto. Quando si parla con qualcuno, non si deve andargli 65
tanto vicino da alitargli nel viso, poichè vi sono molti che non
amano di sentire il fiato altrui, anche se non ne viene cattivo
odore.

Dopo che ti sei soffiato il naso, non devi aprire il moccichino
e guardarvi dentro, come se perle e rubini ti dovessero esser 70
discesi dal cervello, poichè questi sono modi stomachevoli, ed
atti[11] non a farci amare ma a far disamorare di noi chi già ci
ama.

Se le sopraddette cose ti sembrano di poca importanza, pensa
che anche le leggere percosse, se sono molte, possono uccidere. 75

---

[8] **poco d'altro gli preme,** he shows little concern for anything else.
[9] **chi,** *here and in next phrase is distributive:* some.
[10] **l'altro** = l'altro ciglio.
[11] **atti,** *plural of* **atto,** apt *or* likely; *not the same word as* **atto,** act.

Esercizi

I. Rispondere in italiano:

1. Secondo il galateo, quale costume è poco gentile?
2. Che cosa dimostra chi si taglia le unghie in pubblico?
3. È buona usanza cantare fra i denti o dimenar le gambe?
4. Quali sono le cose da fare in camera?
5. Quale parte del corpo conviene lavare pubblicamente?
6. Sta bene mostrar la lingua o stuzzicarsi la barba?
7. Sta bene sputare il vino in pubblico?
8. Con che cosa non dobbiamo fregarci i denti?
9. Come non si deve portare lo stuzzicadenti?
10. Che cosa non deve fare l'uomo nobile?
11. Cosa è sconveniente fare camminando?
12. Come camminano alcuni?
13. Quali maniere spiacevoli usano alcuni nel parlare?
14. A chi tocca di ridere mentre si conversa?
15. A chi offrirai il tuo moccichino?
16. Che cosa non devi fare dopo che ti sei soffiato il naso?
17. Quali conseguenze possono avere le leggere percosse, se sono molte?
18. Come sembrano questi consigli di Monsignor della Casa a voi giovani moderni?

II. Completare in italiano:

1. Chi dorme, stando _____, spesso fa qualche atto spiacevole.
2. Tali modi mostrano _____ di rispetto.
3. Queste sono cose da fare in camera e non _____.
4. Non sta bene grattarsi, sedendo _____.
5. Chi porta legato al collo lo stuzzicadenti, sbaglia _____.
6. Non deve l'uomo nobile correre _____.
7. Bisogna anche _____ a come si muove il corpo.
8. Alcuni altri sputano nel viso a coloro _____ conversano.
9. Che debbo io dire di chi porta il fazzoletto _____?
10. Non offrirai il tuo moccichino, anche se _____, a nessuno.
11. Molti non amano di sentire il fiato _____.

Canzoni popolari

I. STORNELLI TOSCANI

Lei: Peschi fiorenti . . .
Ho canzonato diciannove amanti
e se canzono voi saranno venti . . .

Coro: Colgo la rosa e lascio star la foglia
ho tanta voglia di far con te all'amor . . .   5

Lui: Fior di granato . . .
Prendetelo, prendetelo marito
se avete da scontar qualche peccato . . .

Coro: Colgo la rosa, ecc.

Lei: Fior di susino . . .   10
Se passeggi per me passeggi invano:
senz'acqua non si macina al mulino . . .

Coro: Colgo la rosa . . .

Lui: Oh quanta frutta . . .
La donna innamorata è mezza matta,   15
quando ha preso marito è matta tutta . . .

Coro: Colgo la rosa . . .

TRANSLATION

I. FLOWER SONG

She: Flowering peach-trees . . .
         I have beguiled nineteen lovers
         and with you that will make twenty.

Chorus: I pluck the rose and leave the leaf
         so much do I yearn to make love to you . . .

He: Pomegranate blossom . . .
         Take him, do take a husband
         if you have some sin to expiate.

Chorus: I pluck the rose, etc.

She: Plum blossom . . .
         If you're out strolling for me you stroll in vain:
         without water one grinds no wheat at the mill.

Chorus: I pluck the rose . . .

He: Oh what fruit . . .
         A woman in love is half crazy,
         when she takes a husband she's crazy all over . . .

Chorus: I pluck the rose . . .

II. RISPETTO ALL'ANTICA

Prima di lasciar voi, mio dolce amore,
dovrei vedere i monti camminare,
che il giorno fosse di quarantott'ore
e che di pietra diventasse il mare.
Se tutto questo non potrà accadere,   5
sempre nel core mio vi vo' tenere,
se tutto questo non potrà avvenire,
prima di lasciar voi dovrei morire!

     Così l'amore – che viene e va,
     gioia e dolore – sempre ci dà.   10

Lei mi giurava amore e non m'amava,
lei mi giurava fede e non ne aveva;
con ogni giovanotto che incontrava
faceva la civetta e ci rideva.
Ed io che per amarla l'ho stimata, 15
lei mi lasciò così; falsa ed ingrata!
E lei senza coscienza s'è perduta
e chi non la voleva l'ha ottenuta!

Così l'amore – che viene e va,
gioia e dolore – sempre ci dà. 20

TRANSLATION

II. OLD TUSCAN LOVE-SONG

(She)   Before leaving you, my sweet love, I should have to see the mountains walk, the day be forty-eight hours long, and the sea turn to stone. If all this can not happen, I always want to keep you in my heart; if all this can not occur, before leaving you I should have to die!

(Chorus)   So love that comes and goes ever gives us joy and grief.

(He)   She swore me love and loved me not, she swore me faith and was faithless; she flirted and laughed* with every young man she met. And I, who out of love esteemed her, she left me thus; deceiving ingrate! And she by her heartlessness brought on her own ruin and the one that didn't want her got her.

(Chorus)   So love that comes and goes ever gives us joy and grief.

III. RISPETTO POPOLARE

Sette bellezze vuol aver la donna
prima che bella si possa chiamare;

---

* *lit.*, **faceva la civetta**, she played the flirt *and* **ci rideva**, she laughed about it (*i.e.*, *about her own flirting with other men*).

alta dev' esser senza le pianella,
e bianca e rossa senza su' lisciare
larga di spalle e stretta in cinturella,   5
la bella bocca e 'l bel nobil parlare;
se poi si tira su le bionde trecce,
decco la donna di sette bellezze.

TRANSLATION

III. LOVE-SONG

A woman needs to have seven charms before she can call herself beautiful; she should be tall without slippers, white and pink without make-up; broad of shoulders and narrow of waist, fair lips and lovely genteel way of speaking; if then she draws up her blond tresses, behold the lady of seven beauties.

Donne del Quattrocento: Domenico Veneziano (m. 1461), Ritratto di gentildonna. [Metropolitan Museum of Art, the Jules S. Bache collection]

Donne del Quattrocento: Domenico Ghirlandaio (1449–1494), particolare della Nascita del Battista. [Alinari, Firenze]

Carlo Goldoni

La scoperta di una vocazione

The most frequently performed playwright of Italy is also its greatest master of comedy, Carlo Goldoni, who was born in Venice in 1707, and, after moving permanently to Paris in 1762, died there in 1793. During his last years in Paris, he wrote in French the highly entertaining and valuable *Mémoires*, from which the following passage, given in modern Italian, is one of the most celebrated episodes. It tells of that decisive moment in the life of young Carlo when he abandoned his studies to travel back home with a strolling company of actors. The distance they covered in four days' navigation will not seem great to a modern traveler. The troupe found it convenient to go by boat directly from Rimini to the southernmost point of the Venetian lagoon, the mainland town of Chioggia (see endpaper map), where they were to give some performances and where Carlo could see his mother. He was then just fourteen, the trip taking place in March, 1721.

Carlo's joyful escapade with the stock company did not lead him directly into the theater as a way of life. He went on to become a practicing lawyer after graduating from the University of Padua, starting in 1738 to write for the stage as an amateur, and finally dedicating himself to it entirely.

In Goldoni's time the usual form of Italian comedy was the *Commedia dell'Arte*, in which the characters were standard types and each actor, following a script for the plot, improvised his lines. This type of comedy, which long enjoyed great popularity for its

famed masks and brilliant acting, put the theater entirely in the hands
of the actors (*l'arte*). Later, it gradually decayed into stereotype and
trite scurrility. Goldoni imposed his will as an author on the Italian
theater, making it more true to life. His comedies are a delightfully
vivid mirror of his age, depicting aristocrats, merchants, servants,
housewives, fishermen—a whole society seen through the eyes of an
acute and jovial observer of contemporary manners.

C'era una compagnia di commedianti in Rimini,[1] che mi
parve deliziosa. Era la prima volta che vedevo donne sul
teatro, e trovai che ciò abbelliva la scena. A Rimini si ammettono
le donne sul teatro, nè vi si veggono, come a Roma, uomini[2]
senza barba, o barbe ancor nascenti.   5

Andai alla commedia, molto modestamente, in platea,[3] nei
primi giorni.

Vedevo alcuni giovani come me tra le scene;[4] tentai di
penetrarvi, nè vi trovai difficoltà: davo delle occhiate furtive a
quelle signorine, ed esse mi fissavano arditamente. A poco a   10
poco presi dimestichezza con loro, e di discorso in discorso, di
domanda in domanda seppero[5] che io ero veneziano. Erano
tutte mie compatriote, mi vezzeggiarono e mi usarono cortesie
senza fine. Il direttore stesso mi colmò di gentilezze e mi
pregò di pranzare da lui; vi andai.   15

I commedianti stavano per terminare le recite pattuite, e
dovevano partire; la loro partenza mi dispiaceva veramente. Un
venerdì, giorno di riposo[6] per tutta l'Italia fuorchè per lo Stato

---

[1] **Rimini,** *see introduction and map.*

[2] **uomini,** men, *i.e., young or beardless (or boys) who in many regions of
Italy (and of Europe) were still the only ones allowed to play women's
parts on the stage, a usage that dominated the English stage also in
Shakespeare's day. The cardinal ruling the legation of Rimini (in the
papal states) allowed women on the stage, as was the rule also in
Venice, although the young Carlo had not yet seen them. He was
fourteen at the time.*

[3] **platea,** *the* stalls *or* ground-floor seats *were cheap, society patrons
always grouping together in boxes,* **palchi,** *related to our word* balcony.

[4] **tra le scene,** backstage.

[5] **seppero,** they learned.

[6] **venerdì, giorno di riposo,** *places of entertainment were closed in
observance of the Crucifixion.*

vęneto, si fece una scampagnata con tutta la compagnįa. Il
direttore annunziò la partenza fra otto giorni; aveva già fissata 20
la barca, che doveva condurli a Chioggia.[7]
– A Chioggia? – dissi con un grido di sorpresa.
– Sissignore, noi dobbiamo andare a Venezia, ma ci tratterremo[8] quįndici o venti giorni a Chioggia, per darvi qualche[9]
rappresentazione di passaggio.   25
– Ah! mio Dio! mia madre è a Chioggia, ed io la vedrei con
molto piacere.
– Venite con noi.
– Sì, sì – tutti grįdano uno dopo l'altro – con noi, con noi,
nella nostra barca; ci starete bene, non spenderete nulla; si 30
giuoca, si canta, si ride, ci si diverte.[10]
Come resįstere a tanta attrattiva? Perchè pęrdere un'occasione
così bella? Accetto, mi impegno, e faccio i miei preparativi.
Incomincio dal parlarne al mio ǫspite, che vi si oppone[11]
vivissimamente: insisto, ed egli ne informa il conte Rinalducci.[12] 35
Tutti ęrano contro di me. Fingo di cędere, sto quieto; il giorno
fissato per partire mi metto in tasca due camicie ed un berretto
da notte; vado al porto, entro il primo nella[13] barca, mi
nascondo bene sotto la prua, ed avendo il mio calamaio da
tasca, scrivo al signor Battaglini. Mi scuso dicendo che la 40
voglia di riveder mia madre mi trascina, e gli dichiaro che
parto. Fu una mancanza,[14] lo confesso; ne ho fatte ancora
dell'altre, e le confesserò ugualmente.
Giųngono i commedianti. Dov'è il signor Goldoni? Ecco

---

[7] **Chioggia,** *see introduction. A prosperous fishing village in Goldoni's
time, it is the scene of one of his best plays in Venetian dialect,* **Le
baruffe chiozzotte.**
[8] **ci tratterremo,** *from* **trattenersi.**
[9] **qualche,** *plural in meaning.*
[10] **si giuoca . . . ci si diverte** = **giochiamo . . . ci divertiamo.**
[11] **vi si oppone,** objects to it.
[12] **il conte Rinalducci,** *Carlo had been warmly recommended to this
nobleman's kind attention by his family when they sent him to school
at Rimini.*
[13] **entro il primo nella,** I am the first to board the.
[14] **mancanza (d'educazione),** discourtesy.

Goldoni che vien fuori dalla sua cantina; si mettono tutti a 45
ridere; mi fanno festa, mi accarezzano, e si fa vela. Addio,
Rimini.
Presentava un piacevole colpo d'occhio[15] questa compagnia
imbarcata. Dodici persone, fra comici e attrici,[16] un suggeritore,
un macchinista, un guardaroba, otto servitori, quattro camerieri, 50
due nutrici, ragazzi d'ogni età, cani, gatti, scimmie, pappagalli,
piccioni e un agnello: pareva l'arca di Noè. La barca essendo
spaziosissima, vi erano molti scompartimenti, e ogni donna
aveva il suo bugigattolo con tende. Era stato accomodato un
buon letto per me accanto al direttore; e ciascuno era ben 55
allogato.

Il soprintendente generale del viaggio, che nel tempo stesso
era anche cuoco e cantiniere, suonò un campanello, ch'era il
segno della colazione. Tutti si adunarono in una specie di
salone formato nel mezzo del naviglio, sopra le casse, le valigie, 60
le balle. Sopra una tavola ovale c'era caffè, tè, latte, arrosto,
acqua e vino. La prima amorosa[17] chiese un brodo, ma non ve
n'era. Eccola nella maggior furia, e ci volle molta pena[18] per
calmarla con una tazza di cioccolata: era appunto la più
brutta e la più incontentabile.　　　　　　　　　　　　　　　　　65

Dopo colazione, fu proposta una partita,[19] per aspettare il
pranzo. Si giocava, si rideva, si scherzava e si facevano burle a
vicenda. Ma la campana annunzia il pranzo e tutti vi accorrono.
Maccheroni. Tutti si affollano sopra, e se ne divorano tre
zuppiere. Bove alla moda, pollame freddo, lombi di vitella,[20] 70
frutta, vino eccellente . . . ah che buon pranzo, oh che appetito!
La tavola durò quattro ore. Si sonarono diversi strumenti e si
cantò molto. La servetta[21] cantava a meraviglia. Ma, ahimè,

---

[15] **Presantava . . . occhio,** (*This company*) offered a pleasant sight.

[16] **Dodici . . . attrici,** *i.e.*, twelve players (*twenty-nine people in all plus the children and Carlo*).

[17] **prima amorosa,** leading lady.

[18] **ci volle molta pena,** it took a lot of trouble.

[19] **partita,** game (*cards, presumably*).

[20] **Bove . . . vitella,** *Stewed beef* (Fr. *bœuf à la mode*), *cold chicken, roast loin of veal.*

[21] **servetta,** *the one who played the part of* soubrette *or* servant-girl.

successe un caso che ruppe il brio della compagnia. Scappò dalla sua gabbia un gatto che era il trastullo della prima 75 amorosa. Ella chiamò tutti in soccorso, e gli si corre dietro;[22] ma il gatto, che era selvatico come la sua padrona, sgusciava, saltava, si rimpiattava dappertutto e, vedendosi inseguito, si arrampicò all'albero del legno. Madama Clarice si trova impacciata:[23] un marinaio sale per riprenderlo, e il gatto si 80 slancia in mare e vi resta.[24] Ecco la sua padrona in disperazione: vuol fare strage di tutti gli animali che scorge, vuol precipitare nella tomba del suo caro gattino la sua cameriera. Tutti ne[25] prendono la difesa e diviene generale l'altercazione. Sopraggiunge il direttore: ride, scherza, fa carezze all'afflitta dama, che 85 termina con ridere ella stessa; ed ecco il gatto in oblio.

Il quarto giorno arrivammo a Chioggia. Pregai il direttore della compagnia drammatica di accompagnarmi a casa. Egli accondiscende di buon grado. Giunti a casa, feci passare l'ambasciata[26] e io restai in anticamera. 90

– Signora, – egli disse a mia madre – vengo da Rimini e ho notizie da darle di suo figlio.

– Come sta mio figlio?[27]

– Benissimo, signora.

– È contento del suo stato? 95

– Signora, non troppo. È molto afflitto.

– Afflitto di che?

– D'esser lontano dalla sua buona mamma.

– Povero ragazzo! Come vorrei che fosse qui con me! – Io ascoltavo tutto e mi batteva il cuore. 100

– Signora, – continuò il capocomico – gli avevo proposto di condurlo con me.

– E perchè non l'ha fatto, signore?

---

[22] **gli si corre dietro** = **tutti corrono dietro al gatto.**
[23] **albero del legno,** ship's mast. **si trova impacciata,** feels embarrassed (*by her clothes which keep her from climbing up after the cat*).
[24] **vi resta** = **resta in mare** (drowns).
[25] **ne** = **della cameriera.**
[26] **feci passare l'ambasciata,** let the message (messenger) go ahead.
[27] *Note in this and the following scene the vivacity of the dialogue.*

– E lei mi avrebbe approvato?

– Senza dubbio.   5

– Ma . . . i suoi studi?

– I suoi studi? Poteva ritornare a Rimini. E poi ci sono
maestri dappertutto.

– Lo abbraccerebbe dunque con piacere?

– Con immensa gioia.   10

– Signora, eccolo qui.

Apre la porta. Io entro e mi getto ai piedi di mia madre. Essa
mi abbraccia e le lagrime m'impediscono di parlare. Il comico,
avvezzo a queste scene, ci disse qualche parola gentile e, preso
commiato da mia madre, se ne andò. Io confesso allora 15
sinceramente la sciocchezza che ho fatto; la mamma mi
rimprovera e mi abbraccia un'altra volta, ed eccoci tutt'e due
contenti. Torna mia zia ch'era uscita di casa: altra sorpresa e
altri abbracci.

Di lì a sei giorni[28] arriva mio padre, ch'era fuori di Chioggia. 20
Io tremo e mia madre mi nasconde in uno stanzino, incaricandosi
lei del resto. Il babbo sale, la mamma gli va incontro. I soliti
abbracci. Ma egli pare in collera, non ha la solita gaiezza.
Forse sarà stanco. Entrano in camera e le sue prime parole sono:

– Dov'è mio figlio?   25

Mia madre risponde bonariamente.

– È nella sua pensione.

– No, no, – ripiglia il babbo in collera – parlo del figlio
maggiore: egli è qui e voi me lo nascondete. Fate male: è un
impertinente che bisogna correggere.   30

La mamma, sconcertata, non sa che dire, pronunzia qualche
vaga parola:

– Ma . . . come? . . .

Ma il babbo l'interrompe, pestando i piedi.

– Sì, sono stato informato di tutto. So bene quel che ha 35
fatto.

La mamma lo prega, con aria afflitta, di sentire le mie
discolpe prima di condannarmi. Il babbo è più che mai in

_____
[28] **Di lì a sei giorni,** Six days later.

collera e domanda ancora dove sono. Io non posso più trat-
tenermi, apro la porta, ma non oso farmi avanti.   40
– Ritiratevi, – dice mio padre alla moglie e alla sorella –
lasciatemi solo con questo bel soggetto.
Quelle escono e io mi accosto tremante.
– Ah, babbo mio!
– Come mai siete qui, signorino?   45
– Babbo caro, le avranno detto che . . .
– Sì. So tutto. So che, nonostante le rimostranze e i buoni
consigli, voi, a dispetto di tutti, avete avuto l'insolenza di
lasciar Rimini improvvisamente.
– Ma che ci facevo a Rimini? Era tempo perso.   50
– Come tempo perso? Lo studio della filosofia è tempo perso?
– Ah, la filosofia! I sillogismi, gli entimemi, i sofismi, i nego,
probo, concedo[29] . . . Babbo mio, se ne ricorda lei?[30]
Il babbo non può trattenere un piccolo moto delle labbra
che tradisce la sua voglia di ridere; ed io, abbastanza scaltro, 55
me ne accorgo. Perciò prendo coraggio.
– Babbo mio, – ripiglio – mi faccia imparare la filosofia
dell'uomo, la morale[31] . . . questa sì.
– Via, via! E come sei venuto sino a Chioggia?
– Per mare, con una compagnia di comici.   60
– Di comici?
– Sono gente onesta.
– Come si chiama il capocomico?
– Sulla scena si chiama Florindo de' Maccheroni.
– Ah, ah! Lo conosco, è un brav'uomo infatti. Faceva la 65
parte di Don Giovanni nel «Convitato di pietra,»[32] e siccome gli

---

[29] *Terms of formal scholastic logic.*
[30] **lei,** *note pronoun of formal address used toward the father.*
[31] **la morale = la filosofia morale, lo studio dell'uomo.**
[32] **Convitato di Pietra,** Stone Guest, the Commander—*a reference to
one of the numerous and always popular versions of the Don Juan
story (in Italian,* **Don Giovanni**). *The Don, who has killed the Commander, seems to hear his statue speak to him in a cemetery, where-
upon he invites the statue to dinner. In the final dinner scene the
Commander comes and drags the Don down to hell. Before this, most
versions include some comic byplay in which the servant snatches*

venne l'idea di mangiarsi i maccheroni d'Arlecchino, gli han messo quel soprannome . . .

– Babbo, le assicuro che questa compagnịa . . .
– Dove è andata?   70
– È qui.
– Come qui?
– Sì, è qui a Chioggia.
– Rẹcita qui a Chioggia?
– Sì, babbo caro.   75
– Andrò a vederla.
– E io, babbo?
– Tu? Tu sei un briccone. Come si chiama la prima amorosa?
– Clarice.
– Ah, sì! Clarice. Brutta, molto brutta, ma molto spiritosa. 80
Bisognerà dunque che io vada a ringraziarli.
– E io, babbo?
– Disgraziato!
– Le chiedo perdono, babbo.
– Via, via, per questa volta . . .   85
Mia madre, che ha sentito tutto, entra ed è sfavillante di vedermi riconciliato col babbo.

Esercizi

I. Rispọndere in italiano:

  1. In quale regione d'Italia si trova la città di Rịmini?
  2. Che faceva a Rịmini il giọvane Goldoni?
  3. Quale compagnịa gli parve deliziosa?
  4. Trovò difficoltà a penetrare tra le scene del teatro?
  5. A chi dava delle occhiate furtive?
  6. Perchè le commedianti gli usạrono molte cortesịe e il direttore lo pregò di pranzare da lui?
  7. Quando dovẹvano partire i commedianti?

_____

some of the delicacies from his master's plate. The gesture of Florindo as the Don in eating his servant's spaghetti was therefore an amusing instance of "man bites dog."

8. Dove doveva condurli la barca?
9. Dove si trova Chioggia e chi vi abitava?
10. Che invito riceve il giọvane Goldoni? Lo accetta?
11. Dove si nasconde?
12. Perchè la barca pareva l'arca di Noè?
13. Cosa mangiạrono per colazione? E poi per pranzo?
14. Com'era la prima amorosa?
15. Dove si slancia il suo gatto?
16. Che vuol fare lei nella sua disperazione?
17. Quando arrivạrono a Chioggia?
18. Perchè il giọvane Goldoni prega il direttore di accompagnarlo a casa?
19. Che dice il direttore alla madre del ragazzo?
20. Perchè la madre nasconde il figlio in uno stanzino?
21. Per quale ragione è in cọllera il padre?
22. Perchè il ragazzo dice che il tempo passato a Rịmini era tempo perso?
23. Per quale ragione il capocọmico sulla scena si chiamava Florindo de' Maccheroni?
24. Che dice il padre nei riguardi della prima amorosa?
25. Perchè la madre è sfavillante di gioia?

II. Tradurre in italiano le espressioni in parẹntesi:

1. (It was the first time) che vedevo donne sul teatro.
2. (I tried) di penetrarvi.
3. (They found out) che io ero veneziano.
4. I commedianti (were due to leave).
5. Il direttore annunziò la partenza (in eight days).
6. Si gioca, si canta, si ride, (we have a good time).
7. Incomincio (by talking about it) al mio ọspite.
8. (Everyone begins to) rịdere.
9. La prima amorosa chiese un brodo, ma (there wasn't any).
10. Il gatto (hurls himself into the sea) e vi resta.
11. (On the fourth day) arrivammo a Chioggia.
12. (I have news to give you) di suo figlio.
13. (How I should like) che fosse qui con me!
14. Signora (here he is).
15. Il cọmico (having taken leave of my mother) se ne andò.

16. (Six days from then) arriva mio padre.
17. Il babbo sale, la mamma (goes to meet him).
18. La mamma, sconcertata, (doesn't know what to say).
19. Il babbo è (angrier than ever).

III. Tradurre in italiano:

1. little by little
2. equally
3. in turn
4. marvelously
5. with pleasure
6. without a doubt
7. everywhere
8. unexpectedly

IV. Formare delle frasi usando le espressioni tradotte.

Visioni d'Italia (I)

Firenze

MISTER SMITH A FIRENZE

Mister Smith è giunto a Firenze con un diretto della sera. Poichè la giornata è serena, egli carica moglie, figlia e valigie sull'auto di un grande albergo dei Lungarni[1] c, dopo aver consultato la guida che ha sotto il braccio, s'incammina per conto suo, a piedi, coll'aria tranquilla e soddisfatta dell'uomo 5 che si trova in paese di conoscenza.

Mister Smith non è mai stato a Firenze in carne ed ossa, ma sono anni che la sta visitando colla fantasia.[2] Sebbene diriga un'agenzia di affari nella *City*, mister Smith si vanta di possedere un temperamento artistico. Ha letto *Romola* e i 10 *Mornings in Florence*,[3] tiene nel suo studio una riproduzione della *Primavera* del Botticelli, sa che Firenze è la città di Dante, dell'arte e dei fiori; e poichè ha raggiunto la terra promessa vuole assaporarne subito l'incanto. Un'occhiata alla guida; ma i lavori intorno alla stazione lo disorientano e non gli permettono 15

[1] **Lungarni,** quays (*alongside the Arno river,* **lungo Arno**).

[2] **sono ... fantasia,** he has been visiting it in his imagination for years.

[3] **City ... Romola ..., Mornings in Florence.** *References here are to the business section of London, to a historical novel by George Eliot (1863), and to a collection of "simple studies on Christian art for foreigners" by John Ruskin (1875).*

47

Firenze, Palazzo della Signoria e il Perseo del Cellini. [Italian State Tourist Office (E.N.I.T.), New York]

Firenze, Veduta da Piazzale Michelangelo. [E.N.I.T.]

neanche di ammirare l'aereo campanile di Santa Maria Novella.[4] Finalmente mister Smith imbocca la via giusta, ed eccolo in piazza dell'Unità Italiana. Si guarda d'intorno: case banali, grandi alberghi, botteghe mediocri, automobili, tranvai, un *policeman* che regola il traffico come in qualunque città inglese 20 di provincia.

Contemplando le vedute fotografiche di Firenze, mister Smith rivestiva edifici e monumenti di belle pietre levigate e luccicanti:[5] quel colore di ocra e di cenere lo urta come un'offesa

[4] **Santa Maria Novella.** *One of the great Florentine churches, located near the railway station, as is the piazza dell'Unità Italiana.*

[5] **rivestiva ... luccicanti,** imagined the buildings and public monuments to be constructed of fine polished shiny stone; *instead the stone is, of course, very old (cf. Panzini on Pisa p. 77) and the most characteristic* **palazzi** *are built of rough-hewn stone (***pietra greggia***).*

49

personale, e lo stupisce che[6] le colline dintorno non siano tutte 25
smaglianti di gigli e di rose. Eppure siamo in primavera e
Firenze è la città dei fiori![7] E mister Smith si avvia verso
l'albergo con un po'di delusione inconfessata in fondo al cuore.

Stasera stessa, mister Smith con la moglie e la figlia vedrà il
Duomo e il Palazzo Vecchio illuminati dal gioco sapiente dei 30
riflettori. Domani farà il giro dei colli in torpedone[8] e dopodomani inizierà una corsa frettolosa attraverso le sale degli
Uffizi. E dinanzi a quei paesaggi, a quelle pietre e a quelle tele,
non mancherà di estasiarsi e di ripetere cento volte: «Beautiful»
e «Wonderful!» Ma la sua sosta a Firenze si limita a una 35
settimana o poco più, e ormai l'incanto è rotto poichè la prima
impressione prevale sul resto. Ripartendo, mister Smith riporta
in patria un confuso rancore contro la città che ha deluso il
suo sogno di venti anni.

Mr. Smith potrebbe del resto chiamarsi benone Herr Mueller 40
o Monsieur Dupont. L'europeo di medio calibro, l'uomo della
strada che si è formato uno spolvero[9] di cultura artistica
sfogliando le guide e le riviste, di primo acchito non riesce
quasi mai a «sentire» Firenze e una sosta di pochi giorni lo
disorienta e lo delude. 45

Accade di certe città come di certe donne. Napoli, Venezia vi
conquistano alla prima. Chi per la prima volta si affaccia al
Vomero[10] o sbarca sulla riva degli Schiavoni,[11] rimane sbalordito
e attonito da una sinfonia di colori smaglianti e di linee armo-
niose. A Firenze invece nè l'arte nè la natura vi afferrano di 50

---

[6] **che** = **il fatto che;** *the clause here introduced is the subject of* **stupisce.**

[7] **città dei fiori,** *in Latin* **Florentia,** *in Dante's time* **Fiorenza,** *terms that have poetically been interpreted as meaning "flowering."*

[8] **Duomo . . . torpedone.** *This describes a typical Cook's tour of Florence —seeing the* Cathedral, *the* Municipal Palace (*also called* **Palazzo della Signoria**), *and the beautiful region of hills that border the city to north and south—all this in a chartered bus. The following day they will visit the world-famous* **Uffizi** *art gallery in the* **piazza della Signoria.**

[9] **si è . . . spolvero,** has acquired a smattering.

[10] **Vomero,** *section of Naples on a hill dominating its famous bay.*

[11] **riva degli Schiavoni,** *quay that begins at the ducal palace in Venice.*

colpo. Solo dopo parecchi giorni quando l'occhio si è avvezzato alla linea semplice e sobria della nostra architettura, alle tinte austere delle nostre colline, solo allora ci si spiega[12] l'amore quasi carnale che ha legato a Firenze le più diverse creature di ogni epoca e di ogni paese: artisti e avventurieri, mistici e 55 gaudenti, sante e cortigiane. Ma, ripeto, questo amore lo[13] prova soprattutto il forestiero che ha lungamente dimorato nella nostra città, poichè per innamorarsi di Firenze la prima impressione non basta: bisogna viverci a lungo.

Giacomo Lumbroso

[12] **ci si spiega,** we (can) explain to ourselves.
[13] **lo = questo amore;** *the subject* (**il forestiero**) *follows.*

Esercizi

Questions for discussion:

1. What did Mr. Smith know about Florence before visiting the city? What do you know about Florence?
2. What are Mr. Smith's reactions to Florence? What special circumstances influence those reactions?

Carlo Lorenzini (Collodi)

Un cattivo compagno

The puppet Pinocchio, beloved by children the world over, hardly needs an introduction. He was fathered by the fantasy of the Florentine writer Carlo Lorenzini (1826–1890), who took the pen name Collodi after his mother's village near the city of Pescia in Tuscany. A monument representing Pinocchio and his fairy godmother, and a park surrounded by mosaics depicting his adventures, have been erected at Collodi to honor the writer's memory. In another Italian city a statue of Pinocchio bears the inscription: "To Pinocchio, from all children 5 to 90 years of age."

The following episode is taken from Chapter 30 of *Le avventure di Pinocchio*. The Good Fairy had promised Pinocchio that on the following day, as a reward for his recent good behavior, he will cease to be a puppet and become a real boy. Pinocchio, after promising to be back before dark, goes out singing and dancing with joy to invite his friends to come celebrate the occasion. Within an hour he has found and invited them all, except his closest friend, Lucignolo, so named for his resemblance to a candle wick.

Lucignolo era il ragazzo più svogliato e più birichino di tutta la scuola: ma Pinocchio gli voleva un gran bene.[1] Difatti andò subito a cercarlo a casa, per invitarlo alla colazione,[2] e

[1] **gli . . . bene,** was very fond of him.
[2] **alla colazione,** *see introduction.*

Emilio Greco, Pinocchio e la Buona Fata, Collodi. [Comitato nazionale monumento a Pinocchio]

Emilio Greco, Particolare del monumento a Pinocchio. [Courtesy of Emilio Greco]

non lo trovò: tornò una seconda volta, e Lucignolo non c'era:
tornò una terza volta, e fece la strada invano.   5
Dove poterlo ripescare? Cerca di qua, cerca di là, finalmente
lo vide nascosto sotto il pòrtico di una casa di contadini.
– Che cosa fai costì? – gli domandò Pinocchio, avvicinàndosi.
– Aspetto la mezzanotte, per partire . . .
– Dove vai?   10
– Lontano, lontano, lontano!
– E io che son venuto a cercarti a casa tre volte!
– Che cosa volevi da me?
– Non sai il grande avvenimento? Non sai la fortuna che mi è
toccata?   15
– Quale?
– Domani finisco di èssere un burattino e divento un ragazzo
come te, e come tutti gli altri.
– Buon pro ti faccia.³
– Domani, dunque, ti aspetto a colazione a casa mia.   20
– Ma se ti dico che parto questa sera.
– A che ora?
– A mezzanotte.
– E dove vai?
– Vado ad abitare in un paese che è il più bel paese di questo 25
mondo: una vera cuccagna!
– E come si chiama?
– Si chiama il «Paese dei balocchi.» Perchè non vieni anche tu?
– Io? No davvero!
– Hai torto, Pinocchio! Crèdilo a me,⁴ che se non vieni, te ne 30
pentirai. Dove vuoi trovare un paese più salubre per noialtri
ragazzi! Lì non ci sono scuole: lì non vi sono maestri: lì non
vi sono libri. In quel paese benedetto non si studia mai. Il
giovedì⁵ non si va a scuola: e ogni settimana è composta di sei
giovedì e di una domènica. Figùrati che le vacanze dell'autunno 35
comìnciano col primo di gennaio e finìscono coll'ùltimo di

³ **Buon pro ti faccia,** Much good may it do you.
⁴ **Crèdilo a me,** Take it from me, Take my word for it.
⁵ **Il giovedì,** Thursdays.

dicembre. Ecco un paese, come piace veramente a me! Ecco
come dovrẹbbero ẹssere tutti i paesi civili!

– Ma come si pạssano le giornate nel «Paese dei balocchi?»

– Si pạssano baloccạndosi e divertẹndosi dalla mattina alla 40
sera. La sera poi si va a letto, e la mattina dopo si ricomincia
daccapo. Che te ne pare?⁶

– Uhm! – fece Pinocchio, e tentennò leggermente il capo,
come dire: – È una vita che farei volentieri anch'io.

– Dunque, vuoi partire con me? Sì o no? Risọlviti.   45

– No, no, no e poi no. Oramai ho promesso alla mia buona
Fata⁷ di diventare un ragazzo perbene, e voglio mantenere la
promessa. Anzi, siccome vedo che il sole va sotto, così ti lascio e
scappo via. Dunque addịo e buon viaggio.

– Dove corri con tanta furia?   50

– A casa. La mia buona Fata vuole che ritorni prima di notte.

– Aspetta altri due minuti.

– Faccio troppo tardi.

– Due minuti soli.

– E se poi la Fata mi grida?   55

– Lạsciala grịdare. Quando avrà gridato ben bene, si cheterà
– disse quella birba di Lucịgnolo.

– E come fai? Parti solo o in compagnịa?

Solo? Sarẹmo più di cẹnto ragazzi.

– E il viaggio lo fate a piedi?   60

– A mezzanotte passerà di qui il carro che ci deve prẹndere e
condurre fin dentro ai confini di quel fortunatịssimo paese.

– Che cosa pagherei che ora fosse mezzanotte!⁸

– Perchè?

– Per vedervi partire tutti insieme.   65

– Rimani qui un altro poco e ci vedrai.

– No, no: voglio ritornare a casa.

– Aspetta altri due minuti.

---

⁶ **Che te ne pare,** How does it seem to you?
⁷ **la mia buona Fata,** *see introduction.*
⁸ **Che . . . mezzanotte,** What would(n't) I give for it to be already
  midnight!

– Ho indugiato anche troppo. La Fata starà in pensiero per me. 70

– Pọvera Fata! Che ha paura forse che ti mạngino[9] i pipistrelli?

– Ma dunque, – soggiunse Pinocchio – tu sei veramente sicuro che in quel paese non ci sono punte scuole?

– Neanche l'ombra. 75

– E nemmeno maestri?

– Nemmeno uno.

– E non c'è mai l'ọbbligo di studiare?

– Mai, mai, mai!

– Che bel paese! – disse Pinocchio, sentẹndosi venire l'acquo- 80 lina in bocca.[10] – Che bel paese! Io non ci sono stato mai, ma me lo figuro!

– Perchè non vieni anche tu?

– È inụtile che tu mi tenti! Oramai ho promesso alla mia buona Fata di diventare un ragazzo di giudizio, e non voglio 85 mancare alla parola.

– Dunque, addịo, e salụtami tanto le scuole ginnasiali! E anche quelle liceali,[11] se le incontri per la strada.

– Addịo, Lucịgnolo: fai[12] buon viaggio, divẹrtiti e rammẹntati qualche volta degli amici. 90

Ciò detto, il burattino fece due passi in atto di andạrsene: ma poi, fermạndosi e voltạndosi all'amico, gli domandò:

– Ma sei proprio sicuro che in quel paese tutte le settimane sịano composte di sei giovedì e di una domẹnica?

– Sicurịssimo. 95

– Ma lo sai di certo, che le vacanze ạbbiano principio[13] col primo di gennaio e finịscano coll'ụltimo di dicembre?

– Di certịssimo!

---

[9] mạngino, *subject follows.*

[10] sentẹndosi . . . bocca, feeling his mouth water.

[11] salụtami tanto le scuole ginnasiali, give my best regards to the high schools. *The* ginnasiali *correspond approximately to our high schools up to the level of junior college (liceo or scuola liceale).*

[12] fai, have a; *this is the regular imperative of fare, also written fa'.*

[13] ạbbiano principio, begin; *lit.*, have (their) beginning.

– Che bel paese! – ripetè Pinocchio sputando dalla soverchia consolazione.[14] Poi, fatto un animo risoluto, soggiunse in 100 fretta e furia:

– Dunque, addio, davvero: e buon viaggio.

– Addio.

– Fra quanto partirete?

– Fra due ore.   5

– Peccato! Se alla partenza mancasse[15] un'ora sola, sarei quasi quasi capace di aspettare.

– E la Fata?

– Oramai ho fatto tardi! E tornare a casa un'ora prima o un'ora dopo, è lo stesso.   10

– Povero Pinocchio! E se la Fata ti grida?

– Pazienza! La lascerò gridare. Quando avrà gridato ben bene si cheterà.

Intanto si era già fatta notte[16] e notte buia: quando a un tratto videro muoversi in lontananza un lumicino e sentirono 15 un suono di bubboli e uno squillo di trombetta, così piccolino e soffocato, che pareva il sibilo di una zanzara.

– Eccolo! – gridò Lucignolo rizzandosi in piedi.

– Chi è? – domandò sottovoce Pinocchio.

– È il carro che viene a prendermi. Dunque, vuoi venire, sì o 20 no?

– Ma è proprio vero – domandò il burattino – che in quel paese i ragazzi non hanno mai l'obbligo di studiare?

– Mai, mai, mai!

– Che bel paese!... che bel paese!... che bel paese!   25

14 **dalla soverchia consolazione,** *freely,* out of excessive satisfaction.
15 **mancasse,** *imp. subj.,* lacked, there remained (to wait).
16 **si era già fatta notte,** night had already fallen.

Esercizi

I. Rispondere in italiano:

1. Chi è Lucignolo?
2. Perchè Pinocchio lo cerca?

3. Dove lo trova?
4. Che cosa aspetta Lucignolo?
5. Dove vuole andare ad abitare?
6. Com'è il «Paese dei balocchi?»
7. Quando cominciano e quando finiscono le vacanze in quel paese?
8. E come si passano le giornate?
9. Perchè Pinocchio non vuol partire con Lucignolo?
10. Quando deve essere di ritorno a casa?
11. Come andranno Lucignolo e gli altri ragazzi al «Paese dei balocchi?»
12. Perchè Pinocchio dice che è un bel paese?
13. Come si è fatta intanto la notte?
14. Che cosa vedono i due ragazzi muoversi in lontananza?
15. Pinocchio andrà o no al «Paese dei balocchi?»

II. Tradurre in italiano le espressioni in parentesi:

1. Pinocchio andò a (look for him).
2. Tornò una seconda volta e (he wasn't there).
3. Cerca (here) cerca di là.
4. Che cosa (did you want me for)?
5. Non sai la fortuna che (has befallen me).
6. Domani (I stop being) un burattino.
7. Perchè (don't you come, too)?
8. Se non vieni (you will be sorry).
9. Vuoi partire con me? (Make up your mind).
10. La mia buona Fata vuole che ritorni (before dark).
11. Il carro passerà che ci deve condurre (inside) ai confini.
12. Rimani qui (a little while longer).
13. La Fata (will be worried) per me.
14. Soggiunse (in a hurry).
15. (They saw moving) in lontananza un lumicino.
16. (It seemed to be) il sibilo di una zanzara.

III. Tradurre in italiano:

1. in fact
2. faraway
3. really

    4. indeed
    5. so
    6. what a pity
    7. by now
    8. meanwhile
    9. suddenly
  10. here it is

IV. Formare delle frasi usando le espressioni tradotte.

Poesia del Novecento (I)

SOLDATO

Di che reggimento siete
fratelli?
Fratello
tremante parola
nella notte   5
come una fogliolina
appena nata
saluto
accorato
nell'aria spasimante   10
implorazione
sussurrata
di soccorso
dell'uomo presente alla sua
fragilità.   15

Giuseppe Ungaretti (born 1888)

TRANSLATION

SOLDIER

From what regiment are you brothers?
Brother
word that trembles in the night like a newborn leaflet
grief-stricken greeting in the shuddering air
whispered prayer for help of man before his own frailty.

SERENO

Dopo tanta
nebbia
a una
a una
si svelano   5
le stelle
Respiro
il fresco
che mi lascia
il colore   10
del cielo
Mi riconosco
immagine
passeggera
presa in un giro   15
immortale.

Giuseppe Ungaretti

TRANSLATION

CLEAR SKY

After so much mist the stars show themselves one by one
I breathe the coolness which the sky's shade leaves in me
I acknowledge myself a fleeting image caught in an endless orbit.

LO SCONOSCIUTO

L'hai veduto passare stasera?
L'ho visto.
Lo vedesti ieri sera?
Lo vidi, lo vedo ogni sera.
Ti guarda?   5
Non guarda da lato,
soltanto egli guarda laggiù,
laggiù dove il cielo incomincia
e finisce la terra, laggiù
nella riga di luce   10
che lascia il tramonto.
E dopo il tramonto egli passa.
Solo?
Solo.
Vestito?   15
Di nero, è sempre vestito di nero.
Ma dove si sosta?
A quale capanna?
A quale palazzo?

Aldo Palazzeschi (born 1885)

TRANSLATION

THE STRANGER

Did you see him pass this evening?
I saw him.
Did you see him last night?
I saw him, I see him every evening.
Does he look at you?
He doesn't glance sidewise, he only looks down there where the
    sky begins and earth ends, down there into the streak of
    light left by the sunset. And after sunset he passes.
Alone?

Alone.
Clothed?
In black, he is always dressed in black.
But where does he pause? At what hut? At what palace?

Dal DIARIO D'ALGERIA

Non sa più nulla, è alto sulle ali
il primo caduto bocconi sulla spiaggia normanna.
Per questo qualcuno stanotte
mi toccava le spalle mormorando
di pregar per l'Europa   5
mentre la Nuova Armada
si presentava alla costa di Francia.
Ho risposto nel sonno: – È il vento,
il vento che fa musiche bizzarre.
Ma se tu fossi davvero   10
il primo caduto bocconi sulla spiaggia normanna
prega tu se lo puoi, io sono morto
alla guerra e alla pace.
Questa è la musica ora:
delle tende che sbattono sui pali.   15
Non è musica d'angeli, è la mia
sola musica e mi basta –.

(giugno 1944)

Vittorio Sereni (born 1913)

TRANSLATION

From ALGERIAN DIARY

All knowledge spent, the first man to fall prone on the Norman
    beach is high on his wings.
That is why some one last night touched me on the shoulder,
    asking softly that I pray for Europe while the New Armada
    was approaching the coasts of France.

I replied in my sleep: It is the wind, the wind making strange music. But if you were really the first to fall prone on the Norman beach, you pray if you can, I am dead to war and to peace. This is the music now: of tents flapping against their stakes. This is no music of angels, it is my only music and for me is enough.

Federico Fellini

La dolce vita

When the motion picture *La dolce vita*, filmed between 1958 and 1959, first appeared in Italy, it created a sensation and was the object of a heated controversy. Its director, Federico Fellini (born in 1920), was violently attacked by indignant citizens, especially Romans, who could not see any possible resemblance between their own respectable middle-class existence, and the "dolce vita" he had pictured.

Its protagonist, Marcello (played by Marcello Mastroianni), is a society journalist who, together with his assistant, the inescapable cameraman Paparazzo, is always looking for sensational material. His profession puts him in contact with a variety of people—prostitutes, café society, movie stars, aristocrats, intellectuals—who act their parts in separate, yet related episodes, as in an immense, bewildering fresco. Marcello, who in his early youth had nurtured the ambition of becoming a serious writer, gets more and more involved in the life of the rich, the alienated, the perverted, the parasitical, until he seems to be sinking down beyond rescue.

In the following episode Marcello, who has gone to work at a seaside resort away from it all, meets Paola, a young girl who is temporarily working there as a waitress. Paola's youth, freshness, and simplicity enchant Marcello; she becomes for him the symbol of the innocence and truth he has forever lost.

Sulla porta appare una ragazza sui[1] sẹdici anni, ẹsile, dal volto di una bellezza delicata, con i capelli tagliati corti e una frangetta che le copre metà della fronte. È Pạola. C'è qualcosa in lei che colpisce sụbito, una nativa gentilezza, il contịnuo sorriso che addolcisce lo sguardo un po' stupefatto e sognante. Sull'ạbito indossa un 5 *grembiulino bianco.*

Marcello si volge a guardarla. E scansạndosi per lasciarla passare, ma senza levarsi in piedi le dice:

MARCELLO. Lei è Pạola?

PẠOLA. Sì.   10

Marcello sorride. Poi, senza esagerare, con una punta di familiarità e molta simpatịa, commenta:

MARCELLO. Brava, Pạola. È molto bellina, lei, sa?

Pạola alza le spalle, all'elogio che sente spesso, ma che ogni volta la lascia incrẹdula, e sorride: 15

PẠOLA. Sì, bellina poi . . . esagerato!

Marcello passa rạpido al «tu»:

MARCELLO. Come, vuoi dire che non sei bellina? Lo sai benịssimo . . .

PẠOLA. (*rassegnata, sorride*): E va bene.   20

MARCELLO. Quanti anni hai? No, aspetta indovino io . . . Hai . . . (*pensa*): quịndici anni . . .

PẠOLA. Sẹdici e mezzo, invece, a maggio faccio diciassette.

MARCELLO. Ma non sei di qui . . .[2] sei toscana?

PẠOLA. Quasi. Sono umbra . . . Di vicino Perugia.   25

MARCELLO. Come sei capitata qui? Con la famiglia?

PẠOLA. Mio padre lavora a Anzio. E allora io sono venuta qui . . . ma dopo Natale cambio, forse andiamo a Roma . . . o a Ostia.

MARCELLO. Qui si sta bene, no?   30

PẠOLA. Bene? Oh, bene, sì, mi trạttano bene, ma non mi piace. Non vedo l'ora di[3] tornare a casa . . . mia madre

---

[1] **sui,** of about.

[2] **di qui,** from these parts. *This scene is "shot" in a coastal resort between Anzio and Ostia, southwest of Rome.*

[3] **Non vedo l'ora di,** I can't wait to.

mi scrive: quando torni? E domęnica è venuta una
mącchina con la targa di Perugia, dei signori, e m'era
venuta una voglia[4] di andạrmene che mi sarei messa[5] a 35
piạngere.

E così dicendo, per attenuare le parole, sorride. Marcello la
guarda incantato. Poi le dice:

MARCELLO. Vọltati un po' di profilo . . . Così . . . Sembri
proprio uno di quegli angioletti che stanno nei quadri . . . 40
nelle chiese umbre.[6] Lo sai, eh? Perchè ridi?

Pạola ride e alza le spalle.

MARCELLO. Non hai il fidanzato?

Pạola, sempre ridendo:

PẠOLA. Sì, fidanzato! 45

MARCELLO. Ma un ragazzo ce l'avrai . . . Giọvane, simpạ-
tico . . . (*pensa*): Un aviatore.

Pạola congiunge le mani, e gli occhi le si sgrạnano per la
sorpresa.

PẠOLA. Oh Madonna santa, e come ha fatto?[7] (*ride*): Sì, è 50
proprio un aviatore . . . Ma ci parliamo solo. Poi, si
vedrà. Siamo ragazzi.[8]

Marcello sorride e s'incanta a guardare Pạola. Forse è soltanto un
rapido desiderio, che sente irrealizzạbile, perchè Pạola è qualcosa
di lontano come un sogno, un'idea di bellezza e di innocenza che 55
ha da tempo rifiutato.[9]

Pạola interpreta il silenzio grave di Marcello come la fine
dell'incontro.

PẠOLA. Allora, io vado, se no, la signora . . . (*e ịndica la*
trattorịa). 60

---

[4] **m'era venuta una voglia,** I felt such a desire.
[5] **mi sarei messa,** I would (could almost) have started.
[6] **chiese umbre,** *as in the work of the two most famous Umbrian painters,*
Perugino and his pupil Raphael.
[7] **fatto, (a indovinare).**
[8] **ci parliamo . . . ragazzi,** we're just on speaking terms. Later, we'll
see. We're (just) youngsters.
[9] **da tempo rifiutato,** long ago rejected; *see note at end.*

Marcello si riscuote. Si leva in piedi e porge la mano a Paola.
Paola, esitando, porge la sua. Marcello trattiene la mano, la
prende tra le sue, sente le callosità e guarda Paola negli occhi.
Paola sorride, un po' vergognosa, accennando alla mano, che
ritira.   65

> PAOLA. Eh, si sciupano[10] a forza di lavare.

Marcello, serio, quasi commosso.

> MARCELLO. Ciao, Paola, ci vediamo . . .[11]

> PAOLA. Arrivederla, signore.

E si allontana, con un ultimo sorriso. Marcello resta a guardare 70
la svelta figuretta che si dirige verso la trattoria.[12]

[10] si sciupano = le mani si sciupano.
[11] ci vediamo = arrivederci.
[12] *Paola reappears briefly in the concluding scene of the film. As
Marcello wanders in confusion on the beach after an all-night orgy,
she beckons to him across a little (and obviously symbolic) stream; he
calls out to her but his words are lost in the noise and the film ends
with the observation,* **non capisce** (she doesn't understand *or hear* him).

Esercizi

I. Rispondere in italiano:

1. Chi appare sulla porta?
2. Com'è il volto della ragazza?
3. Che cosa colpisce subito in lei?
4. Chi si volge a guardarla?
5. Quale elogio sente spesso Paola?
6. È toscana o umbra? Dove si trovano la Toscana e l'Umbria?
7. È contenta Paola di essere lontana da casa sua?
8. Chi è il suo ragazzo?
9. Perchè Marcello s'incanta a guardare Paola?
10. Perchè si sciupano le mani della ragazza?
11. Cosa resta a guardare Marcello?
12. Fa parte Paola del mondo della «dolce vita?»

II. Tradurre in italiano le espressioni in parentesi:

1. Sulla porta appare una ragazza (about sixteen-years old).
2. Marcello (turns to look at her).

3. (Do you mean) che non sei bellina?
4. Sono umbra, (from near) Perugia.
5. (I can't wait) di tornare a casa.
6. (You really look like) uno di quegli angioletti che stanno nei quadri.
7. Si sciupano (from too much washing).

Natalia Ginzburg

Lui e io

The author of the following sketch, Natalia Ginzburg, is one of Italy's most distinguished contemporary writers. Among her best known books are *Tutti i nostri ieri, Valentino, Le voci della sera,* and the autobiographical, prize-winning *Lessico famigliare.* Born Natalia Levi, she spent her childhood and youth in Turin, where her father was professor of anatomy at the University. In 1938 she married Leone Ginzburg, a professor of Russian Literature and a leader of the antifascist resistance, who fell a victim to the Nazis in 1943. Natalia then worked on the editorial staff of the Einaudi publishing house. In 1950 she married Gabriele Baldini, a professor of English Literature, literary critic, and son of the distinguished writer Antonio Baldini.

Lui e io may be taken as reflecting Natalia's life with her second husband.

Lui ha sempre caldo; io sempre freddo. Lui sa parlare bene alcune lingue; io non ne parlo bene nessuna. Lui riesce a parlare, in qualche suo modo, anche le lingue che non sa.

Lui ama il teatro, la pittura, e la musica: soprattutto la musica. Io non capisco niente di musica, m'importa molto poco 5 della[1] pittura, e m'annoio a teatro. Amo e capisco una sola cosa al mondo, ed è la poesia.

---

[1] **m'importa molto poco della,** I care very little about.

Lui ama i musei, e io ci vado con sforzo, con uno spiacevole senso di dovere e fatica. Lui ama le biblioteche, e io le odio.

Lui ama i viaggi, le città straniere e sconosciute, i ristoranti. 10
Io resterei[2] sempre a casa, non mi muoverei mai.

Lo seguo, tuttavia, in molti viaggi. Lo seguo nei musei, nelle chiese, all'opera. Lo seguo anche ai concerti, e mi addormento.

Tutt'e due amiamo il cinematografo; e siamo disposti a 15 vedere, in qualsiasi momento della giornata, qualsiasi specie di film. Ma lui conosce la storia del cinematografo in ogni minimo particolare; ricorda registi e attori, anche i più antichi, da gran tempo dimenticati e scomparsi; ed è pronto a fare chilometri per andare a cercare, nelle più lontane periferie,[3] vecchissimi 20 film del tempo del muto, dove comparirà magari per pochi secondi un attore caro alle sue più remote memorie d'infanzia.

Io non mi ricordo mai i nomi degli attori; e siccome sono poco fisionomista, riconosco a volte con difficoltà anche i più famosi. Questo lo irrita moltissimo; gli chiedo chi sia quello 25 o quell'altro, suscitando il suo sdegno: – Non mi dirai – dice – non mi dirai che non hai riconosciuto William Holden! –

Effettivamente, non ho riconosciuto William Holden. E tuttavia amo anch'io il cinematografo; ma pur andandoci da tanti anni, non ho saputo farmene una cultura.[4] Lui se ne è 30 fatto, invece, una cultura: si è fatto una cultura di tutto quello che ha attratto la sua curiosità; e io non ho saputo farmi una cultura di nulla, nemmeno delle cose che ho più amato nella mia vita: esse sono rimaste in me come immagini sparse, alimentando sì la mia vita di memoria e di commozione, ma 35 senza colmare il vuoto, il deserto della mia cultura.

Mi dice che manco di curiosità: ma non è vero. Provo curiosità di poche, pochissime cose; e quando le ho conosciute, ne conservo qualche sparsa immagine, la cadenza di una frase

---

[2] **resterei,** would (gladly) stay.
[3] **periferie,** *here,* outskirts *or* suburbs (*the scene is Rome*).
[4] **non . . . cultura,** I have never managed to build up a real culture in the field.

o di una parola. Ma il mio universo è arido e malinconico. Il 40
suo universo invece è riccamente verde, riccamente popolato e
coltivato, una fertile e irrigua campagna dove sorgono boschi,
pascoli, orti e villaggi.

Per me, ogni attività è sommamente difficile, faticosa, incerta.
Sono molto pigra, e ho un'assoluta necessità di oziare, se 45
voglio concludere qualcosa, lunghe ore sdraiata sui divani.
Lui non sta mai in ozio, fa sempre qualcosa; scrive a macchina
velocissimo, con la radio accesa; quando va a riposare il
pomeriggio, ha con sè delle bozze da correggere o un libro
pieno di note; vuole, nella stessa giornata, che andiamo 50
al cinematografo, poi a un ricevimento, poi a teatro. Riesce a
fare, e anche a farmi fare, nella stessa giornata, un mondo di
cose diverse.

Se gli racconto come si è svolto il mio pomeriggio,[5] lo trova
un pomeriggio tutto sbagliato, e si diverte, mi canzona e 55
s'arrabbia; e dice che io, senza di lui, non son buona a niente.

Io non so amministrare il tempo. Lui sa.

Io non so ballare, e lui sa.

Non so scrivere a macchina, e lui sa.

Non so guidare l'automobile. Se gli propongo di prendere 60
anch'io la patente, non vuole. Dice che tanto[6] non ci riuscirei
mai. Credo gli piaccia che io dipenda, per tanti aspetti, da
lui.

Io non so cantare, e lui sa. È un baritono. Se avesse studiato
il canto, sarebbe forse un cantante famoso.   65

Se avesse studiato musica, sarebbe forse diventato un
direttore d'orchestra. Quando ascolta i dischi, dirige l'orchestra
con una matita, intanto scrive a macchina, e risponde al
telefono. È un uomo che riesce a fare, nello stesso momento,
molte cose.   70

Fa il professore e credo che lo faccia bene.

Avrebbe potuto fare molti mestieri. Ma non rimpiange
nessuno dei mestieri che non ha fatto. Io non avrei potuto fare

---

[5] **come . . . pomeriggio,** how my afternoon went (developed).
[6] **tanto,** anyhow.

che un mestiere solo: il mestiere che ho scelto, e che faccio,
quasi dall'infanzia.   75
Io scrivo dei racconti, e ho lavorato molti anni in una casa
editrice.
Non lavoravo male, ma neanche bene. Tuttavia mi rendevo
conto che forse non avrei saputo lavorare in nessun altro luogo.
Avevo, con i miei compagni di lavoro e con il mio padrone, 80
rapporti d'amicizia. Sentivo che, se non avessi avuto intorno a
me questi rapporti d'amicizia, mi sarei spenta[7] e non avrei
saputo lavorare più.

Di non capire la pittura, le arti figurative, non me ne importa;
ma soffro di non amare la musica, perché mi sembra che il mio 85
spirito soffra per la privazione di questo amore. Pure non c'è
niente da fare; non capirò mai la musica, non l'amerò mai. Se
a volte sento una musica che mi piace, non so ricordarla; e
allora come potrei amare una cosa, che non so ricordare?

Mi sembra di seguire, nello scrivere, una cadenza e un 90
metro musicale. Forse la musica era vicinissima al mio universo,
e il mio universo, chissà perchè, non l'ha accolta.

Tutto il giorno si sente musica, in casa nostra. Lui tiene tutto
il giorno la radio accesa. O fa andare dei dischi. Io protesto,
ogni tanto, chiedo un po' di silenzio per poter lavorare; ma lui 95
mi dice che una musica tanto bella è certo salubre per ogni
lavoro.

Era, dice sua madre, da bambino, un modello di ordine e di
precisione; e pare che una volta che doveva attraversare certi
rigagnoli pieni di fango, in campagna, in un giorno di pioggia, 100
con stivaletti bianchi e veste bianca, era alla fine della passeggiata
immacolato e senza una chiazza di fango sull'abito e gli stivaletti.
Ora non c'è in lui traccia di quell'antico, immacolato bambino.
I suoi vestiti sono sempre pieni di macchie. È diventato
disordinatissimo.   5

Conserva però, con puntiglio, tutte le ricevute del gas. Trovo
nei cassetti remote ricevute del gas, di alloggi lasciati da tempo,
e che lui si rifiuta di buttar via.

[7] **mi sarei spenta,** I would have lost my spark (*fizzled out as a writer*).

Io sono disordinatịssima. Sono però diventata, invecchiando, nostạlgica dell'ọrdine e riọrdino, a volte, con grande zelo gli 10 armadi.

Lui non migliora, in me, l'irresolutezza, l'incertezza, in ogni azione, il senso di colpa. Usa rịdere e canzonarmi per ogni mia mịnima azione.

Così, io più che mai ho il dubbio di sbagliare in ogni cosa che 15 faccio. Ma se una volta scopro che è lui a sbagliare, glielo ripeto fino all'esasperazione. Perchè io sono a volte noiosịssima.

Le sue furie sono improvvise, e trabọccano come spuma di birra. Le mie furie sono anche improvvise. Ma le sue svapọrano sụbito; e le mie, invece, lạsciano uno strạscico lamentoso e 20 insistente, noiosịssimo, credo, una specie di amaro miagolịo.

Piango, a volte, nel tụrbine delle sue furie; e il mio pianto, invece di placarlo, lo fa arrabbiare ancora di più. Dice che il mio pianto è tutta una commedia; e forse è vero. Perché io sono, in mezzo alle mie lạgrime e alla mia furia, pienamente tranquilla. 25

Sui miei dolori reali, non piango mai.

Lui usa comprare, in grande quantità, bicarbonato e aspirina.

È, qualche volta, malato, di suoi misteriosi malẹsseri; non sa spiegare che cosa si sente; se ne sta a letto per un giorno, tutto ravviluppato nelle lenzuola; non si vede che la sua barba 30 e la punta del suo naso rosso. Prende allora bicarbonato e aspirina in dosi da cavallo; e dice che io non lo posso capire, perchè io, io sto sempre bene, sono come quei fratacchioni robusti, che si espọngono senza perịcolo al vento e alle intemperie; e lui è invece fine e delicato, sofferente di malattịe 35 misteriose. Poi la sera è guarito, e va in cucina a cucinarsi le tagliatelle.

Era, da ragazzo, bello, magro, ẹsile, non aveva allora la barba, ma lunghi e mọrbidi baffi; e rassomigliava all'attore Robert Donat. Era così quasi vent'anni fa, quando l'ho cono- 40 sciuto; e portava, ricordo, certi camiciotti scozzesi, di flanella, eleganti. Mi ha accompagnata, ricordo, una sera, alla pensione dove allora abitavo; abbiamo camminato insieme per via Nazionale.

Io mi sentivo già molto vecchia, cạrica di esperienza e di 45
errori; e lui mi sembrava un ragazzo lontano da me mille sẹcoli.
Cosa ci siamo detti,[8] quella sera, per via Nazionale, non lo so
ricordare; niente d'importante, suppongo; era lontana da me
mille sẹcoli l'idea che dovẹssimo diventare, un giorno, marito e
moglie. Poi ci siamo persi di vista;[9] e quando ci siamo di 50
nuovo incontrati, non rassomigliava più a Robert Donat, ma
piuttosto a Balzạc.[10]
Quando ci siamo di nuovo incontrati, aveva sempre quei
camiciotti scozzesi, ma ora sembrạvano, addosso a lui, indumenti
per una spedizione polare; aveva ora la barba, e in testa lo 55
sbertucciato cappelluccio di lana; e tutto in lui faceva pensare
a una prọssima partenza per il Polo Nord. Perchè, pur avendo
sempre tanto caldo, sovente usa vestirsi come se fosse circondato
di neve, di ghiaccio e di orsi bianchi; o anche invece si veste
come un piantatore di caffè nel Brasile; ma sempre si veste 60
diverso da tutta l'altra gente.
Se gli ricordo quell'antica nostra passeggiata per via
Nazionale, dice di ricordare, ma io so che mente[11] e non ricorda
nulla; e io a volte mi chiedo se eravamo noi, quelle due persone,
quasi vent'anni fa per via Nazionale; due persone che hanno 65
conversato così gentilmente, urbanamente, nel sole che tramontava; che hanno parlato forse un po' di tutto, e di nulla; due
amạbili conversatori, due giọvani intellettuali a passeggio; così
giọvani, così educati, così distratti, così disposti a dare, l'uno
dell'altra, un giudizio distrattamente benẹvolo; così disposti a 70
congedarsi l'uno dall'altra per sempre, quel tramonto,[12] a
quell'ạngolo di strada.

---

[8] **Cosa ci siamo detti,** What we (may have) said to one another.
[9] **ci siamo persi di vista,** we lost sight of one another.
[10] **Balzạc,** *the great French novelist (1799–1850) was a caricaturist's
delight for reasons which were far from qualifying him as a rival to
the movie star Donat.*
[11] **mente = dice una bugịa** (*from* **mentire**).
[12] **quel tramonto = quella sera** (*della passeggiata per via Nazionale al
tramonto*).

Esercizi

I. Conversation drill:

"Lui e io" depicts a husband (*Lui*) and his wife (*Io*) from the wife's point of view. The students will describe and discuss, in Italian, the peculiarities (abilities, habits, idiosyncrasies, etc.) of each.

II. Completare in italiano:

1. Lui ha sempre _____.
2. _____ parlare alcune lingue.
3. Siamo _____ a vedere qualsiasi specie di film.
4. Io non _____ farmi una cultura di nulla.
5. Mi dice che _____ di curiosità.
6. Scrive a macchina con la radio _____.
7. Non so _____ a macchina.
8. Tuttavia, mi _____ che forse non avrei saputo lavorare in nessun altro luogo.
9. _____; non capirò mai la musica.
10. Sono diventata, _____, nostalgica dell'ordine.
11. _____ l'attore Robert Donat.
12. Abbiamo camminato insieme _____ via Nazionale.
13. Ora aveva la _____.
14. Se gli ricordo quella passeggiata, dice di _____.

III. Tradurre in italiano:

1. unwillingly
2. both of us
3. actually
4. idle
5. nonetheless
6. sometimes
7. endlessly
8. as a child

IV. Formare delle frasi con le espressioni tradotte.

Visioni d'Italia (II)

Pisa

I. LA PIAZZA DEI MIRACOLI

Pisa, Battistero, Chiesa e Cimitero, e poi il campanile che suona; o suonava una volta.[1]

Le alte mura merlate, severe, nere, in questa parte remota di Pisa, si piegano a gomito e sembrano recingere il confine di un mondo.   5

Battistero, Chiesa, Cimitero e la campana che chiama; tutto è marmo bianco, su cui è passata la mano gialla del tempo: un color di cera, un color di alabastro, come dei vecchi e dei morti: tutto un ricamo aereo sul verde del prato!

Io vi giunsi sul vespero luminoso di un giorno di festa, e, per 10

---

[1] **suonava una volta,** used to ring. *This famous group of buildings includes the cathedral, with its bell-tower or* **campanile** (*the famous Leaning Tower*) *beside it, and nearby the baptistery and walled cemetery (usually called the* **camposanto,** *badly damaged by a stray American shell in World War II). Their situation differs strikingly from that of most cathedrals that traditionally form a center from which the town radiates: in Pisa the cathedral was until recent decades near the northwest outskirts of the town, which has since so expanded that the location is now more central. Because of the perilous equilibrium of the Tower, regulations against ringing the heavy bells are now frequently imposed (as they were in Panzini's time). Taken as a group, the buildings form a sort of L-shaped complex or "elbow bend"* (**si piegano a gomito**).

Pisa: Battistero, Duomo e Campanile. [Alinari, Firenze]

buona ventura, quell'angolo un po' fuori di mano[2] di Pisa, era
deserto: cioè proprio deserto, no.

Si vedevano sul verde del prato gruppi di gente, seduta o
sdraiata; ma che cosa facesse,[3] non distinsi da prima per la
lontananza.   15

Attorno al Battistero, alla Torre, alla Chiesa non trovai, in
quell'ora in cui io vi giunsi, alcun tedesco col *Bædeker* rosso,
nessun visitatore, nessun cicerone. Il Battistero, il Cimitero, la
Chiesa erano chiusi in quell'ora; ma parevano vivere ancora
nella vita.   20

Quei gruppi di gente, che avevo intravveduta, erano formati
di famiglie di artigiani con loro donne e bimbi. Dove cadeva
l'ombra dalle mura o dalle cupole, facevano merenda in

[2] **fuori di mano** = remoto.
[3] **che cosa facesse,** what they (*the people, always construed in the singular*) might be doing.

crocchio: in mezzo, un tegame, un fiasco, pane e frutta; mangiavano placidamente, fra il loro Battistero e il loro 25 Cimitero. Poi i bimbi ruzzavano, e quei monumenti parevano proteggerli e non adontarsi.

Quel Battistero, quella Chiesa, quella Torre cantante, quel Cimitero, adorni dei più bei segni della resurrezione, che cosa erano? Asilo e patria; il luogo del battesimo, il luogo delle 30 nozze, il luogo della pace. Una religione, insomma!

Passavano intanto donne del popolo coi loro bimbi davanti alla chiesa: li sollevavano a baciare quelle istoriate porte di bronzo, chiuse come il mistero;[4] e non so perchè, dicevano ad ogni porta, con accorato accento: «Bello, bello!» con quelle 35 *elle* che squillavano come lamine tese fra la dolcezza lamentosa delle vocali;[5] ed i bimbi ripetevano: «Bello.»

E tutte quelle figurine di bronzo, che sono[6] gli abitanti del nostro mondo, parevano estatiche a contemplare quello che avviene lassù, nel gran secolo,[7] nella gran patria di Dio. E un 40 po' per volta[8] divenni estatico io pure.

Alfredo Panzini (1863–1939)

[4] **istoriate . . . mistero,** storied bronze doors, sealed like (the) mystery (*of the Faith*). *Two of the cathedral's doors are decorated with famous carvings depicting the Biblical story.*

[5] **quelle . . . vocali,** those *l* sounds that had the clang of metallic blades amid the plaintive softness of the vowels.

[6] **sono = rappresentano.**

[7] **nel gran secolo = nella gran patria di Dio,** in Heaven.

[8] **un po' per volta = a poco a poco.**

II. IL LUNGARNO

L'aspetto di Pisa mi piace più assai di quel di Firenze; questo Lungarno[1] è uno spettacolo così bello, così ampio, così magnifico, così gaio, così ridente che innamora; non ho veduto niente di simile nè a Firenze, nè a Milano, nè a Roma; e 45

[1] **Lungarno,** used rather generally here for the quays of the Arno at Pisa.

veramente non so se in tutta l'Europa si trovino vedute molte di questa sorte. Vi si passeggia poi nell'inverno con gran piacere, perchè v'è quasi sempre un'aria di primavera; sicchè, in certe ore del giorno, quella contrada è piena di mondo, piena di carrozze e di pedoni; vi si sentono parlare dieci o venti lingue; 50 vi brilla un sole bellissimo tra le dorature dei caffè, nelle botteghe piene di galanterie, e nelle invetriate dei palazzi e delle case, tutte di bella architettura. Nel resto poi, Pisa è un misto di città grande e di città piccola, di cittadino e di villereccio,[2] un misto così romantico, che non ho mai veduto altrettanto.[3] A 55 tutte le altre bellezze si aggiunge la bella lingua.

Giacomo Leopardi (1798–1837)

[2] **di cittadino e di villereccio,** (*mixture*) of the citified and the rustic.
[3] **altrettanto,** anything like it.

Esercizi

Questions for discussion:

1. Where is Pisa located?
2. What are the three most famous monuments of the city? What do you know about them?
3. Why is Pisa so pleasing to Leopardi? Describe some of the charms of the city.

Poesịa del Novecento (II)

LE ROSE

In un momento
Sono sfiorite le rose
I pẹtali caduti
Perchè io non potevo dimenticare le rose
Le cercavamo insieme   5
Abbiamo trovato delle rose
Ẹrano le sue rose ẹrano le mie rose
Questo viaggio chiamavamo amore
Col nostro sạngue e colle nostre lạcrime
        facevamo le rose   10
Che brillạvano un momento al sole
        del mattino
Le abbiamo sfiorite sotto il sole
        tra i rovi
Le rose che non ẹrano le nostre rose   15
Le mie rose le sue rose.

P.S. – E così dimenticammo le rose.

Dino Campana (1885–1932)

TRANSLATION

ROSES

In a flash the roses faded
the petals fallen
Because I could not forget the roses we sought them
     together
we found roses
they were her roses my roses
this journey we called love
with our blood and our tears we made roses that shone for
     a moment in the morning sun
Under the sun in the heather we withered them
the roses that were not our roses my roses her roses
and so we forgot about roses.

Dino Campana

DONNA

Quand'eri
giovinetta pungevi
come una mora di macchia. Anche
     il piede
t'era un'arma, o selvaggia.   5

Eri diffìcile a prèndere.

                              Ancora
giòvane, ancora
sei bella. I segni
degli anni, quelli del dolore, lègano   10
l'ànime nostre, una ne fanno. E
     dietro
i capelli nerìssimi che avvolgo
alle mie dita, più non temo il pìccolo,
bianco puntuto orecchio demonìaco.   15

Umberto Saba (1883–1957)

TRANSLATION

WOMAN

When you were a girl you could sting like the thorn of a wild
    blackberry.
Your foot, too, little savage, you wielded as a weapon.
You were hard to take.

Now still young
you are still lovely, the threads of years and sorrow bind together
    our souls, and make them one.

No longer
under the jet-black strands that my fingers gather in do I fear
    the little white faunlike keen-pointed ear.

Umberto Saba (translated by Thomas G. Bergin)

LA CAPRA

Ho parlato a una capra.
Era sola sul prato, era legata.
Sazia d'erbe, bagnata
dalla pioggia, belava.

Quell'uguale belato era fraterno   5
al mio dolore. Ed io risposi, prima
per celia, poi perchè il dolore è eterno,
ha una voce e non varia.
Questa voce sentivo
gemere in una capra solitaria.   10

In una capra dal viso semita
sentivo querelarsi ogni altro male,
ogni altra vita.

Umberto Saba

TRANSLATION

THE GOAT

I spoke with a goat.
She was alone in the meadow, she was bound to a post.
Stuffed with grass, rain-sodden, she was bleating.

To my grief this steady bleat was fraternal, and I replied,
at first in jest and then because grief is timeless, has but one
    voice which never varies.
This voice I heard moaning in a solitary goat.

In a goat with a Semitic face I heard lamenting every other woe,
    every other living creature.

                                                    Umberto Saba

Giuseppe Berto

Tra due fuochi

The following episode forms Chapter V of *Le opere di Dio* by Giuseppe Berto (born 1914), whose first and best-known novel *Il cielo è rosso* he wrote while a prisoner of war at Hereford, Texas.

Le opere di Dio tells the story of an Italian peasant family in World War II, caught between opposing armies and forced to flee for their lives, abandoning their home and farm. To them war is a calamity as incomprehensible, ruthless and inescapable as an earthquake, flood, or any other scourge of nature. They face it with the same fatalistic resignation with which since time immemorial their forbears confronted all such catastrophes.

In this chapter we find the family at a crucial moment when, spurred by the example of a neighbor, they finally decide to leave their home in search of some safer place. The members of the Mangano family are the old father, the mother, their two children, Effa and Nino, plus an older son who is working far away, and the latter's wife la Rossa ("red-head") and her baby. The place names are imaginary but the action is presumably set somewhere in Central or Northern Italy.

La madre stava ancora lavando i piatti quando si sentì bussare alla porta di dietro. Essa si fermò per non far rumore, e tutti tesero l'orecchio. Di nuovo bussarono alla porta. «C'è qualcuno fuori,» disse la madre, con una leggera ansietà.

«Vado io,» disse Nino. Si avvicinò alla porta, e ne aprì solo 5
una parte per non far uscire la luce.[1] Era il ragazzo Ceschina.[2]
S'infilò dentro e salutò dopo ẹssersi guardato intorno.[3] Era
un po' più giọvane di Nino, ma anche lui serio e importante,
con le scarpe, e il vestito buono, e in testa un cappello nuovo del
tipo di quelli che pọrtano gli uọmini.   10

«Sei solo?» domandò la madre.

«Sì,» disse il ragazzo Ceschina. «Sono venuto a dirvi che noi
andiamo via.»

Per un momento nessuno disse nulla. Poi la Rossa domandò:
«Avete deciso dove andare?»   15

«Per adesso andiamo a Castelmonte,» disse il ragazzo.

«Portate via molta roba?» domandò la madre.

«Tutto quello che ci stava sul carro,» disse il ragazzo. «Le
donne volẹvano portare di più, ma non ci stava. E mio padre
ha paura per il frumento che è fuori.»   20

«Sicuro,» disse il vecchio Mangano.

«Il carro va per la strada grande fin passato il ponte,» disse il
ragazzo. «Io e mio fratello invece andiamo con le bestie e
passiamo il fiume qua sotto. Si fa più presto.»

«Sicuro,» disse ancora il vecchio.   25

«Ma vi fermerete a Castelmonte?» domandò la Rossa.

«No, no,» disse il ragazzo. «A Castelmonte andiamo per
trovarci tutti insieme, col carro e le bestie. Poi andremo avanti e
mio padre dice che c'è un'altra strada che va a Pietravalle, e
dice che noi andremo da quelle parti, se ci si passa[4] col carro.» 30

«Sicuro,» disse la madre. «È una buona idea.»

«E voi non andate via?» domandò il ragazzo Ceschina.

«Sì, penso che andremo via anche noi,» disse la madre.

---

[1] **per ... la luce,** *this is in conformity with war-time "blackout" regulations. Note also the sudden silence of the mother after she hears a knock.*

[2] **il ragazzo Ceschina,** the Ceschina boy.

[3] **dopo ẹssersi guardato intorno,** after looking around (*lit.*, after having looked around himself).

[4] **se ci si passa,** if it is passable (for the wagon).

E la Rossa disse: «Può darsi che[5] ci troviamo insieme a
Castelmonte, o verso Pietravalle.» 35

Per un momento nessuno trovò niente da dire. Il ragazzo
Ceschina si tolse il cappello nuovo, lo guardò e se lo rimise in
testa. Un cappello di quella forma stava molto male sopra il suo
viso di ragazzo. «Bene,» egli disse dopo un poco. «Io spero che ci
vedremo.» 40

«Sicuro che ci vedremo,» disse la madre.

«Adesso devo andare,» disse il ragazzo. «Mio fratello è già
avanti con le bestie.»

«Aspetta un poco,» gridò il vecchio Mangano. Poi verso la
madre egli disse: «Moglie, dagli un bicchiere di vino, almeno.» 45

«Lasciate stare che non importa,» disse il ragazzo. «Adesso
devo andare.»

«Sì, è meglio se parti subito,» disse la madre. «Grazie a te e
anche a tuo padre. Digli che ci vedremo da qualche parte,
stanotte o domani.» 50

«Va bene,» disse il ragazzo Ceschina.

Quand'egli fu uscito tutti rimasero fermi e in silenzio. Accanto
al bambino che dormiva, anche il vecchio cominciava ad esser
preso dal sonno. Per lui il rumore dei cannoni non aveva la
grande importanza che aveva per gli altri. 55

«Bene,» disse improvvisamente la Rossa. «Io credo che se
dobbiamo andare è meglio far presto.»

«Sì,» disse la madre. «Facciamo presto. Bisogna riempire il
cesto, e poi preparare tutta la roba che c'è da mangiare, anche
la farina. Ho paura che se lasciamo in giro roba da mangiare 60
dopo non la troviamo più.»

«Di questo si può star sicuri,» disse la Rossa.

«Sì,» disse la madre. «Ma non so come faremo col pollame e
col maiale.»

«Ci penseremo dopo, madre,» disse la Rossa. «Intanto 65
diamoci da fare[6] con la roba da portar via.»

---

[5] **Può darsi che,** (It) may be (that), perhaps. *For the future meaning of*
   ci troviamo, *cf. n. 7.*
[6] **diamoci da fare,** let's get busy.

Ci volle un po' di tempo per scęgliere e mętter da parte la
roba che bisognava portare. Il vecchio si addormentò, frattanto,
con la testa puntellata ad un braccio. Gli altri lavoravano in
silenzio, eccetto la madre che ogni tanto si metteva a pensare 70
ad alta voce, sempre del pollame e del maiale. Alla fine un
grande mucchio di roba fu pronto sul pavimento.

«Ecco,» disse la madre. «Adesso si tratta di caricare.»

La Rossa indicò il vecchio. «Svęglialo, madre,» disse.
«Vediamo se ci dà[7] una mano anche lui.»   75

«Uh,» disse la madre. «Mi sa[8] che è meglio lasciarlo stare.»

«Svęglialo, svęglialo,» disse il figlio Nino. «Tanto[9] dovrà pur
venire anche lui. Appena caricato[10] noi partiamo.»

La madre stette ancora incerta, ma poi si avvicinò al vecchio
e lo chiamò toccandolo su di una spalla. «Mangano,» disse. 80
«Penso che sarebbe meglio partire, non è vero?»

Il vecchio si svegliò tristemente. Girò lo sguardo con lentezza
dalla madre alla Rossa, ai figli. Infine si fermò con gli occhi sul
mucchio di roba preparata. «Voi andate dove volete,» disse.
«Io non mi muovo di qua. Questa è la mia casa.»   85

«Non puoi rimanere qua, Mangano,» disse la madre pazientemente. «Noi dobbiamo tenerci tutti insieme. Vedrai che
torneremo, fra due o tre giorni.»

«Questa è la mia casa,» disse il vecchio.

«Meriterebbe che lo lasciąssimo[11] qua solo,» disse la Rossa. 90

La madre si girò verso la Rossa, con dolore. «Non devi dir
questo, Rossa,» disse. «Dobbiamo tenerci tutti insieme.»

«Oh, dicevo solo che meriterebbe,» disse la Rossa. «Ma come
facciamo se non vuoi muǫversi?»

«Vedrai che verrà anche lui,» disse la madre.   95

---

[7] **se ci dà,** if he'll give us; *note frequent use of present for immediate
future in all the dialogue* (*lo leghiamo, etc.*).
[8] **Mi sa,** It seems to me (*see vocabulary*).
[9] **tanto,** anyhow.
[10] **Appena caricato,** As soon as we have finished loading.
[11] **Meriterebbe che lo lasciąssimo,** *lit.,* He would deserve that we should
leave him.

E il figlio Nino disse: «Lo leghiamo con una corda e lo carichiamo sul carro.»

La madre si sentiva stringere il cuore, per queste cose. «Non devi dir così, Nino,» essa disse. «È tuo padre. Bisogna portargli rispetto.»   100

«Sì, ma dovrebbe servire a qualche cosa anche lui,»[12] disse il figlio Nino.

La madre scosse la testa dolorosamente, e non sapeva che fare.

Allora la figlia Effa si mosse e si avvicinò al vecchio. «Padre,» 5 disse. «Verrai anche tu con noi, non è vero? Abbiamo bisogno di te. Sei il capo della famiglia, non puoi lasciarci andar soli.»

Il vecchio fissò gli occhi in volto alla figlia, ed erano occhi umidi e luminosi. Lei non gli aveva mai parlato così. Nessuno gli aveva mai parlato così, in quella casa. E lui si sentì pieno di 10 un amore immenso, che non poteva esprimersi. Ma subito tutto gli si confuse dentro, perchè era ubriaco, e non gli restò che una stupida commozione. Fece un gesto disperato. «Non voglio che si ammazzi il maiale,» disse. Pareva che fosse sul punto di piangere.   15

«Non ammazzeremo il maiale,» disse la figlia Effa.

«Vedrai che lo porteremo con noi,» disse la madre.

«Madre, come vuoi fare a portarti dietro il maiale?» domandò la Rossa.

«Lo porteremo, in qualche modo,» disse la madre. «Magari lo 20 leghiamo e lo buttiamo sopra il carro.»

Il vecchio si rianimò d'un tratto. «Moglie, questa è una buona idea,» gridò e sorse in piedi. «Sacramento, se è una buona idea.» Riusciva a stare in piedi abbastanza bene. Quanto a questo non correva[13] molta differenza fra quando era ubriaco 25 e quando non lo era. Fece anche un gesto largo con la mano, e la fermò in direzione del figlio Nino. «Nino,» disse. «Noi uomini andiamo a prendere il maiale.»

---

[12] **dovrebbe . . . lui,** he too ought to be of some use (good for something).

[13] **Quanto a questo non correva** = In quanto a questo non c'era.

I due uọmini uscịrono dalla porta di dietro e mentre si
allontanạvano verso il porcile si sentì per un poco il vecchio 30
che continuava a chiacchierare con entusiasmo. E la madre
restava assorta in una dolorosa tristezza.

«Forza, madre,» disse allora la Rossa. «Mi pare che stiamo
perdendo tempo per niente.»

Cominciạrono a portar fuori la roba, e la Rossa salì sul 35
carro per mẹtterla a posto. Dalla parte di mezzogiorno[14] si
vedẹvano dei lampi improvvisi, e qualche tempo dopo arrivava
il rumore del cannone.

«Lascia un po' di posto per il maiale qua in fondo,» disse la
madre. 40

La Rossa si muoveva con difficoltà in mezzo alla roba di cui
era ingombro il carro. «Non ci si vede niente,» disse. «Almeno
ci fosse la luna.»[15]

«Verrà fuori dopo mezzanotte, la luna,» disse la ragazza
Effa. 45

Faceva ancora caldo, ma la notte era lịmpida, con stelle
senza nụmero e solo qualche nụvola sparsa, più nera del resto
del cielo.

Attraverso la porta aperta del magazzino si vide una pịccola
luce accẹndersi dentro, e sụbito si spense. Poi se ne accese 50
un'altra.

«Nino?» chiamò la madre.

«Sì,» rispose il ragazzo. Anche la seconda luce si spense.

«Cosa andate facendo, Nino?» domandò la madre.

«Cerco la corda,» disse il ragazzo. «Doveva ẹssere qua 55
dentro.»

«Oh, l'ho presa io,» disse la madre. «Dev'ẹssere tesa fra
l'ạlbero e la stalla.»

«Potevi dirlo anche prima,»[16] disse il ragazzo duramente.

---

[14] **Dalla parte di mezzogiorno,** From the South (*where the Allied troops
were working their way northward*).
[15] **Almeno . . . luna,** If only there were (some) moonlight!
[16] **Potevi . . . prima,** You could have said so before.

L'entusiasmo per il maiale continuava nel vecchio, e faceva 60
sì che ogni tanto si mettesse a gridare[17] qualche cosa.

La roba fu presto caricata sul carro, e le donne rientrarono
in cucina. Malgrado il rumore che avevano fatto, il bambino
dormiva sempre, con la testa posata sulle braccia. Alla scarsa
luce del lume la cucina appariva triste, tutta in disordine e 65
quasi devastata. La madre e la Rossa guardavano intorno con
un viso duro, forse per vedere se c'era ancora qualcosa da
prendere, o solo per guardare ciò che dovevano lasciare.

«Le galline possiamo prenderle e caricarle sul carro,» disse
ad un tratto la Rossa. 70

«Sì, questo l'avevo pensato anch'io,» disse la madre. «Ma
non possiamo prenderle tutte. E poi ci sono tutti quei polli
novelli. Ho fatto tanta fatica a tirarli su.»

«Loro staranno qua,» disse la Rossa. «Lasceremo la porta
aperta e così troveranno lo stesso da mangiare,[18] per due o tre 75
giorni.»

«Speriamo di trovarli ancora, tornando,» disse la madre.

«Andiamo, allora,» disse la Rossa. «Forse ci servirà il lume.[19]
Tu stai qui con mio figlio, Effa, non è vero?»

«Sì,» rispose la ragazza. 80

La Rossa staccò il lume dal gancio e prese dei fiammiferi.
Poi uscì con la madre dalla porta di dietro, dopo aver spento il
lume.

Nella cucina rimasero la ragazza Effa e il bambino seduto
sull'alta seggiola, che dormiva posando la testa sulle braccia. 85
Le due porte erano rimaste aperte, ed entrava un po' di fresco
nell'aria calda della cucina. Era completamente buio. Anche le
braci del focolare si erano spente, oppure le aveva coperte la

---

[17] **faceva ... gridare,** made him start shouting every now and then
(*fare sì che,* plus subjunctive, cause, produce the result that).

[18] **troveranno lo stesso da mangiare,** they (*the chickens*) will find
something to eat anyhow.

[19] **Forse ci servirà il lume,** Perhaps the lamp will be of use (*later—they
dare not show a light outdoors now*). *While Rossa and the mother
finish loading the wagon, Effa stays inside with the baby.*

cẹnere,[20] e non dạvano chiarore alcuno. La ragazza camminò piano nell'oscurità e cercò una sedia per mẹttersi accanto al 90 pịccolo che dormiva. Ascoltò per un poco il respiro leggero, quindi mosse una mano teneramente e trovò la testa del bambino e ne sentì i capelli sottili e il calore mite. Il bambino mosse la bocca biascicando, e sospirò. Allora la ragazza ritrasse la mano e posò un braccio sulla tạvola e la testa sul braccio, e si 95 mise a piạngere, con disperazione e senza far molto rumore. Fuori i cannoni sparạvano, di quando in quando. Poi il maiale cominciò a strillare con voce acuta.

[Despite the mother's pleas for keeping together, the family disintegrates rapidly. The father is blown up in a mine field together with his pig; the daughter Effa leaves to join her soldier lover by whom she is pregnant; the others, from a nearby hill, see their home burn down and their fields destroyed. The mother herself then decides to go searching in a forlorn hope for Effa, whom she fears to be in distress. Only the fifteen-year-old son Nino, whom the war has made into a man overnight, together with la Rossa and her baby, carry on with the family's livestock.]

[20] si ẹrano ... cẹnere, had gone out, or else the ashes had covered them.

Esercizi

I. Rispọndere in italiano:

1. Chi sono i membri della famiglia Mangano?
2. Ạbitano in città o in campagna?
3. Che lavoro fanno?
4. Perchè si trọvano «tra due fuochi?» Che guerra si combatteva?
5. Chi bussò alla porta?
6. Cosa era venuto a dire il ragazzo?
7. Perchè la Rossa dice «se dobbiamo andare è meglio far presto?»
8. Il vecchio voleva partire o no?
9. Che dịcono la Rossa e Nino alle proteste del vecchio? Ed Effa?
10. Era ubriaco il vecchio?
11. Dove cạricano la roba da portar via con loro?
12. Quali animali vọgliono portar via?

13. Che rumore si sente mentre caricano la roba?
14. Perchè Effa rimase in casa invece di aiutare gli altri a preparare il carro?
15. Che faceva il bambino? Ed Effa che fece?
16. Quali rumori si sentivano fuori?
17. In quale libro si trova questo episodio e chi ne è l'autore?

II. Completare in italiano:

1. Nino _____ alla porta, e ne aprì solo una parte.
2. Sono venuto a dirvi che noi _____.
3. Le donne volevano portare _____, ma non ci stava.
4. _____ che ci troviamo insieme a Castelmonte.
5. Quand'egli fu uscito tutti rimasero fermi e _____.
6. Se dobbiamo andare è meglio _____.
7. Il vecchio girò lo sguardo _____ dalla madre alla Rossa.
8. La madre scosse la testa dolorosamente, e non sapeva _____.
9. Pareva che fosse _____ di piangere.
10. La Rossa salì sul carro per mettere la roba _____.
11. _____, ma la notte era limpida.
12. _____ il rumore che avevano fatto, il bambino dormiva sempre.
13. Guardavano intorno per vedere se c'era ancora _____.

III. Dare il contrario:

1. dentro
2. vecchio
3. solo
4. ad alta voce
5. svegliarsi
6. nulla
7. lentamente
8. chiuso
9. allontanarsi
10. spegnersi
11. in disordine

Napoli: Castel dell'Ovo e Vesuvio, veduti da Mergellina. [E.N.I.T.]

Visioni d'Italia (III)

Napoli

I. IL NAPOLETANO CHE CAMMINA

Il napoletano non concepisce il piacere di passeggiare, se non sia accompagnato da numerose soste. Ogni motivo è buono per una fermata; ma il migliore di tutti è l'incontro con un amico. In altri paesi quando due s'incontrano si lanciano un «ciao,»[1] si toccano la falda del cappello, e scappano, ognuno per 5 il suo verso. A Napoli è obbligatorio fermarsi e scambiare quattro chiacchiere[2] anche quando non si ha nulla da dirsi. E generalmente non si ha mai nulla da dirsi.

Tizio e Caio[3] si incrociano innanzi la vetrina di Van Bol.[4] La zona è impraticabile per l'agglomerarsi di persone che parlano, 10 non avendo nulla da dirsi. Eppure Tizio e Caio prescelgono proprio quella zona per svolgere questo intelligente dialogo:

– Oh, caro Tizio!

– Oh, caro Caio!

---

[1] «ciao» *from the Venetian pronunciation of* **schiavo** (your servant, sir); *a friendly and informal greeting which can serve, rather like British* cheerio, *either for* hello *or* good-bye *and is coming into rather general use.*

[2] **quattro chiacchiere,** a bit of chit-chat.

[3] **Tizio e Caio,** *terms generally used (especially the first) as we might use Tom, Dick, and Harry, or John Doe and Richard Roe.*

[4] **Van Bol,** *a fashionable café.*

95

Stretta di mano e silenzio imbarazzato.   15
– Che bella giornata oggi!
– Magnifica! Se avessi un'automobile me ne andrei al Capo di
Posillipo.[5]
L'uomo, evidentemente, ignora che il filobus conduce al Capo
di Posillipo.   20
Nuova pausa e nuova ripresa:
– E che si fa?
– Mah, niente di nuovo. La solita vita . . .
Terza pausa ed ultima ripresa:
– Arrivederci, Caio.   25
– Arrivederci, Tizio.
Questo dialogo, con lievi modifiche, si ripete duemila volte
al giorno nella zona innanzi a Van Bol e in altre zone. Per lungo
tempo tentai vanamente di penetrare il significato di queste
fermate e di questi discorsi. Poi, approfondito[6] lo studio del 30
carattere napoletano, ho capito tutto. Tizio e Caio si fermano e
parlano qualche minuto, perchè ognuno spera che l'altro
pronunzi la bella frase:
– Andiamo a prendere il caffè![7]
Giacchè una delle occupazioni più gravi del napoletano che 35
passeggia è questa: trovare l'amico che offra il caffè o una
sigaretta o qualsiasi altra cosa, ma insomma offra. Il napoletano
ama di «essere regalato» di qualche cosa, sia pure della «amicizia»
e della «servitù,» che qui si offrono, si profferiscono come una
merce qualunque.[8] Pagherebbe, il napoletano, qualsiasi cosa 40
per andare a teatro con i biglietti di favore. Il buon senso
suggerisce che potrebbe limitarsi a pagare i biglietti. No: egli

---

[5] **se avessi . . . Posillipo,** If I had a car I'd go to Posillipo Cape (*a
promontory at the northwest edge of Naples, commanding a superb
view over its bay*).

[6] **approfondito,** going more deeply into.

[7] **il caffè,** *Neapolitan coffee is justly celebrated. Its proper preparation
and consumption are taken with ritualistic seriousness.*

[8] **sia pure . . . qualunque,** be it only with (*phrases of*) "friendship" or
"your servant, sir," which are offered here like any sort of merchan-
dise.

pagherà, per sdebitarsi, una somma maggiore, ma nulla
eguaglierà la sua soddisfazione quando avrà avuto gratis quel
palco, che – fosse pure il palco reale del San Carlo[9] – egli si 45
ostinerà a chiamare un palchettiello.[10]

Ma tutto questo non ha rapporto con il napoletano che
cammina.

Il quale – intendiạmoci[11] – se camminando non conclude
nulla, ha, in compenso, la ịntima persuasione di cọmpiere 50
grandi cose.

Gino Doria

[9] **fosse . . . San Carlo,** even if it were the royal box at the San Carlo
opera house.
[10] **palchettiello** = **palco,** *with a characteristic Neapolitan diminutive.*
[11] **intendiạmoci,** let's have this clearly understood (*lit.,* let's understand one another).

II. CAPRI

L'amico mi ha scritto: «Muoio dal desiderio di vedere
Capri;» gli ho risposto che era inụtile morire e che togliẹndosi
questo suo desiderio avrebbe potuto anche[1] aspirare alla
immortalità.   55

Non mi ha scritto, non mi ha telegrafato nè telefonato:
quando meno me lo immaginavo me lo son visto a casa.[2]

Abbiamo avuta una giornata magnịfica, un mare azzurro e
liscio, un cielo splendente senza nụvole; a mano a mano che ci
allontanavamo da Nạpoli e la città intera si scopriva ai nostri 60
occhi, come se sorgesse dal fondo del mare, ci sembrava di
scoprire un nuovo mondo di bellezze fino allora nascoste; poi
non abbiamo visto altro che mare, e lontano, una striscia che si
colorava di azzurro e viola, mentre si faceva più vicina la

[1] **togliẹndosi . . . anche,** by gratifying (*lit.,* removing) this desire of his
(*to see Capri*) he might even.
[2] **me . . . casa,** he showed up at my place.

Penisola sorrentina[3] e, lontane, le isole di Procida e di Ischia si 65
attenuavano come se volessero dissolversi.

Il piroscafo costeggiava la Penisola sorrentina; distinguevamo
le case fra gli ulivi e gli aranci; sembrava che questi ci venissero
incontro per poi nascondersi di nuovo, e infine, ecco, Sorrento,
e poi, d'improvviso, Capri più grande (grande, diremmo, al 70
naturale) pararcisi dinanzi[4] mollemente distesa sul mare come
una testa di donna che lascia andare fra le onde le chiome
lunghe lunghe, non ancora sacrificate alla Moda.

Dite quello che volete: Capri è questa. Insieme con noi ha
invaso[5] la funicolare che dalla Marina Grande porta su, alla 75
piazza, una folla di gitanti, di forestiere, di turisti in visita
rapida, si è dispersa[6] per il belvedere, ha attaccato la strada che
mena ad Anacapri, si è fermata nei caffè e nei negozi, è corsa in
cerca degli amici con i quali aveva appuntamento, ha contrattato
una corsa[7] nei luoghi da vedere, ha acquistato le cartoline da 80
spedire subito perchè testimoniassero[8] della visita . . .

In un primo momento l'amico si è sentito come se gli si fosse
mozzato il respiro, poi si è affacciato, ha mirato a lungo il mare
sottostante, di un azzurro trasparente che sembrava una gemma,
ha respirato profondamente, ha detto: 85
– Non andrei più via!
– Accade a parecchi – ho risposto – ma non così fulmineamente. Che cosa dirai fra poco?

Così siamo stati in giro per l'isola: non in un giorno solo, non
fra un piroscafo e l'altro per cui si arriva la mattina e si riparte 90

[3] **Penisola sorrentina,** *Capri is quite near the tip of the promontory*
(**punta della Campanella**) *that juts out after Sorrento at one end of
the bay of Naples whereas the islands of Procida and Ischia are some
18 miles distant to the northwest at the other end of the bay.*
[4] **pararcisi dinanzi,** spread out before us.
[5] **ha invaso,** *the subject is* **folla.**
[6] **si è dispersa,** has scattered (*the subject of this and the following verbs
is also* **folla**).
[7] **contrattato una corsa,** struck a deal for a drive *or* bus ride.
[8] **perchè testimoniassero,** to testify (*lit.,* so that they might testify).

Capri: Piazzetta. [E.N.I.T.]

99

nel pomeriggio, ma per parecchio tempo. A volte il mio amico rimaneva a Capri ed io facevo una corsa a Napoli, perchè a differenza di lui che è in perpetua vacanza (o quasi) io ho da rendere conto.⁹ Quando lo rivedevo era una festa sentirlo raccontare quello che aveva visto, quello che aveva fatto. Lo 95 raccontava con tanta gioia, con tanta vivacità che quasi riuscivo a godere più del suo racconto, che di una visita, di una escursione vera e propria.

Capri offre quest'atmosfera di euforia, quest'atmosfera di esaltazione continua. È quella che gli isolani ed i forestieri 100 ormai sono concordi nel chiamare «aria di Capri,» senza cercare di analizzarla, di scoprirne il perchè e il come.

«Aria di Capri» vuol significare tutto: il colore del mare ed uno scoppio di risate; la vecchia signora che sembra sogni¹⁰ sempre un mondo fatato e la stoffa tessuta nell'isola; le case 5 dalla speciale architettura e i fiori che crescono dappertutto belli e vivi come in clima tropicale; il negozio di cappelli, borse e zoccoli e l'automobile che ansima per la salita;¹¹ il negozio di gioielli e la bottega dell'artista; la ragazza che trascorre intere giornate a guardare il mare e quella che vuol 10 sempre ballare; il mare aperto e la piscina; il ricordo e la leggenda di Tiberio e le gesta della colonia cosmopolita;¹² tutto di bello o tutto di brutto; ogni cosa concorre a formare, a dare consistenza all' «aria di Capri.»

Capri! L'amico ora che è lontano ogni volta che mi scrive ha 15 da rievocare un'ora, un momento dei giorni trascorsi nell'isola

⁹ **da rendere conto,** responsibilities.
¹⁰ **sembra sogni = pare che sogni,** seems to be dreaming (of).
¹¹ **che ansima per la salita,** panting from the climb. *Automobiles, not normally allowed elsewhere on the island, regularly cover the steep winding road from the **Marina Grande** or port to the upper village of Anacapri and its principal hotels.*
¹² **leggenda ... cosmopolita,** *Capri owes its first fame to the emperor Tiberius (ruled A.D. 14–37) who built there his famous villa of which the ruins still stand as Villa Jovis. In the present century Capri became famous again as a site of cosmopolitan beauty and luxury celebrated in the* Story of San Michele *by Axel Munthe and* South Wind *by Norman Douglas.*

incantata. Magari rievoca un ciuffo d'erba, una persona vista allora e di cui sul momento si parla (a Capri da tutte le parti del mondo convengono personaggi celebri e uomini sconosciuti, re sul trono e potenti in esilio,[13] letterati e stelle del cinema, 20 uomini politici e capitani d'industria); rievoca il particolare di una chiesa o di un monumento, una notizia storica o un pettegolezzo che lo colpì.

In ultimo immancabilmente, prima dei saluti, mi annunzia: «Penso seriamente a liquidare tutti i miei affari, liberarmi di 25 tutte le noie, e ritirarmi a Capri, in una casetta costruita come dico io, nel punto che ho in mente io . . .»

Verrà il giorno, scommetto, nel quale il mondo sarà vuoto di uomini, perchè tutti si saranno ritirati a Capri.

Francesco Stocchetti

[13] **re . . . esilio,** throned kings and rulers in exile.

Esercizi

Questions for discussion:

IL NAPOLETANO CHE CAMMINA

1. What do you learn of the Neapolitan character from this passage?
2. What is one of the most important occupations of the strolling Neapolitan? Why?

CAPRI

1. Where is Capri?
2. Describe what is meant by the *aria di Capri*.
3. What varieties of people does one find among its visitors?

Carlo Scarfoglio

Il pesce mi guarda

Carlo Scarfoglio (born 1887) belongs to a distinguished family of writers and journalists, his father Edoardo and his mother Matilde Serao having long been prominent figures in the literary and journalistic world of Italy, particularly of Naples. Of their four sons, all of whom followed their parents' vocation, Carlo is considered the most outstanding.

A journalist by profession, his sources of inspiration as a writer of fiction are the sea of Naples—on whose shores he spent his "happy, pure, and solar childhood"—and his life-long friends, the Neapolitan fishermen. "Il pesce mi guarda" is the first in a collection of stories *I racconti della Torre* which he published in 1962 as a memorial to these men "of a hard life and a pure heart."

Words and phrases in italics are Neapolitan dialect.

– Papà, disse il bambino, il pesce mi guarda. Il padre non rispose. Voltò soltanto la testa a guardare, senza arrestare la vogata. La sua posizione era difficile, e lasciarla per riprenderla significava perdita di tempo. Stava in piedi, nel mezzo della pesante barca, con un piede nudo puntato indietro e l'altra [5] gamba a cavallo del banco di centro.[1] Aveva i due remi incrociati davanti al petto, e remava portando avanti le spalle e

---

[1] **a cavallo del banco di centro,** astride the center bench. *Neapolitan fishermen row thus in a standing position facing the direction of motion.*

tutto il peso del corpo bilanciato sullo sforzo della gamba
puntata indietro. Non poteva perder tempo, nè lasciare che la
barca deviasse.[2] Ogni deviazione era cammino perduto.   10
   Dietro, tutto era tranquillo. Il bambino era seduto sullo
stretto triangolo della poppa, e teneva i piedi tirati a sè.
Visibilmente, aveva paura. Ma non c'era altro. Il suo corpo
stagliava sul cielo. Il padre gli sorrise. – Salvatore, che stai
dicendo? Il pesce è morto. *Mo*[3] andiamo a casa. La zia ti sta 15
aspettando. Ti ha fatto la pasta colle sarde.[4]
   Il bambino ebbe un nodo alla gola, ma non si mosse. Più
vicino di così[5] non poteva tirare i piedi. Tutto intero stava
nello stretto triangolo. Dall'altra parte,[6] il mare. Il padre
rivoltò la testa verso prua, con un colpo impercettibile di remo 20
ristabilì la bilancia, ripose la barca a cammino senza perder
la vogata.[7] Era tardi. Le ombre correvano da tutti i punti del
cielo verso il centro del mondo. Il centro del mondo era la
barca, col bambino seduto sulla poppa, gnomone del cerchio
d'ombra,[8] coi piedi tirati a sè.   25
   Povero Salvatore, pensava il padre, aveva paura. Era un
bambino timido, cresciuto nell'ombra e nella gracilità. Per
questo il padre lo aveva preso con sè in Sicilia, dove andava
a maneggiar la barca di un cognato che viaggiava sulle linee
postali.[9] Salvatore non voleva venire, ma la madre era ammalata 30

---

[2] **lasciare . . . deviasse,** let the boat drift (off course; *lit.,* that it should
   drift, *imp. subj.*).
[3] **mo = adesso.**
[4] **la pasta colle sarde,** spaghetti with sardines.
[5] **di così,** *usual for* than this, than that.
[6] **Dall'altra parte** (*della poppa*) **= Fuori.**
[7] **Il padre . . . vogata,** (*after looking back at the child*) The father
   turned his head forward again, (then) with a quick stroke of the oar
   straightened out the boat and got it back on course without losing
   headway.
[8] **gnomone del cerchio d'ombra,** *lit.* the sundial rod (standing up) in the
   (fast closing) circle of darkness. *As the shadows close in, all the
   remaining daylight seems to focus on the stiff figure of the frightened
   child.*
[9] **viaggiava . . . postali,** *presumably,* traveled on the mail boats *making
   regular runs between Sicily and the mainland.*

e non poteva tenerlo con sè. Salvatore aveva pianto tutta la notte. Non voleva andare a mare. Aveva paura. Solo quando poteva tener la mano del padre e alzar la faccia alla sua si rinfrancava. Ma come stava adesso, seduto sullo stretto triangolo, coi piedi tirati a sè, non poteva vederne che le spalle.[10] 35 Per questo aveva paura, pensò il padre. Il pesce era morto. Gli aveva rotto il cranio colla mazzola, dopo avergli sconficcato il lanzaturo dal ventre.[11] Due, tre, quattro colpi. Era un pesce grande, il più grande che avesse lanzato mai. Più di due ore aveva combattuto, prima in acqua, poi sul fondo della barca. 40 Ma ora era morto, col cranio rotto ed il ventre sfondato, sul fasciame di fondo. Non era un buon pesce. Era una vesdinia,[12] uno squalo. Non la vera, grande canesca, ma un parente prossimo. Egli non ne avrebbe mangiato per nulla al mondo, perchè i marinai non mangiano la vesdinia, ma gli alberghi le 45 pagavano bene e le servivano in grandi fette, come pesce da taglio. Ed era grosso, un buon guadagno, una gran giornata.

– Papà, disse il bambino, il pesce mi guarda.

Questa volta il padre lasciò i remi, si voltò tutto. Salvatore era sempre sulla poppa, gnomone delle Ombre del mondo. Le 50 Ombre, adesso, avevano completamente accerchiato la barca. Il bambino si distingueva appena. Era pallidissimo, aveva le labbra violette. Doveva aver freddo. Non bisognava lasciarlo al freddo e alla sua paura. Non avrebbe voluto[13] più tornare al mare. Forse avrebbe avuto le convulsioni. Ne aveva sofferto, 55 anni addietro. Il padre tirò sopra il banco la gamba avanzata, si voltò, andò a poppa dal bambino.[14] La barca rallentò, i remi

[10] **non . . . spalle,** he could only see his father's back.
[11] **dopo . . . ventre,** after having pulled the harpoon out of its belly.
[12] **vesdinia . . . squalo . . . canesca,** *these terms designate varieties of shark or dogfish (squalus).*
[13] **Non avrebbe voluto . . . avrebbe avuto = non vorrebbe . . . avrebbe,** *the conditional perfect being often used when there is expressed or merely implied a governing verb in the past tense (Il padre pensava che . . .).*
[14] **Il padre . . . bambino,** *freely,* The father pulled his leg back over the bench (*the one that was a cavallo in the first paragraph*), and went back to the child.

sciacquạrono, si distẹsero lungo le murate. Per andare a poppa, il padre dovè appoggiare i piedi sul pesce sul fondo. Il contatto lo rassicurò. Era freddo, vịscido, rugoso, inerte. Morto, morto, 60 morto.

– Guarda, Salvatore, *bell'e papà*.[15] Non aver paura. Il pesce è morto. Guarda, adesso papà lo ammazza un'altra volta.

Il bambino torceva il volto, non guardava. Il cerchio delle Ombre era fitto attorno alla barca. Guarda, Salvatore, *bell'e* 65 *papà*. Prese la mazzola, diede tre, quattro colpi. Guarda, Salvatore, il pesce non si muove. Vuoi venire a prua?

Il bambino non rispose, ebbe un brịvido. Per andare a prua avrebbe dovuto appoggiare i piedi nudi sul pesce. Li tirò ancora più stretto a sè. Il padre tornò al suo posto, riprese i 70 remi. Ora non vedeva più la prua, si dirigeva sui lumi di Sciacca.[16] Aveva fretta di arrivare a terra. Il bambino non poteva restare a lungo così, nel freddo, colla sua paura. La Paura adesso accorreva da tutti i punti del cerchio del mondo verso di lui. Presto il bambino non fu più lo gnomone del 75 cerchio delle Ombre del mondo, fu lo gnomone del cerchio della Paura del mondo.[17] Sọlida e impalpạbile, la Paura del Mondo circondava la barca. Il mondo aveva paura[18] per il bambino seduto sul triạngolo della poppa, col pesce inerte sul fondo. Il padre, in mezzo, remava per portar suo figlio fuori del 80 cerchio senza tempo e senza spazio.[19]

– Papà, disse il bambino, il pesce mi guarda.

Non parlare così, *bell'e papà*! Come puoi dire che ti guarda se non si vede niente? *Te muor'e friddo*?[20] *Mo* arriviamo a casa e ti scaldi. La zia sta aspettando. Ti ha fatto la pasta colle 85 sarde. Il pesce è morto.

---

[15] **bell'e papà = bello di papà,** daddy's darling.
[16] **si dirigeva ... Sciacca,** he steered toward the lights of Sciacca, *a town near Agrigento on the southern coast of Sicily (cf. the story "Il Capretto nero"*).
[17] **del mondo = universale,** (world-wide fear, *not fear of the world*).
[18] **Il mondo aveva paura,** *see preceding note.*
[19] **(il) cerchio senza tempo e senza spazio = il cerchio della Paura.**
[20] **Te muor'e friddo? = Muori di freddo?**

– *Mo* arriviamo, Salvatore, *bell'e papà*. Un altro momento,
quando arriviamo alla dirittura del fanale,[21] ti porto a prua e ti
arravoglio[22] nella maglia di papà. Aspetta un momento,
Salvatore. 90
– Papà, disse il bambino . . .
E niente altro. Uno sfaglio, un tonfo, uno sciacquio.[23] La
Paura ha chiuso il cerchio, lo gnomone è scomparso. Una paura
che non ha più centro. Il centro è un pozzo. Il pozzo della
Paura del mondo. Il triangolo della poppa è pulito e netto, 95
anche il pesce non è più sul fondo della barca. Scomparsi. Nel
pozzo della Paura del mondo. Il padre, in ginocchio, batte la
testa sul banco di voga. – Salvatore, *bell'e papà*, avevi ragione,
avevi ragione. E che *gli* dico[24] adesso a mamma tua, che *gli* dico.

[21] **fanale,** beacon *or* signal light, *from which the* line (**dirittura**) *to the harbor could be clearly followed.*
[22] **ti arravoglio = ti avvolgo,** I'll wrap you up.
[23] **Uno sfaglio, un tonfo uno sciacquio,** *lit.*, a discard, a splash, a lapping of waves; *first the sudden slipping away of the child and the fish, then the thud as they hit the water, then the sound of the water as it closes over them and splashes against the boat. Note how this quasi supernatural ending has been prepared by the general tone of what precedes. Note also the parallel between this story and Goethe's ballad " Der Erlkönig," set to music by Schubert.*
[24] **gli = le,** what shall I tell her?

Esercizi

I. Rispondere in italiano:

1. Che cosa disse il bambino?
2. Dove si trovavano padre e figlio in quel momento?
3. Il padre stava in piedi o seduto?
4. Dov'era seduto il bambino?
5. Aveva paura?
6. Che diceva il padre per rassicurarlo?
7. Dove correvano le ombre?
8. Qual'era il centro del mondo?
9. Perchè il padre andando in Sicilia aveva preso con sè il bambino?
10. Perchè la madre non poteva tenerlo con sè?
11. Aveva freddo il bambino?

12. Perchè il padre dà altri colpi al pesce?
13. Perchè il bambino non vuole andare a prua?
14. Quale cerchio circonda ora la barca?
15. Dove sono scomparsi il bambino e il pesce?
16. Era davvero morto il pesce?

II. Tradurre in italiano le espressioni in parentesi:

1. (The boy was seated) sullo stretto triangolo della poppa.
2. Teneva i piedi (drawn in to himself).
3. (Closer than this) non poteva tirare i piedi.
4. Salvatore (had cried) tutta la notte.
5. Gli alberghi (paid well for them).
6. Il bambino (must have been cold).
7. Il bambino non rispose, (he shuddered).
8. (He was in a hurry) di arrivare a terra.
9. Il padre (kneeling) batte la testa sul banco di voga.

PART II

Giovanni Boccaccio

Federigo e il suo falcone

Giovanni Boccaccio, born in 1313 in Paris of a Tuscan father, traveled widely as a student and on diplomatic missions, but resided mainly in the region of Florence; he died at Certaldo in 1375. He is the youngest of three great Tuscans who created Italian as a literary language, the others being Dante Alighieri (1265–1321) and Francesco Petrarca (1304–1374). Although he, too, wrote important works in verse, Boccaccio's reputation rests mainly on the universal popularity of his collection of tales *Il Decamerone*, completed in 1353, the first major monument of literary Italian prose. The title is from Greek words suggesting the meaning "ten days." A group of ten young people, fleeing the contagion of the Black Death in 1348, gather in a villa in the country and spend their time telling stories, each telling one a day on a given theme. That of the fifth day is love's triumph over misfortune, illustrated here by the ninth tale ("Novella nona"), of Federigo and his falcon.

In Firenze viveva già un giovane chiamato Federigo di messer Filippo Alberighi, nell'uso delle armi e in cortesia pregiato sopra ogni altro giovane di Toscana. Egli s'innamorò di una gentil donna chiamata monna Giovanna, ne' suoi tempi tenuta delle più[1] belle e delle più leggiadre che fossero in 5 Firenze, e per poter acquistare l'amore di lei, giostrava,

---

[1] **ne' . . . più,** in her time held (considered) to be among the most.

armeggiava, faceva feste e spendeva il suo denaro senza alcun ritegno. Ma ella, non meno onesta[2] che bella, non si curava di quelle cose fatte per lei, né di colui che le faceva.

Poiché Federigo spendeva oltre ogni suo potere, senza niente 10 acquistare, le ricchezze mancarono e rimase povero. Non gli rimase altra cosa che un suo piccolo poderetto, delle rendite del quale viveva strettissimamente, e oltre a questo un suo falcone,[3] dei migliori del mondo. Per cui, amando più che mai e non potendo più abitare in città, se n'andò a stare a Campi, là 15 dov'era il suo poderetto. Quivi, andando a caccia agli uccelli e senza cercare la compagnia d'alcuno, sopportava pazientemente la sua povertà.

Ora avvenne che il marito di monna Giovanna si ammalò, e vedendosi venire alla morte, fece testamento. Essendo ricchis- 20 simo, lasciò suo erede[4] un suo figliuolo già grandicello;[5] e dopo questo, avendo molto amata monna Giovanna, lasciò erede anche lei, in caso il figliuolo morisse senza erede legittimo.

Rimasta dunque vedova, monna Giovanna, com'è usanza delle nostre donne, se n'andava l'estate con questo suo figliuolo 25 ad una sua possessione in campagna, assai vicina a quella di Federigo. Per cui avvenne che il giovinetto cominciò a prender familiarità con Federigo e a dilettarsi d'uccelli e di cani. Avendo veduto molte volte volare il falcone di Federigo, che gli piaceva straordinariamente, desiderava forte d'averlo, ma 30 non osava domandarlo, vedendo quanto esso gli era caro.

E così stando la cosa, avvenne che il giovinetto s'ammalò, per cui la madre, addoloratissima, non avendo altri figli e amandolo quanto più si poteva,[6] gli stava tutto il giorno dintorno e non cessava di confortarlo; e spesse volte gli domandava se c'era 35

---

[2] **onesta,** *as we learn shortly, monna Giovanna is married.*

[3] **falcone,** *the* falcon *was trained with utmost skill to hunt birds as dogs were used to hunt other game, and falconry was cultivated with passion in the Middle Ages.*

[4] **suo erede,** as his heir. *This was in fact their only child.*

[5] **già grandicello,** a growing boy.

[6] **quanto più si poteva,** as much as any one could; *the* più *is redundant here.*

alcuna cosa che egli desiderasse, che per certo, se fosse cosa possibile ad avere, ella procaccerebbe d'averla.[7]

Il giovane, udite[8] molte volte queste profferte, disse:

– Madre mia, se voi fate che io abbia il falcone di Federigo, io credo che presto guarirò.   40

La donna, udendo questo, cominciò a pensare a quello che dovesse fare.

Ella sapeva che Federigo lungamente l'aveva amata, nè mai da lei aveva avuto un solo sguardo; per cui ella diceva:

– Come gli domanderò questo falcone che è, per quel che odo, 45 il migliore che mai volasse, e oltre a ciò lo mantiene nel mondo? E come sarò io sì sconoscente, che ad un gentil uomo, al quale non è rimasto alcun altro diletto, io voglia togliere questo?

E confusa in così fatto pensiero, poiché era certissima d'averlo se lo domandasse, senza sapere che dovere dire, non 50 rispondeva al figliuolo, ma taceva.

Infine, tanto la vinse l'amor del figliuolo, che decise tra sé di contentarlo e di andare ella medesima a prendere il falcone e di recarglielo, e gli rispose:

– Figliuol mio, confortati e pensa di guarire in ogni modo, 55 ché io ti prometto che la prima cosa che io farò domattina sarà d'andare a prendere il falcone e così te lo recherò.

Di che il fanciullo lieto,[9] quel dì medesimo mostrò alcun miglioramento.

La donna la mattina seguente, presa un'altra donna in 60 compagnia, se n'andò alla piccola casetta di Federigo e lo fece chiamare. Egli, poiché non era tempo di caccia, era in un suo orto e udendo che monna Giovanna lo chiedeva alla porta, maravigliandosi forte, lieto là corse.

Vedendolo venire, ella gli andò incontro con grazia donnesca 65 e, avendola Federigo già reverentemente salutata, disse:

– Io son venuta a riparare i danni che tu hai avuti per me,

---

[7] **procaccerebbe d'averla,** would try to get it.

[8] **udite,** hearing (*lit.*, having heard).

[9] **Di che il fanciullo lieto** = **Il fanciullo, tutto contento per la promessa della madre.**

amandomi più del bisogno; intendo perciò desinar stamane con te familiarmente, insieme con questa mia compagna.

Al che Federigo umilmente rispose: 70

– Madonna, non ricordo di aver mai ricevuto alcun danno per voi, ma tanto di bene che, se io mai valsi alcuna cosa, avvenne per il vostro valore e per l'amore che v'ho portato.

E così detto, la ricevette in casa e la condusse nel suo giardino; e poiché non c'era alcun altro che le potesse tener compagnia, 75 disse:

– Madonna, poiché altri non c'è, questa buona donna moglie di questo lavoratore vi terrà compagnia, intanto che io vado a far metter la tavola.

Federigo non s'era ancora avveduto di quanto estrema fosse 80 la sua povertà, poi che aveva spese disordinatamente le sue ricchezze. Ma questa mattina non avendo di che poter onorare la donna, per amore della quale già aveva onorati infiniti uomini, egli si ravvide. Oltre modo angoscioso, maledicendo tra sé la sua fortuna, non avendo né denari né pegno, e non 85 volendo chiederne ad alcuno, posò gli occhi sul suo buon falcone, che vide nella sua saletta sopra la stanga.

Non avendo a che altro ricorrere, lo prese, lo trovò grasso e pensò che esso fosse degna vivanda per cotal donna. E però, senza più pensare, tiratogli il collo,[10] da una sua fantesca lo 90 fece[11] subito, pelato e ben preparato, arrostire diligentemente; e messa la tavola con tovaglie bianchissime, alcune delle quali aveva ancora, con lieto viso ritornò alla donna nel suo giardino, e disse che il desinare era apparecchiato.

La donna con la sua compagna andarono a tavola e senza 95 sapere quel che mangiavano, insieme con Federigo, che le serviva, mangiarono il buon falcone. E levate da tavola, dopo aver alquanto conversato piacevolmente con lui, alla donna parve tempo di dire quello per cui era andata, e così benigna- mente cominciò a parlare a Federigo: 10

– Federigo, ricordandoti della tua vita passata e della mia

---

[10] **tiratogli il collo,** wringing its neck (*cf. n. 8*).
[11] **lo fece,** *governs* **arrostire:** had it roasted.

onestà, che tu forse hai reputata durezza e crudeltà, io non dubito che tu ti debba maravigliare della mia presunzione, sentendo quello per cui principalmente son qui venuta; ma, se tu avessi o avessi avuti figliuoli, e potessi conoscere di quanta 5 forza sia l'amor che si porta loro, sono certa che in parte mi scuseresti. Ma, come tu non ne hai, io che n'ho uno, non posso fuggire le leggi comuni dell'altre madri e sono costretta, contro il mio piacere e contro ogni convenienza e dovere, a chiederti un dono, il quale io so che sommamente t'è caro (ed a ragione, 10 poiché la tua misera fortuna non t'ha lasciato nessun altro diletto, nessun altro sollazzo, nessuna consolazione). Questo dono è il tuo falcone, del quale il mio fanciullo è sì forte invaghito che, se io non glielo porto, temo che la sua infermità si aggravi tanto che io lo perda. E perciò io ti prego di donarmelo, 15 non per l'amore che tu mi porti, al quale tu non sei di niente tenuto, ma per la tua nobiltà, che in usar cortesia, s' è mostrata maggiore che in alcun altro, acciocché io per questo dono possa dire d'avere ritenuto in vita il mio figliuolo.

Federigo, udendo ciò che la donna domandava, e sapendo di 20 non poterla servire, poiché glielo aveva dato a mangiare, cominciò a piangere in presenza di lei, prima di poter rispondere alcuna parola. La donna prima credette che quel pianto, più che da altro, venisse dal dolore di doversi separare dal buon falcone, e quasi fu per dire che non lo voleva, ma, trattenutasi,[12] 25 aspettò dopo il pianto la risposta di Federigo, il quale così disse:

– Madonna, poi che a Dio piacque che io ponessi in voi il mio amore,[13] in assai cose ho reputato la fortuna a me contraria, e mi sono di lei doluto;[14] ma tutte sono state leggere a rispetto 30 di quello che ella mi fa al presente, pensando che voi siete qui venuta alla mia povera casa, dove non degnaste venire mentre che fu ricca, e da me volete un piccolo dono, ed ella ha fatto sì

---

[12] **trattenutasi,** restraining herself.

[13] **poi che ... amore,** since (= after) by God's will I set my heart upon you.

[14] **mi ... doluto,** I have complained of her (*treatment of me*); *lei and ella in this sentence refer to* **la fortuna.**

che io non ve lo possa donare;[15] e vi dirò brevemente perché
questo non possa essere: 35

Come io udii che voi, per vostra grazia, volevate desinare
con me, avendo riguardo alla vostra eccellenza e al vostro
valore, reputai cosa degna e convenevole dovervi onorare,
secondo la mia possibilità, con più cara vivanda di quelle che
generalmente s'usano per l'altre persone; per cui, ricordandomi 40
del falcone che mi domandate e della sua bontà, lo reputai
cibo degno di voi, e questa mattina lo avete avuto arrostito sul
piatto; ma vedendo ora che lo desideravate in altra maniera,
mi duole tanto di non potervelo donare, che non credo me ne
darò mai pace.   45

E questo detto, le fece portare in testimonianza di ciò le
penne e i piedi e il becco.

La donna, vedendo e udendo questa cosa, prima lo biasimò
d'aver ucciso un tal falcone, per dar da mangiare ad una
femmina; e poi lodò molto la grandezza dell'animo suo, che la 50
povertà non aveva potuto e non poteva rintuzzare. Poi, rimasta
senza speranza d'avere il falcone, e perciò dubitando della
salute del figliuolo, tutta malinconica se ne partì e tornò al
figliuolo.

Egli, o per la malinconia di non poter avere il falcone, o per 55
la sua infermità, dopo non molti giorni, con grandissimo dolor
della madre, passò di questa vita. Ella, poi che fu stata alquanto[16]
piena di lacrime e di amarezza, essendo rimasta ricchissima e
ancora giovane, più volte fu spinta dai fratelli a rimaritarsi.
Ricordatasi[17] del valore di Federigo e della sua ultima magni- 60
ficenza,[18] cioè di aver ucciso un così fatto falcone per onorarla,
ella disse ai fratelli:

– Io volentieri me ne asterrei,[19] ma se a voi pur piace che io

---

[15] **ella ... donare,** she (Fortune) has made it impossible for me to
   give it to you.
[16] **alquanto = per alquanto tempo.**
[17] **Ricordatasi,** Remembering.
[18] **ultima magnificenza,** last display of generosity (*with the falcon*).
[19] **volentieri me ne asterrei,** would gladly do without.

prenda marito, per certo io non ne prenderò mai alcun altro, se io non ho Federigo degli Alberighi. 65

Al che i fratelli, facendosi beffe di lei, dissero:

– Sciocca, che cosa dici? Come vuoi tu lui che non ha cosa al mondo?

Ai quali ella rispose:

– Fratelli miei, io so bene che così è come voi dite, ma io 70 voglio piuttosto uomo che abbia bisogno di ricchezza che ricchezza che abbia bisogno d'uomo.

I fratelli, udendo l'animo di lei, e conoscendo Federigo come uomo di molto valore, quantunque fosse povero, sì come ella volle gli donarono lei con tutte le sue ricchezze. Ed egli, 75 vedendosi per moglie una tal donna, che tanto aveva amata, e oltre a ciò ricchissimo, con lei terminò in letizia i suoi anni.

Esercizi

I. Rispondere in italiano:

1. In quale libro si trova questa novella e chi ne è l'autore?
2. In che città viveva Federigo degli Alberighi?
3. In quale regione d'Italia si trova questa città?
4. Di chi s'innamorò il giovane fiorentino?
5. Si curava di lui monna Giovanna?
6. Perchè Federigo rimase povero?
7. Cosa gli rimase di tutte le sue ricchezze?
8. Dove andò a stare?
9. Rimasta vedova, dove andava a passare l'estate monna Giovanna?
10. A chi piaceva straordinariamente il falcone di Federigo?
11. Che decise di fare monna Giovanna quando il figliuolo s'ammalò?
12. Dove andò in compagnia d'un' altra donna?
13. Perchè Federigo fece arrostire il suo buon falcone?
14. Che dono gli chiese monna Giovanna?
15. Perchè egli cominciò a piangere?
16. Rimase in vita il figliuolo di monna Giovanna?
17. Quale uomo vuol prender lei per marito?

18. Perchè i fratelli la chiamano sciocca?
19. Cosa risponde la donna ai fratelli?
20. Come terminò i suoi anni Federigo?
21. Aveva meritato la sua felicità?

II. Tradurre in italiano le espressioni in parentesi:

1. Egli (fell in love with) una gentil donna chiamata monna Giovanna.
2. Spendeva il suo denaro (without any restraint).
3. (In addition to this) gli rimase un suo falcone.
4. (Take courage) e pensa di guarire in ogni modo.
5. La donna la mattina seguente (went off) alla piccola casetta di Federigo.
6. Ella (went to meet him) con grazia donnesca.
7. La donna con la sua compagna (together with Federigo), mangiarono il buon falcone.
8. (After having conversed a while) piacevolmente con lui, alla donna parve tempo di dire quello per cui era andata.
9. Tutte sono state leggere (in comparison with) quello che ella mi fa al presente.
10. La donna prima lo biasimò d'aver ucciso (such a falcon).
11. (As poor as he was), sì come ella volle gli donarono lei con tutte le sue ricchezze.

Poesia del Trecento

RIME PER MUSICA E DANZA

BALLATA (I)

Ecco la primavera
che 'l cor fa rallegrare:
tempo è d'innamorare
e star con lieta cera.

No' veggiam l'aria e 'l tempo   5
che pur chiam'allegrezza;
in questo vago tempo
ogni cosa ha vaghezza;
l'erbe con gran freschezza
e' fior coprono i prati   10
e gli alberi adornati
sono in simil manera.

(Intonata da Francesco Landini)

Musica e danza nel Quattrocento, particolare del Trionfo di Venere di Cosmé Tura e Francesco del Cossa. [Alinari, Firenze]

TRANSLATION

DANCE SONG
(Ballad)

Behold Spring, which makes the heart rejoice: it is time to fall
in love and to be of cheerful mien.

We see the air and the spring weather which also make for
merriment; in this lovely season everything has loveliness;
the little green plants with great freshness and the flowers
cover the meadows and the trees are adorned in like
manner.

(Set to music by Francesco Landini)

MADRIGALE

Cogliendo per un prato ogni fior bianco
con vaghezza d'amor vidi cantare
donne leggiadre, e qual di lor danzare.

Poi si posavan sovra d'una fonte
e di ta' fior facean ghirlande a loro   5
adorne e belle sovr'a' capel d'oro.

Uscendo fuor del prato ragguardai
lor adornezze, e d'una innamorai.

(Intonata da Niccolò da Perugia)

TRANSLATION

MADRIGAL

I saw fair women sing, and some of them dance, as they plucked
every white flower in a meadow, yearning for love.

Then they rested by a spring and of those flowers made themselves garlands, graceful and comely on their golden hair.

Coming out of the meadow I looked back on their charms, and
with one I fell in love.

(Set to music by Niccolò da Perugia)

BALLATA (II)

La donna mia vuol ẹssere 'l messere
e perché ciò mi spiace
non posso aver con lei trẹgua nè pace.

Leva la cresta col viso superbo,
chè sottomẹttermi al suo voler crede,   5
ma i' rinnegherịa 'n prima la fede
ch'io stesse a lei come al lione il cerbo,
perchè mi tocca l'antico proverbo:
«La casa non mi piace
dove gallina canta e il gallo tace.»   10

Chi della donna sua si fa soggetto
ben è vil uom, pognam che a molti tocca;
devrebbe a mio parer prẹnder la rocca
e lasciar andar lei al suo diletto;
perché si dice per antico detto: 15
«Chi non è uom verace,
ma femminil, degli uọmini è fallace.»

(Intonata da Niccolò da Perugia)

TRANSLATION

DANCE SONG

My lady wants to be the man, and as that annoys me I can have
    no truce nor peace with her.

She raises her crest with a haughty face, for she thinks to
    submit me to her will, but I would rather renounce my
    faith than be to her as a stag to a lion, because the old
    saying strikes me: "I don't like the house where the hen
    crows and the cock is silent."

He who becomes subject to his lady is surely a cowardly fellow,
    even admitting that it befalls many; he should, in my

opinion, take the distaff and let her go about her pleasure; for it is said of old: "He who is not a true man, but womanly, betrays his manhood."

(Set to music by Niccolò da Perugia)

DUE SONETTI

BEATRICE

Tanto gentile e tanto onesta pare
    la donna mia quand'ella altrui saluta,
    ch'ogne lingua deven tremando muta,
e li occhi no l'ardiscon di guardare.
Ella si va, sentendosi laudare,   5
    benignamente d'umiltà vestuta;
    e par che sia una cosa venuta
da cielo in terra a miracol mostrare.
Mostrasi sì piacente a chi la mira,
    che dà per li occhi una dolcezza al core,   10
    che 'ntender no la può chi no la prova:
    e par che de la sua labbia si mova
un spirito soave pien d'amore,
che va dicendo a l'anima: Sospira.

Dante Alighieri (1265–1321), *Vita Nuova*, Chapter XXVI
(text of the *Società dantesca*, 1921)

TRANSLATION

BEATRICE

My lady is of so noble and chaste an aspect as she greets others, that every tongue, trembling, falls mute, and the eyes dare not look upon her. She goes her way, hearing herself praised, graciously clad in modesty; and she seems to be something come down to earth from heaven to show a miracle.

She shows herself so charming to any who look at her, that through the eyes she gives a sweetness to the heart that who has not experienced it can not understand; and it seems that from her lips there emanates a heavenly-sweet spirit full of love which goes murmuring to the soul: Sigh!

This is almost certainly the most celebrated sonnet in the Italian language and it seems pretentious to attempt to vie in verbal art or rhythm with the countless translations it has inspired. We offer therefore for this, and the following sonnet of Petrarch, the least awkward kind of literal translation that we can devise.

LAURA

Quando fra l'altre donne ad ora ad ora
   amor vien nel bel viso di costei,
   quanto ciascuna è men bella di lei,
tanto cresce 'l desïo che m'innamora.
I' benedico il loco e 'l tempo e l'ora   5
   che sì alto miraron gli occhi miei,
    e dico: «Anima, assai ringraziar déi
che fosti a tanto onor degnata allora.
Da lei ti vien l'amoroso pensiero
   che, mentre il segui, al sommo ben t'invïa,   10
   poco prezzando quel ch'ogni uom desïa:
da lei vien l'amorosa leggiadrïa
ch'al Ciel ti scorge per destro sentiero,
sì ch'i' vo già de la speranza altero.»

Francesco Petrarca (1304–1374),
Il Canzoniere, Sonnet XIII

TRANSLATION

LAURA

When from time to time, while my lady is among other women, love shines in her face, seeing how far beneath her beauty is that of any other, so much higher rises my passion.

Donne del Quattrocento: Lodovica Tornabuoni e compagne, dall'affresco di
D. Ghirlandaio, La Nascita della Vergine. [Alinari, Firenze]

I bless the place and the season and the hour when my eyes looked up so high, and I say: "My soul, you must give great thanks that you were deemed worthy of such honor.

From her you receive that spirit of love which, while you follow it, takes you to God, little prizing what men desire: from her comes that amorous loveliness which guides you along the straight path to Heaven; so that I go now proud in hope."

Niccolò Machiavelli

Il demonio che prese moglie

Niccolò Machiavelli (1469–1527) served as first secretary of the governing body of Florence in the critical years 1498–1512 which saw his native Tuscany invaded by French and Spanish armies. His most important writing was done after he retired from active life in 1513. Known especially as one of the founders of modern political science (for *Il principe*, written in 1513, published 1532, and the less well-known but more profound *Discorsi*, 1519), he is notable also for such masterpieces of mordant wit as his comedy *La Mandragola* and our selection, the story of the devil who took a wife. This was published in 1539 under the title *La Novella di Belfagor Arcidiavolo*, and is of Oriental origin.

I

Nelle antiche memorie fiorentine si legge come tutti o la maggior parte dei miseri mortali, che per esser morti nella disgrazia di Dio andavano all'inferno, si dolevano di essere condotti a tanta infelicità per il solo peccato d'aver preso moglie. Donde Minos e Radamanto insieme con gli altri 5 giudici infernali ne avevano maraviglia grandissima. E non potendo credere che queste calunnie contro il sesso femminile fossero vere, essi fecero rapporto di tutto a Plutone, il quale deliberò di esaminare questo caso con tutti i principi infernali.

127

Plutone li chiamò dunque a consiglio e parlò in questo 10
modo: «Dilettissimi miei, per celeste disposizione e fatale,
irrevocabile sorte, io posseggo questo regno e perciò non posso
essere soggetto ad alcun giudizio o celeste o mondano.[1]
Nondimeno, poiché è maggiore prudenza nei potenti[2] sottomet-
tersi alle leggi e stimare l'altrui giudizio, ho deliberato di essere 15
consigliato da voi su come io in questo caso mi debba governare.
Tutte le anime degli uomini che vengono in questo regno dicono
che ne è stata cagione la moglie. Poiché questo ci pare impos-
sibile, vi abbiamo chiamati affinché voi ci aiutiate col vostro
consiglio e perché questo regno, come è vissuto senza infamia[3] 20
nel passato, così viva nell'avvenire.»

Il caso parve a ciascuno di quei principi importantissimo e
degno di molta considerazione. Tutti conclusero che era
necessario scoprire la verità ma erano in disaccordo sul modo.
Infine prevalse l'opinione che si mandasse un demonio nel 25
mondo, che sotto forma di uomo venisse a conoscere[4] personalmente questa verità. E non trovandosi alcuno che volontaria-
mente prendesse questa impresa, deliberarono di far decidere
alla sorte,[5] che cadde sopra Belfagor arcidiavolo, ma nel
passato, prima di cader dal cielo, arcangelo. Belfagor prese mal 30
volentieri questo incarico ma, costretto dal comando di Plutone,
si dispose a seguire la decisione del concilio e si obbligò a
quelle condizioni che fra loro erano state solennemente
deliberate. Queste erano: che gli fossero consegnati centomila
ducati, con i quali doveva venire nel mondo e, sotto forma di 35
uomo, prender moglie; doveva con quella vivere dieci anni e
poi, fingendo di morire, tornare all'inferno e per esperienza
testimoniare ai suoi superiori di quali siano i carichi e le

---

[1] **soggetto ... mondano,** *i.e., Pluto's rule is arbitrary; no power human or divine (says he) can sit in judgment on his decisions or actions;* **alcun = nessun.**

[2] **è ... potenti,** the greater wisdom for those in power is.

[3] *Note the recognizably human touch in Pluto's praise of his own government.*

[4] **conoscere,** *here* verify *or* learn about.

[5] **alla sorte,** by lot.

incomodità del matrimonio. Si dichiarò inoltre che durante
detto tempo egli fosse sottoposto a tutti quei disagi e mali ai 40
quali sono sottoposti gli uọmini, come la povertà, il cạrcere, la
malattịa e ogni altro infortunio nel quale gli uọmini incọrrono.
Presa dunque la condizione d'uomo e i danari, Belfagọr venne
nel mondo e con cavalli e compagni entrò onoratịssimo in
Firenze, città che elesse a suo domicilio innanzi a tutte le altre, 45
poiché gli pareva la più adatta a mantenere chi volesse far
danari esercitando l'arte dell'usura.[6]

II

Si fece chiamare Roderigo di Castiglia e prese una casa a
fitto nel borgo d'Ognissanti. Per nascọndere le sue condizioni,
disse di ẹsser partito dalla Spagna da pịccolo e, andato quindi 50
in Siria, di aver guadagnato in Aleppo tutte le sue ricchezze. Di
lì era poi partito per venire in Italia a prẹnder moglie in luoghi
più umani e più conformi alla vita civile ed all'ạnimo suo. Roderigo era un bellịssimo uomo e mostrava una età di trent'anni.
Avendo egli in pochi giorni fatto conọscere le sue ricchezze e la 55
sua liberalità, molti nọbili cittadini che avẹvano assai figliole e
pochi danari gli fẹcero delle proposte. Roderigo scelse tra tutte
una bellịssima fanciulla chiamata Onesta, figliuola di Amerigo
Donati, che aveva tre altre figlie e anche tre figli maschi.
Questo Amerigo, benché di nobilịssima famiglia e assai stimato 60
in Firenze, era nondimeno poverịssimo.
Roderigo fece magnịfiche e splendidịssime nozze; ed essendo,
per la legge che gli era stata data nell'uscire d'inferno, sottoposto
a tutte le passioni umane, cominciò sụbito a pigliare piacere
delle pompe e degli onori del mondo, il che l'obbligava a non 65
poche spese. Inoltre, non tardò molto ad innamorarsi fuori di
misura della sua monna Onesta; né poteva vịvere se la vedeva

[6] **usura,** money-lending, *and, in general, all the arts of banking were a
specialty of the Florentines from before the time of Dante; they had
established, for example, a method for insuring ships (see p. 131, l. 12)
as early as the fourteenth century.*

triste o dispiaciuta. Monna Onesta, insieme con la nobiltà e la bellezza, aveva portato in casa di Roderigo tanta superbia che non ne ebbe mai tanta Lucifero, e Roderigo, che aveva provata 70 l'una e l'altra,[7] giudicava quella della moglie superiore. Tale superbia diventò di gran lunga maggiore appena monna Onesta si accorse dell'amore che il marito le portava; e parendole di poterlo dominare[8] in tutto, lo comandava senza alcuna pietà o rispetto, nè esitava, quando qualche cosa gli era da lui 75 negata, di morderlo con parole villane e ingiuriose, il che era cagione a Roderigo d'infinita noia. Pur nondimeno il suocero, i fratelli, il parentado, l'obbligo del matrimonio e sopra tutto il grande amore che le portava, gli facevano avere pazienza.

Non dirò delle grandi spese che, per contentarla, egli faceva 80 per vestirla delle nuove fogge che la nostra città varia continuamente. Fu anche obbligato, volendo stare in pace con lei, ad aiutare il suocero a maritare le altre sue figliuole, per cui spese una grossa somma di danaro. Dopo questo, dovette mandare uno dei fratelli in Levante con panni, un altro in 85 Ponente con drappi, all'altro dovette aprire una bottega in Firenze, nelle quali cose spese la maggior parte delle sue fortune. Oltre a questo, nei giorni di carnevale e di San Giovanni, quando tutta la città, per antica consuetudine, festeggia, monna Onesta, per non essere inferiore alle altre 90 donne, voleva che il suo Roderigo superasse tutti gli altri. Egli sopportava tutte queste cose per le ragioni sopradette, nè gli sarebbero sembrate gravi se da questo fosse nata la quiete della sua casa, e se egli avesse potuto aspettare pacificamente il giorno della sua rovina. Ma gli accadeva l'opposto perché, 95 oltre le insopportabili spese, l'insolente natura di lei gli procurava infiniti incomodi. In casa sua non c'erano servi che la potessero sopportare anche per pochissimi giorni, donde ne nascevano a Roderigo disagi gravissimi, poiché non poteva tenere servo fidato. Anche quei diavoli che aveva condotti con 100

---

[7] **l'una = la superbia di Lucifero; l'altra = quella della moglie.**
[8] **parendole ... dominare,** as it appeared to her that she could dominate him.

sè come domęstici scęlsero piuttosto di tornare in inferno a stare nel fuoco, che vįvere nel mondo sotto il comando di quella donna.

III

In questa tumultuosa e inquieta vita, Roderigo, avendo già consumato le sue ricchezze in spese disordinate, cominciò a 5 vįvere sulla speranza dei guadagni che aspettava di Ponente e di Levante e, avendo ancora buon crędito, prese danaro in pręstito. Era già sovraccąrico di dębiti, quando arrivąrono all'improvviso notizie di Levante e di Ponente: uno dei fratelli di monna Onesta aveva perduto al gioco il danaro di Roderigo; 10 e l'altro, tornando sopra una nave cąrica di sue mercanzįe, senza averle prima assicurate, era annegato insieme con quelle.

Appena fųrono note queste cose, i creditori di Roderigo si strįnsero insieme e decįsero di sorvegliarlo accortamente 15 affinchè non se ne fuggisse di nascosto.[9] Roderigo d'altra parte, non vedendo rimedio al caso suo, pensò di fuggire in ogni modo. Montato una mattina a cavallo, uscì dalla Porta al Prato. La notizia della sua partenza si sparse sųbito fra i creditori i quali, dopo ęssere ricorsi[10] ai magistrati, si mįsero a 20 inseguirlo.

Roderigo non s'era allontanato un miglio dalla città quando, vedęndosi a mal partito, deliberò di uscire di strada per fuggire più segretamente e, attraverso i campi, cercare salvezza. Ma essendo impedito a far questo dalle molte fosse che attravęrsano 25 il paese, e non potendo per questo andare a cavallo, si mise a fuggire a piedi e, attraversando di campo in campo, coperto dalle vigne e dai canneti di cui quel paese abbonda, arrivò sopra a Perętola alla casa di Gianmatteo del Brica, lavoratore di Giovanni del Bene. Per caso trovò Gianmatteo che portava da 30 mangiare ai buoi e gli si raccomandò, promettęndogli che, se lo

---

[9] **affinchè . . . nascosto,** so that he would not secretly flee.
[10] **dopo ęssere ricorsi,** after appealing (presenting their complaint).

salvava dalle mani dei suoi nemici, egli lo farebbe ricco.
Gianmatteo, benché contadino, era un uomo animoso e,
giudicando di non poter perdere nulla salvando Roderigo,
glielo promise. Lo cacciò in un monte di letame che aveva 35
davanti alla sua casa e lo ricoperse con cannucce e altre cose
che aveva radunate per ardere. Roderigo aveva appena finito
di nascondersi quando sopraggiunsero i suoi persecutori, ma
essi, per quanto spaventassero[11] Gianmatteo, non riuscirono a
fargli dire di averlo visto. Per cui, avendolo invano cercato quel 40
dì e il seguente, ritornarono stracchi a Firenze.

Cessato il rumore, Gianmatteo trasse Roderigo dal luogo
dove era e gli chiese di tener fede alla promessa. Al che Roderigo
disse: «Fratello mio, io ho con te un grande obbligo e lo voglio
in ogni modo soddisfare; e perché tu creda che io possa farlo, ti 45
dirò chi io sono.» E qui gli disse chi era e delle leggi avute
all'uscire d'inferno e della moglie che aveva presa. Inoltre gli
disse il modo con il quale lo voleva arricchire: «Appena
sentirai che una donna è indemoniata, sii pur certo che io
sarò entrato in lei e non ne uscirò se tu non verrai a trarmi 50
fuori; avrai così modo di farti pagare dai parenti di lei.»

IV

Non passarono molti giorni che si sparse per tutta Firenze
la voce che una figliuola di messer Ambrogio Amidei, maritata
a Bonaiuto Tebalducci, era indemoniata. I parenti non mancarono di far tutti quei rimedi che si fanno in simili casi, ponendole 55
in capo la testa di San Zanobi e il mantello di San Giovanni
Gualberto. Ma Roderigo si burlava di tutte queste cose e per
far capire a ciascuno che il male della fanciulla era uno spirito e
non altra fantastica immaginazione, parlava in latino, disputava
di filosofia e scopriva i peccati di molti.   60

Pertanto messer Ambrogio viveva in pena e, avendo invano
provato tutti i rimedi, aveva perduto la speranza di guarire la

---

[11] **per quanto spaventassero,** no matter how they intimidated.

figliuola, quando Gianmatteo venne a trovarlo e gli promise la salute della fanciulla, se egli gli donasse cinquecento fiorini per comprare un podere a Perętola. Messęr Ambrogio accettò la 65 proposta, per cui Gianmatteo, fatte dire prima certe messe[12] e fatte alcune cerimonie per abbellire la cosa, si accostò agli orecchi della fanciulla e disse: «Roderigo, io sono venuto a trovarti perché tu mantenga la promessa.» Al che Roderigo rispose: «Io acconsento, ma questo non basta a farti ricco. 70 Perciò, appena sarò partito di qui, entrerò nella figliuola di Carlo, re di Nąpoli, e non ne uscirò senza il tuo intervento. Ti farai allora dare un compenso a tuo modo e poi non mi darai più noia.» Detto questo uscì dalla fanciulla, con piacere e ammirazione di tutta Firenze. 75

Non passò poi molto tempo che per tutta Italia si sparse la voce dell'accidente venuto alla figliuola del re Carlo. Non trovando rimedio, il re, che aveva avuto notizia di Gianmatteo, lo mandò a chiamare a Firenze. Arrivato a Nąpoli, Gianmatteo, dopo qualche finta cerimonia, guarì la fanciulla. Ma Roderigo, 80 prima di partire, disse: «Tu vedi, Gianmatteo, io ho osservato la promessa d'arricchirti e perciò, essęndomi disobbligato, non ti devo più nulla. Pertanto non mi capitare più innanzi, perché dove ti ho fatto del bene, ti farei per l'avvenire del male.» Gianmatteo, tornato a Firenze ricchįssimo perché aveva avuto 85 dal re più di cinquantamila ducati, pensava di godersi quelle ricchezze pacificamente, non credendo che Roderigo pensasse di fargli del male. Questo suo pensiero fu però sųbito turbato da una notizia: la figliuola di Lodovico sęttimo, re di Francia, era indemoniata. Questa notizia sconvolse la mente di Gianmatteo, 90 pensando all'autorità di quel re e alle parole che Roderigo gli aveva dette. E quel re, non trovando rimedio al male della sua figliuola, e conoscendo la virtù di Gianmatteo, lo mandò a chiamare per mezzo di un suo corriere; ma poiché quello allegava certe indisposizioni, il re fu forzato a richiederlo alla 95 Signorįa,[13] la quale forzò Gianmatteo a ubbidire.

---

[12] **fatte . . . messe,** ordering first a certain number of masses to be said.
[13] **Signorįa,** governing body (*of Florence*).

V

Gianmatteo andò pertanto tutto sconsolato a Parigi e spiegò
sùbito al re come egli certamente nel passato aveva guarito
qualche indemoniata ma che non per questo sapeva o poteva
guarire tutti, perché si trovàvano demonii di sì pèrfida natura 100
che non temèvano nè minacce, nè incanti, nè alcuna religione.
Al che il re turbato disse che, se Gianmatteo non guariva la sua
figliuola, lo farebbe impiccare. Gianmatteo sentì per questo
grande dolore ma, fàttosi coraggio,[14] fece venire l'indemoniata,
si accostò all'orecchio di lei e si raccomandò umilmente a 5
Roderigo, ricordàndogli il beneficio che gli aveva fatto. Al che
Roderigo disse: «Villan traditore, sicché tu hai ardire di
venirmi innanzi! Credi tu di poterti vantare d'èssere arricchito
per le mie mani? Io voglio mostrare a te e a ciascuno come io
so dare e tògliere ogni cosa a mio piacere, e prima che tu parta 10.
di qui io ti farò impiccare in ogni modo.» Per cui Gianmatteo,
non vedendo per allora rimedio, pensò di tentare la sua fortuna
per un'altra via, e disse al re: «Sire, come io vi[15] ho detto, ci
sono spìriti così maligni che con loro non si ha scampo, e
questo è uno di quelli. Pertanto io voglio fare un ùltimo esperi- 15
mento; se questo gioverà, la vostra Maestà ed io avremo ciò che
desideriamo; se non gioverà, io sarò in tuo potere e tu avrai di
me quella compassione che la mia innocenza mèrita. Farai
pertanto fare sulla piazza di Nostra Dama[16] un palco grande e
capace di contenere tutti i tuoi baroni e tutto il clero di questa 20
città; farai parare il palco di drappi di seta e d'oro; fabbricherai
nel mezzo di quello un altare. Voglio poi che la pròssima
domènica mattina tu con il clero insieme con tutti i tuoi prìncipi
e baroni, con pompa regale, con splèndidi e ricchi abbigliamenti,

---

[14] **fàttosi coraggio,** working up his courage.
[15] **vi,** *from* **voi,** *which would be normal in addressing the French king;
   the pronoun* **Lei** (*standing for* **Vostra Signoria,** *etc.*) *did not come
   into general use until some generations after Machiavelli. Note that
   after this first* **vi** *the peasant Gianmatteo, no doubt under some strain,
   reverts to the form he is used to and calls the king* **tu.**
[16] **Nostra Dama,** *the cathedral of* Notre Dame *in Paris.*

Nozze Adimari-Ricasoli: Musicanti, anonimo del Quattrocento. [Alinari, Firenze]

vi aduniate sopra il palco dove, celebrata prima una messa 25
solenne, farai venire l'indemoniata. Voglio, oltre a questo, che
in un canto della piazza si riuniscano almeno venti persone con
trombe, corni, tamburi, cornamuse, cembanelle, cembali[17] e
strumenti rumorosi d'ogni altra qualità. Quando io alzerò un
cappello, tutti si mettano[18] a suonare e, suonando, vengano[18] 30
verso il palco. Credo che queste cose, insieme con certi altri
segreti rimedi, faranno partire questo spirito.»

Fu subito dal re ordinato tutto; venuta la domenica mattina
il palco si riempì di personaggi e la piazza di popolo. Celebrata
la messa, l'indemoniata fu condotta sul palco da due vescovi e 35
molti signori. Quando Roderigo vide tanto popolo insieme e
tanto apparato, rimase quasi stupito, e fra sé disse: «Che cosa ha

---

[17] **trombe . . . cembali,** trumpets, horns, drums, bag-pipes, bass-drum
with cymbals.
[18] *These verbs are imperative in force.*

pensato di fare questo poltrone di questo villano?[19] Crede di
sbigottirmi con questa pompa? Non sa che io sono uso a
vedere le pompe del cielo e le furie dell'inferno? Io lo castigherò 40
in ogni modo.» E quando Gianmatteo gli si accostò pregandolo
di uscire, gli disse: «O tu hai fatto il bel pensiero! Che credi di
fare con questi tuoi apparati? Credi di fuggire per questo la
potenza mia e l'ira del re? Villano ribaldo, io ti farò impiccare
in ogni modo.» E così a Gianmatteo non parve di dover perdere 45
più tempo. Fece il cenno con il cappello e tutti quelli che erano
stati incaricati di far baccano si misero a suonare e, con rumori
che andavano al cielo, vennero verso il palco. A quel rumore,
Roderigo alzò gli orecchi e, non sapendo che cosa fosse e
maravigliandosi forte, tutto stupito domandò a Gianmatteo 50
che cosa fosse. Al che Gianmatteo, tutto turbato, disse: «Oimé,
Roderigo mio! Quella è tua moglie che ti viene a ritrovare.»
Fa meraviglia pensare quanto la mente di Roderigo si alterasse al
solo ricordo del nome della moglie. Ne fu tanto sconvolto che,
senza pensare s'era possibile o ragionevole che fosse proprio lei, 55
senza replicare altro, se ne fuggì, lasciando libera la fanciulla.
Volle piuttosto tornare in inferno a rendere ragione delle sue
azioni, che sottoporsi di nuovo al giogo matrimoniale. E così
Belfagor, tornato in inferno, testimoniò dei mali che la moglie
portava in una casa. E Gianmatteo, che ne seppe più del 60
diavolo, se ne ritornò tutto lieto a casa.

[19] **questo poltrone di questo villano,** this cowardly yokel.

Esercizi

I. Rispondere in italiano:

I

1. Chi è l'autore di questa favola e quando visse?
2. Qual'è la sua opera più famosa?
3. Di che si dolevano i miseri mortali che andavano all'inferno?
4. Con chi esaminò Plutone questo caso?

5. Quale decisione prese il concilio?
6. Su chi cadde la sorte?
7. A quali condizioni si obbligò Belfagor?
8. Quale città Belfagor elesse a suo domicilio, e perchè?

II

1. Come si fece chiamare Belfagor?
2. Dove era venuto a prender moglie?
3. Che età mostrava Roderigo?
4. Che proposte gli fecero molti nobili cittadini?
5. Quale fanciulla scelse Roderigo tra tutte?
6. Quali altri figli aveva Amerigo Donati? Era ricco?
7. Che nozze fece Roderigo?
8. Si innamorò della moglie?
9. Che cosa aveva portato monna Onesta in casa di Roderigo?
10. Come comandava lei il marito?
11. Per stare in pace con lei, a che fu obbligato lui?
12. Che cosa scelsero di fare i diavoli che Roderigo aveva condotti con sè?

III

1. Che notizie arrivarono all'improvviso di Ponente e di Levante?
2. Cosa decisero di fare i creditori di Roderigo?
3. Che pensò di fare lui?
4. Dove arrivò Roderigo fuggendo attraverso i campi?
5. Che promise a Gianmatteo?
6. Dove lo cacciò Gianmatteo?
7. I suoi persecutori riuscirono a trovarlo?
8. In che modo Roderigo voleva arricchire Gianmatteo?

IV

1. Quale voce si sparse per tutta Firenze dopo pochi giorni?
2. Perchè Roderigo parlava in latino e disputava di filosofia?
3. Quale speranza aveva perduto messer Ambrogio?
4. Chi venne a trovarlo?
5. Quanto chiese Gianmatteo per guarire la fanciulla?
6. Che cosa disse a Roderigo, accostandosi agli orecchi di lei?
7. Che gli rispose lui?
8. Quale voce si sparse poco tempo dopo per tutta Italia?

9. Chi guarì la figlia del re di Napoli?
10. Prima di partire, che disse Roderigo a Gianmatteo?
11. Come pensava Gianmatteo di godersi le sue ricchezze?
12. Da quale notizia fu subito turbato questo suo pensiero?

V

1. Come andò a Parigi Gianmatteo?
2. Se egli non guarirà la figlia del re, che cosa gli accadrà?
3. Come si raccomandò Gianmatteo a Roderigo?
4. Che vuol mostrare Roderigo a lui e a ciascuno?
5. Come pensò allora Gianmatteo di tentare la sua fortuna?
6. Che cosa farà fare il re sulla piazza di Nostra Dama?
7. Quante persone si riuniranno in un canto della piazza, e cosa avranno con sè?
8. Come rimase Roderigo quando vide tanto popolo e tanto apparato?
9. Che accadde quando Gianmatteo alzò il cappello?
10. Che domandò Roderigo a Gianmatteo udendo quel rumore?
11. Che gli disse Gianmatteo?
12. Che fece Roderigo al sentire il nome della moglie?
13. Dove volle tornare, e perchè?
14. Perchè Roderigo prima arricchisce Gianmatteo e poi lo vuol fare impiccare?
15. Chi ne seppe più del diavolo, e perchè?

II.   Completare in italiano:

1. Si dolevano di essere condotti a tanta infelicità per il solo peccato _____.
2. Belfagor prese _____ questo incarico.
3. Disse di essere partito dalla Spagna _____.
4. Non tardò molto ad innamorarsi _____ della sua monna Onesta.
5. Roderigo, avendo ancora buon credito, prese danaro _____.
6. Montato una mattina _____, uscì dalla Porta al Prato.
7. I creditori _____ inseguirlo.
8. Per caso trovò Gianmatteo che portava _____ ai buoi.
9. Roderigo aveva appena _____ quando sopraggiunsero i suoi persecutori.

10. I parenti non _____ di fare tutti i rimedi.
11. Ma questo _____ a farti ricco.
12. Non mi capitare più innanzi, perchè ti farei per l'avvenire _____.
13. Lo mandò a chiamare _____ un suo corriere.
14. Se Gianmatteo non guariva la sua figliuola, lo _____.
15. La domęnica mattina il palco _____ personaggi.
16. _____ con il cappello e tutti si mįsero a suonare.
17. E Gianmatteo se ne ritornò _____ a casa.

III. Dare il contrario:

1. nel passato
2. sopra
3. ricchezza
4. amico
5. noia
6. umiltà

Leonardo da Vinci (1452–1519), Testa femminile. [Galleria Nazionale, Parma]

Michelangelo (1475–1564), Testa di Madonna. [National Gallery, London]

Visioni d'Italia (IV)

Firenze; Recanati

I. FIRENZE CITTÀ DEI FIORI

Firenze, la città dei fiori, va vista[1] di primavera: allora è circonfusa di una luce eterea che la mostra all'occhio del riguardante come attraverso un magico globo di cristallo; la severità del marmo e della pietra degli edifici è come ammollita e trasfigurata; le cime delle torri, delle cupole, dei campanili 5 spiccano sul cielo diafano; la cerchia delle colline[2] si ammanta tutta di un molle e fresco tappeto d'erba e di fiori.

Il campanile di Giotto,[3] che sembra una produzione della natura più che dell'arte, slanciasi nell'azzurro[4] e brilla al sole di maggio nei variopinti suoi marmi come un magnifico albero 10 fiorito e pietrificato. Bisogna allora contemplare Firenze dall'alto del colle di San Miniato o da Bellosguardo. Essa

[1] **va vista,** should (must) be seen; *usual meaning of **andare** + past participle.*

[2] **cerchia delle colline,** circle of hills, *crowned on the northeast by Fiesole and on the south bank (**Oltrarno**) by such panoramic sites as San Miniato, opposite Fiesole, and to the southwest Bellosguardo, both mentioned below.*

[3] **campanile di Giotto,** Giotto's bell-tower, *begun by the great painter Giotto and continued by Andrea Pisano and others; it forms with the nearby Baptistery a group similar in plan to that in Pisa.*

[4] **slanciasi nell'azzurro** = **si slancia verso il cielo,** thrusts into the blue.

apparisce gentile e severa come i versi del suo Dante, temperando
con la squisita grazia del disegno la superba mole dei suoi
edifizi. Divisa dalla lunga striscia dell'Arno, che traversa i suoi 15
ponti eleganti e si perde tra il verde delle Cascine,[5] essa riposa
come una ninfa bellissima sopra un letto di fiori.

Poche città d'Italia presentano tanta varietà di fisonomie
quanto Firenze nel suo interno. V'è la Firenze della repubblica,
la Firenze di Dante,[6] ristretta al centro, con le sue torri mozzate, 20
i suoi neri palazzi, le sue vie strette e storte; v'è la Firenze
Medicea,[7] coi suoi palazzi magnifici e comodi, coi suoi ampi
giardini, le ricche chiese, le gallerie, le librerie; v'è la Firenze
artistica, quieta, raccolta[8] dei chiostri coi loro affreschi immor-
tali, delle chiese tranquille, delle vie solitarie, come quella del- 25
l'Annunziata, strade silenziose ove son nati e hanno lavorato
tanti insigni pittori del Quattrocento e del Cinquecento. La
rarità delle botteghe, la frequenza degli orti, le alte muraglie dei
conventi danno a queste vecchie strade fiorentine un carattere
di raccoglimento e di pace. Sono vie malinconiche e belle come 30
una bella giornata d'ottobre.

Città dei fiori. Questa denominazione di Firenze è giustificata
dal numero e dalla bellezza dei suoi giardini, dei suoi parchi,
dei suoi pubblici passeggi. Il giardino di Boboli è uno dei più
antichi, dei più vasti, dei meglio disegnati e disposti, dei più 35

---

[5] **Cascine,** *a large park on the western outskirts of the northern bank of
Florence, which is to the Florentines rather like the Bois de Boulogne
to the Parisians.*

[6] **la Firenze di Dante,** *the different ages of Florentine architecture
suggested here often co-exist in the same quarter but each has a
quarter with which it is particularly associated; this first " age" can be
bounded loosely by the churches of Santa Maria Novella and Santa
Croce to west and east, plus a narrow band on the* **Oltrarno.**

[7] **la Firenze Medicea,** Florence *of the Medici family, including
especially their ducal palace (***Palazzo Pitti***) with its museums and
adjacent Boboli gardens on the* **Oltrarno**, *and the world-famous
Uffizi gallery just off Piazza della Signoria in the center of the old
town.*

[8] **artistica, quieta, raccolta,** *the author seems to have in mind the quieter
quarters on the outskirts of the old city; still "***quiete e raccolte***" are
certain sections of the* **Oltrarno** *to the south.*

ricchi di piante, di statue, di fontane, di vasche, di lunghi viali,
di prati e di bosco che siano in Europa. In alcuni quartieri della
città vi sono strade ove quasi ogni casa ha l'orto e il giardino;
e a primavera il profumo delle mammole e delle prime
giunchiglie si spande all'intorno.   40

Enrico Nencioni

Esercizi

Questions for discussion:

1. What are some of the varied aspects of Florence which one
   discerns in its architecture, streets, gardens, etc.?

2. What do you know of the history of Florence and its contri-
   butions to the world of letters and art?

II. IL SABATO DEL VILLAGGIO

La donzelletta vien dalla campagna,
in sul calar del sole,
col suo fascio dell'erba; e reca in mano
un mazzolin di rose e di viole,
onde, siccome suole,   5
ornare ella si appresta
dimani, al dì di festa, il petto e il crine.
Siede con le vicine
su la scala a filar la vecchierella,
incontro là dove si perde il giorno;   10
e novellando vien del suo buon tempo,
quando al dì della festa ella si ornava,
ed ancor sana e snella
solea danzar la sera intra di quei
ch'ebbe compagni dell'età più bella.   15
Già tutta l'aria imbruna,
torna azzurro il sereno, e tornan l'ombre

giù da' colli e da' tetti,
al biancheggiar della recente luna.
Or la squilla dà segno   20
della festa che viene;
ed a quel suon diresti
che il cor si riconforta.
I fanciulli gridando
su la piazzuola in frotta,   25
e qua e là saltando,
fanno un lieto romore:
e intanto riede alla sua parca mensa,
fischiando, il zappatore,
e seco pensa al dì del suo riposo.   30
     Poi quando intorno è spenta ogni altra face,
e tutto l'altro tace,
odi il martel picchiare, odi la sega
del legnaiuol, che veglia
nella chiusa bottega alla lucerna,   35
e s'affretta, e s'adopra
di fornir l'opra anzi il chiarir dell'alba.
     Questo di sette è il più gradito giorno,
pien di speme e di gioia:
diman tristezza e noia   40
recheran l'ore, ed al travaglio usato
ciascuno in suo pensier farà ritorno.
     Garzoncello scherzoso,
cotesta età fiorita
è come un giorno d'allegrezza pieno,   45
giorno chiaro, sereno,
che precorre alla festa di tua vita.
Godi, fanciullo mio; stato soave,
stagion lieta è cotesta.
Altro dirti non vo'; ma la tua festa   50
ch'anco tardi a venir non ti sia grave.

                                Giacomo Leopardi

TRANSLATION

SATURDAY EVENING IN THE VILLAGE

The maiden comes in from the country, as the sun begins to set, with her bundle of greenery; and she carries in her hand a little bunch of roses and violets with which she is preparing to deck her bosom and her hair for tomorrow's holiday, as is her custom. With her neighbors the old woman sits on the steps spinning, over there toward the sunset, and keeps telling tales of her own season of beauty, when she bedecked herself for the feast day and used to dance buxom and lithe, with those who were her companions in the finest age of life. Now all the air is darkening, the blue sky deepens, shadows again descend from hills and rooftops as the new moon whitens. Now the bells proclaim tomorrow's feast, and you could almost feel that the heart is comforted at this sound. The children shouting in swarms in the little square and leaping here and there make a joyous din: and meanwhile the farmer comes home from his hoeing to his thrifty meal, whistling as he thinks of his day of rest.

Then when every other light around him is out and all else is silent, you can hear the hammer pounding, hear the sawing of the carpenter who is working by lantern light in his closed shop, and hurries and strives to finish his job before the break of day.

This of all seven is the most welcome day, full of hope and joy; tomorrow the hours will bring sadness and boredom, and every one will return in his mind to his daily toil.

Jolly lad, this flowering age of yours is like a day full of joy, a clear cloudless day that precedes the feast of your life. Enjoy it, my boy; yours is a happy state, a blissful season. I will say no more, but only that it should not grieve you that your feast day may be slow in coming.*

* The conclusion of this celebrated poem is very often misunderstood and mistranslated. Leopardi is a pessimist to whom all joy is mere illusion. The only joy of the feast day (Sunday) is in the anticipation of it on the evening before (Sabbath or Saturday night). So with the boy, as long as he remains in the age of youthful expectation—his Saturday—he will be happy in the illusion of hope. When these hopes come to fulfilment, on his feast day, they will bring only disillusion. He should therefore be in no hurry to grow older, nor grieve if his feast day is slow in coming. The common misconception is that Leopardi is merely wishing, to quote one version—"may your holiday which still hesitates to come, not be heavy"—a wish as banal as it is irrelevant to the whole texture of the poem.

Ippolito Nievo

Un Orlando monsignore

The following passage is from the opening chapter of the novel of Ippolito Nievo (1831–1861), *Le Confessioni di un Italiano*, one of the major Italian novels, known in English adaptation as *The Castle of Fratta*. Besides this work, his masterpiece, Nievo is famous also for his brief and tragic career as one of the heroes of the Italian wars of liberation (*il Risorgimento*). He was born of aristocratic lineage in the territory of the Venetian Republic, closer than most regions of Italy to the Nordic traditions of medieval feudalism and chivalry.

The hero of his novel grew up in the decades preceding the French Revolution, in a castle still permeated with these traditions. Our passage shows Nievo's gifts as a humorist. The name Orlando is irresistibly associated with Ariosto's great romance of chivalry, *Orlando furioso* (1532), which represents a very free development of legends derived from Old French romances, and in particular from the eleventh-century epic poem *La Chanson de Roland*. Roland (Orlando) is the strong right arm of the Christian emperor Charlemagne in his battles against the Saracens.

Monsignor Orlando non era stato generato dal suo signor padre coll'intenzione di dedicarlo alla Madre Chiesa; testimonio il suo nome di battesimo.[1] L'albero genealogico dei Conti di

[1] **nome di battesimo,** *see introduction.*

Fratta vantava una gloria militare ad ogni generazione; così lo si aveva[2] destinato a perpetuare la tradizione di famiglia. 5 L'uomo propone e Dio dispone; questa volta almeno il gran proverbio non ebbe torto.

Il futuro generale cominciò la vita col dimostrare un affetto straordinario alla balia, sicchè non fu possibile slattarlo prima dei[3] due anni. A quell'età era ancora incerto se l'unica parola 10 ch'egli balbettava fosse pappa o papà. Quando si riescì a farlo stare sulle gambe, cominciarono a mettergli in mano stocchi di legno ed elmi di cartone; ma egli scappava in cappella a menar la scopa col sagrestano. Quanto al fargli prendere domestichezza colle vere armi, egli aveva un ribrezzo istintivo pei coltelli da 15 tavola e voleva ad ogni costo tagliar la carne col cucchiaio. Suo padre cercava vincere questa maledetta ripugnanza col farlo prendere sulle ginocchia da[4] alcuno dei suoi buli; ma il piccolo Orlando se ne sbigottiva tanto, che conveniva passarlo alle ginocchia della cuoca perché non crepasse[5] di paura. La cuoca 20 dopo la balia ebbe il suo secondo amore; onde non se ne chiariva per nulla la sua vocazione.

Il Cancelliere sosteneva che i capitani mangiavano tanto, che il padroncino poteva ben diventare col tempo un famoso capitano. Ma il vecchio Conte non si acquietava a queste 25 speranze; pertanto raddoppiava di zelo per risvegliare e attizzare gli spiriti bellicosi di Orlando. Ma l'effetto non secondava l'idea. Orlando faceva altarini per ogni canto del castello, cantava messa, alta bassa e solenne, colle bimbe del sagrestano; e quando vedeva uno schioppo correva a rimpiat- 30 tarsi sotto le credenze di cucina. Ma il feudatario era cocciuto, e soltanto dopo dodici anni d'inutile assedio, si piegò a levare il campo[6] e a mettere nella cantera dei sogni svaniti i futuri allori d'Orlando. Costui fu chiamato una bella mattina con imponente

[2] **lo si aveva = l'avevano.**
[3] **dei = dell'età di.**
[4] **col . . . da,** by having him taken on their knees by.
[5] **perché non crepasse,** so that he wouldn't die (burst).
[6] **levare il campo,** abandon camp, give up the fight.

solennità dinanzi a suo padre; il quale per quanto ostentasse 35
l'autorevole cipiglio del signore assoluto[7] aveva in fondo il fare
vacillante e contrito d'un generale che capitola.

– Figliuol mio, – cominciò egli a dire – la professione delle
armi è una nobile professione.

– Lo credo – rispose il giovinetto.   40

– Tu porti un nome superbo – riprese sospirando il vecchio
Conte. – Orlando, come devi aver appreso dal poema del-
l'Ariosto[8] che ti ho tanto raccomandato di studiare . . .

– Io leggo l'Uffizio della Madonna – disse umilmente il
fanciullo.   45

– Va benissimo; – soggiunse il vecchio tirandosi la parrucca
sulla fronte – ma anche l'Ariosto è degno di esser letto. Orlando
fu un gran paladino che liberò dai Mori il bel regno di Francia.
E di più, se avessi scorso la *Gerusalemme liberata*[9] sapresti che
non coll'Uffizio della Madonna ma con grandi fendenti di spada 50
e spuntonate di lancia il buon Goffredo tolse dalle mani dei
Saraceni il sepolcro di Cristo.

– Sia ringraziato Iddio! – sclamò il giovinetto. – Ora non
resta nulla a che fare.[10]

– Come non resta nulla? Sappi, o disgraziato, che gli infedeli 55
riconquistarono la Terra Santa e che ora che parliamo un
bascià del Sultano governa Gerusalemme, vergogna di tutta
Cristianità.

– Pregherò il Signore che cessi una tanta vergogna – soggiunse
Orlando.   60

– Che pregare! Fare, fare bisogna![11] – gridò il vecchio Conte.

– Scusate – s'intromise a dirgli la Contessa. – Non vorrete già
pretendere che qui il nostro bimbo faccia da sé solo una crociata.

[7] **per . . . assoluto,** no matter how he displayed the authoritative frown
   of the absolute (*feudal*) lord.
[8] **Ariosto,** *see the introduction and n. 1.*
[9] *Gerusalemme liberata, the last great Italian courtly epic, published
   by Torquato Tasso in 1581; originally entitled* **Goffredo** *after its hero,
   Godfrey of Bouillon, who liberated Jerusalem from the Turks in 1099.*
[10] **a che fare = da fare.**
[11] **fare bisogna = bisogna agire.**

– Eh via! non è più bimbo! – rispose il Conte. – Compie oggi
appunto i dodici anni! 65

– Compiesse anche il centesimo[12] – soggiunse la signora –
certo non potrebbe mettersi in capo di conquistare la Palestina.

– Donne, donne!... nate per educar i polli – borbottava il
Conte.

– Marito mio! sono una Badoera![13] – disse drizzandosi la 70
Contessa. – Mi consentirete, spero, che i polli nella nostra
famiglia non sono più numerosi che nella vostra i capponi.

Orlando che da un buon tratto si teneva i fianchi scoppiò in
una risata al bel complimento della signora madre; ma si
ricompose come un pulcino bagnato all'occhiata severa ch'ella 75
gli volse.

– Vedete? – continuò parlando al marito – finiremo col
perdere la capra ed i cavoli.[14] Mettete un po' da banda i vostri
capricci, giacché Iddio vi fa capire che non gli accomodano per
nulla; e interrogate invece, come è dicevole a un buon padre di 80
famiglia, l'animo di questo fanciullo.

Il vecchio impenitente si morsicò le labbra e si volse al
figliuolo con un visaccio sì brutto ch'egli se ne sgomentì e corse
a rifugiarsi col capo sotto il grembiule materno.

– Dunque – cominciò a dire il Conte senza guardarlo, perché 85
guardandolo si sentiva rigonfiare la bile. – Dunque, figliuol mio,
voi non volete fare la vostra comparsa sopra un bel cavallo
bardato d'oro e di velluto rosso, con una lunga spada fiammeggiante in mano, e dinanzi a sei reggimenti di Schiavoni[15] i quali
per correre a farsi ammazzare dalle scimitarre dei Turchi non 90
aspetteranno altro che un cenno della vostra bocca?

---

[12] **Compiesse anche il centesimo** = Anche se avesse (avesse compiuto)
cent'anni.

[13] **una Badoera,** *the countess' aristocratic maiden name.*

[14] **perdere la capra ed i cavoli,** losing out altogether, *a reference to the
familiar fable (and puzzle) about trying to keep the goat from eating
the cabbages while transporting both across a stream.*

[15] **Schiavoni,** *the* Slovene *troops were for centuries the mainstay of the
Venetian Republic's land forces. Note the bombastic and far from
persuasive style of the Count.*

– Voglio cantar messa io! – piagnucolava il fanciullo di sotto al grembiule della Contessa.

Il Conte, udendo quella voce piagnucolosa soffocata dalle pieghe delle vesti donde usciva, si voltò a vedere cos'era; e 95 mirando il figliuol suo intanato colla testa come un fagiano, non ebbe più ritegno alla stizza, e diventò rosso più ancor di vergogna che di cǫllera.

– Va dunque in seminario, bastardo! – gridò egli fuggendo fuori della stanza. Ed ecco perché il conte Orlando, in onta al 100 nome di battęsimo e a dispetto della contrarietà paterna, era divenuto monsignor Orlando.

Esercizi

I. Rispǫndere in italiano:

1. Quale famoso poema italiano porta il nome di Orlando, e chi ne è l'autore?
2. Perchè il Conte di Fratta diede questo nome al figlio?
3. A quale carriera il Conte lo aveva destinato?
4. Per chi il pįccolo Orlando dimostrò sųbito un affetto straordinario?
5. Chi ebbe il suo secondo amore?
6. Che faceva quando vedeva uno schioppo?
7. Cosa fece il Conte quando il figlio compì i dǫdici anni?
8. Quali poemi gli raccomandava di studiare?
9. Che cosa leggeva invece il ragazzo?
10. La Contessa aveva le stesse idee del marito?
11. Che diceva il Conte delle donne?
12. Secondo la Contessa, cosa deve fare un buon padre di famiglia?
13. Perchè Orlando corse a rifugiarsi col capo sotto il grembiule della mamma?
14. Che vuol fare il ragazzo invece di comparire sopra un bel cavallo bardato d'oro?
15. Perchè il Conte lo chiama bastardo?
16. Dove andrà a studiare Orlando per farsi prete?
17. In quale romanzo si trova questo episodio, e chi ne è l'autore?

II. Tradurre in italiano le espressioni in parentesi:

1. Questa volta almeno il gran proverbio (was not wrong).
2. Egli (ran off into the chapel) a menar la scopa col sagrestano.
3. Ma anche l'Ariosto è degno (of being read).
4. (He's no longer a child!) – rispose il Conte.
5. Non potrebbe (put it into his head) di conquistare la Palestina.
6. Orlando che (for quite a while) si teneva i fianchi scoppiò in una risata.
7. Egli (became frightened) e corse a rifugiarsi.
8. Il fanciullo piagnucolava (from under the apron) della contessa.

Alessandro Manzoni

Una conversione

The greatest work of Italian prose is by almost unanimous consent the novel *I promessi sposi* (*The Betrothed*, first published 1827) by Alessandro Manzoni (1785–1873). Manzoni spent most of his life in his native Milan, where in young manhood he was the recognized head of the small but influential group of Romanticists who strove to give the Italian people a new and genuinely national literature. His Italian patriotism was conditioned by two factors: until old age he remained an Austrian subject, Lombardy being until 1859 a part of the Austro-Hungarian empire, and he was profoundly and totally Christian in his point of view toward life. He therefore used his novel not only to show the injustices of foreign occupation (specifically, that of Lombardy under the Spanish in the seventeenth century), but in general the evil of man's inhumanity to man, the only solution to which is in seeking to understand and follow the will of God, manifest in the Christian revelation and in the mysterious ways of Providence. This Christian ideal is powerfully incarnated in the figure of Fra Cristoforo, whose entry into a religious life is recounted in the following episode.

Andava[1] un giorno per una strada della sua città, seguito da due bravi, e accompagnato da un tal Cristoforo, altre volte

---

[1] *The subject is Lodovico, the protagonist, who after his conversion takes the name of his dead companion and becomes Fra Cristoforo (see introduction).*

giovine di bottega e, dopo chiusa questa, diventato maestro di casa. Era un uomo di circa cinquant'anni, affezionato,[2] dalla gioventù, a Lodovico, che[3] aveva veduto nascere, e che, tra 5 salario e regali, gli dava non solo da vivere, ma di che[4] mantenere e tirar su una numerosa famiglia. Vide Lodovico[5] spuntar da lontano un signor tale, arrogante e soverchiatore di professione, col quale non aveva mai parlato in vita sua, ma che gli era cordiale nemico, e al quale rendeva, pur di cuore, il contrac- 10 cambio: giacchè è uno de' vantaggi di questo mondo, quello di poter odiare ed esser odiati, senza conoscersi.[6] Costui, seguito da quattro bravi,[7] s'avanzava diritto, con passo superbo, con la testa alta, con la bocca composta all'alterigia e allo sprezzo. Tutt'e due camminavan rasente al muro; ma Lodovico (notate 15 bene) lo strisciava col lato destro; e ciò, secondo una consuetudine, gli dava il diritto (dove mai si va a ficcare il diritto!)[8] di non istaccarsi dal detto muro, per dar passo a chi si fosse;[9] cosa della quale allora si faceva gran caso.[10] L'altro pretendeva, all'opposto, che quel diritto competesse a lui, come a nobile, e 20 che a Lodovico toccasse d'andar nel mezzo; e ciò in forza d'un'altra consuetudine. Perocchè, in questo, come accade in molti altri affari, erano in vigore due consuetudini contrarie, senza che fosse deciso qual delle due fosse la buona; il che dava opportunità di fare una guerra, ogni volta che una testa dura 25 s'abbattesse in un'altra della stessa tempra. Que' due si venivano incontro, ristretti alla muraglia, come due figure di basso rilievo ambulanti. Quando si trovarono a viso a viso, il signor tale, squadrando Lodovico, a capo alto, col cipiglio imperioso, gli disse, in un tono corrispondente di voce: «fate luogo.» 30

---

[2] **affezionato,** (affectionately) devoted.
[3] **che,** whom, *while the* **che** *following refers to Lodovico and means* who.
[4] **di che,** the wherewithal.
[5] **Lodovico,** *subj. of* **Vide.**
[6] **odiare . . . conoscersi,** *a striking example of Manzoni's irony.*
[7] **bravi,** "bodyguards."
[8] **dove . . . diritto,** where will they go next to look for "rights!" *Cf. n. 6.*
[9] **chi si fosse,** any one whatsoever.
[10] **della . . . caso,** to which in those days one attached great importance.

«Fate luogo voi,» rispose Lodovico. «La diritta è mia.»

«Co' vostri pari, è sempre mia.»

«Sì, se l'arroganza de' vostri pari fosse legge per i pari miei.»

I bravi dell'uno e dell'altro eran rimasti fermi, ciascuno dietro 35 il suo padrone, guardandosi in cagnesco, con le mani alle daghe preparati alla battaglia. La gente che arrivava di qua e di là, si teneva in distanza, a osservare il fatto; e la presenza di quegli spettatori animava sempre più il puntiglio de' contendenti.   40

«Nel mezzo, vile meccanico;[11] o ch'io t'insegno una volta[12] come si tratta co' gentiluomini.»

«Voi mentite ch'io sia vile.»

«Tu menti ch'io abbia mentito.» Questa risposta era di prammatica.[13] «E, se tu fossi cavaliere,[14] come son io,» aggiunse 45 quel signore, «ti vorrei far vedere, con la spada e con la cappa, che il mentitore sei tu.»

«È un buon pretesto per dispensarvi di sostener co' fatti l'insolenza delle vostre parole.»

«Gettate nel fango questo ribaldo,» disse il gentiluomo, 50 voltandosi a' suoi.

«Vediamo!»[15] disse Lodovico, dando subitamente un passo indietro, e mettendo mano alla spada.

«Temerario!» gridò l'altro, sfoderando la sua: «io spezzerò questa,[16] quando sarà macchiata del tuo vil sangue.»   55

Cosi s'avventarono l'uno all'altro; i servitori delle due parti

---

[11] **Nel mezzo, vile meccanico,** To the middle (away from the wall), you cowardly drudge. *The aristocrat spurned any one suspected of having put his hand to any sort of physical (hence menial) work.*

[12] **o ch'io t'insegno una volta,** or I'll give you a lesson (I'll teach you once).

[13] **di prammatica,** the usual formality *to establish grounds for a duel.*

[14] **cavaliere = gentiluomo = nobile.** *A nobleman could have no physical contact with a* commoner *(meccanico) but could turn him over to his bravi for treatment.*

[15] **Vediamo!** We'll see about that!

[16] **questa = questa spada,** *which would be disgraced by a drop of ignoble blood.*

si slanciarono alla difesa de' loro padroni. Il combattimento era disuguale, e[17] per il numero, e anche perchè Lodovico mirava piuttosto a scansare i colpi, e a disarmare il nemico, che ad ucciderlo; ma questo voleva la morte di lui, a ogni costo. 60 Lodovico aveva già ricevuta al braccio sinistro una pugnalata d'un bravo, e una sgraffiatura leggiera in una guancia, e il nemico principale gli piombava addosso per finirlo; quando Cristoforo, vedendo il suo padrone nell'estremo pericolo, andò col pugnale addosso al signore. Questo, rivolta[18] tutta la sua 65 ira contro di lui, lo passò con la spada. A quella vista Lodovico, come fuor di sè, cacciò la sua nel ventre del feritore, il quale cadde moribondo, quasi a un punto col povero Cristoforo. I bravi del gentiluomo, visto ch'era finita,[19] si diedero alla fuga, malconci: quelli di Lodovico, scantonarono dall'altra parte: e 70 Lodovico si trovò solo, con que' due funesti compagni ai piedi, in mezzo a una folla.

«Com'è andata? – È uno. – Son due. – Gli ha fatto un occhiello nel ventre. – Chi è stato ammazzato? – Quel prepotente. – Oh santa Maria, che sconquasso! – Chi cerca trova. 75 – Una le paga tutte. – Ha finito anche lui. – Che colpo! – Vuol essere[20] una faccenda seria. – E quell'altro disgraziato! – Misericordia! che spettacolo! – Salvatelo, salvatelo. – Sta fresco anche lui. – Vedete com'è concio![21] butta sangue da tutte le parti. – Scappi, scappi. Non si lasci prendere.» 80

Queste parole, che più di tutte si facevan sentire nel frastono confuso di quella folla, esprimevano il voto comune; e, col consiglio, venne anche l'aiuto. Il fatto era accaduto vicino a una

---

[17] **e,** both.
[18] **rivolta,** turning, directing.
[19] **era finita,** it was all over. *This is the common use of the feminine for an indefinite* it (*as English take it easy, he's going to get it if he isn't careful*) *or* one (*that's a good one* = **questa è bella**). *So in the next paragraph* **Com'è andata** (How did it happen) *and* **Una le paga tutte** [One (*blow, to the* **signor tale**) pays for *or* atones for all (*his preceding acts of violence*)].
[20] **Vuol essere,** This promises (threatens) to become.
[21] **concio,** fixed, done for (*lit.,* tanned).

chiesa di cappuccini,[22] asilo, come ognun sa, impenetrabile
allora a' birri, e a tutto quel complesso di cose e di persone, 85
che si chiamava la giustizia.[23] L'uccisore ferito fu quivi condotto
o portato dalla folla, quasi fuor di sentimento; e i frati lo
ricevettero dalle mani del popolo, che glielo raccomandava,
dicendo: «è un uomo dabbene che ha freddato un birbone
superbo: l'ha fatto per sua difesa: c'è stato tirato per i capelli.»[24] 90

Lodovico non aveva mai, prima d'allora, sparso sangue; e,
benchè l'omicidio fosse, a que' tempi, cosa tanto comune, che
gli orecchi d'ognuno erano avvezzi a sentirlo raccontare, e gli
occhi a vederlo, pure l'impressione ch'egli ricevette dal veder
l'uomo morto per lui, e l'uomo morto da lui, fu nuova e 95
indicibile; fu una rivelazione di sentimenti ancora sconosciuti.
Il cadere del suo nemico, l'alterazione di quel volto, che passava,
in un momento, dalla minaccia e dal furore, all'abbattimento e
alla quiete solenne della morte, fu una vista che cambiò, in un
punto, l'animo dell'uccisore.   100

Appena Lodovico ebbe potuto raccogliere i suoi pensieri,
chiamato[25] un frate confessore, lo pregò che cercasse[26] della
vedova di Cristoforo, le chiedesse in suo nome perdono d'essere
stato lui la cagione, quantunque ben certo involontaria, di
quella desolazione, e, nello stesso tempo, l'assicurasse ch'egli 5
prendeva la famiglia sopra di sè. Riflettendo quindi a' casi suoi,
sentì rinascere più che mai vivo e serio quel pensiero di farsi
frate, che altre volte gli era passato per la mente: gli parve
che Dio medesimo l'avesse messo sulla strada, e datogli[27] un
segno del suo volere, facendolo capitare in un convento, in 10

---

[22] **cappuccini,** Capuchins, *one of the two orders following the rule of
    St. Francis (the other being the order of Friars Minor).*

[23] **complesso . . . giustizia,** complex of things and persons that went by
    the name of justice. *The "authorities" were powerless to protect the
    weak against the oppressive acts of the nobles and their **bravi**, with
    whom they were careful to stay on friendly terms.*

[24] **c'è . . . capelli,** *lit.,* he was pulled into it by the hair (was forced to it).

[25] **chiamato,** calling (*cf. n. 18*).

[26] **che cercasse,** *this and the following verbs in imperfect subjunctive
    have imperative force:* that he should look for, *etc.*

[27] **datogli** = gli avesse dato.

quella congiuntura; e il partito fu preso. Fece chiamare il
guardiano, e gli manifestò il suo desiderio. N'ebbe in risposta,
che bisognava guardarsi dalle risoluzioni precipitate; ma che,
se persisteva, non sarebbe rifutato. Allora, fatto venire un
notaro, dettò una donazione di tutto ciò che gli rimaneva 15
(ch'era tuttavia un bel patrimonio) alla famiglia di Cristoforo:
una somma alla vedova, come se le costituisse una contraddote,[28] e il resto a otto figliuoli che Cristoforo aveva lasciati.

La risoluzione di Lodovico veniva molto a proposito per i
suoi ospiti, i quali, per cagion sua, erano in un bell'intrigo. 20 -
Rimandarlo dal convento, ed esporlo così alla giustizia, cioè
alla vendetta de' suoi nemici, non era partito da metter neppure
in consulta. Dall'altra parte, la famiglia dell'ucciso, potente
assai, e per sè, e per le sue aderenze, s'era messa al punto di
voler vendetta; e dichiarava suo nemico chiunque s'attentasse 25
di mettervi ostacolo.[29] La storia non dice che a loro dolesse
molto dell'ucciso,[30] e nemmeno che una lagrima fosse stata
sparsa per lui, in tutto il parentado: dice soltanto ch'eran tutti
smaniosi d'aver nell'unghie l'uccisore, o vivo o morto. Ora
questo, vestendo l'abito di cappuccino, accomodava ogni cosa. 30

Il padre guardiano si presentò, con un'umiltà disinvolta, al
fratello del morto, e, dopo mille proteste di rispetto per
l'illustrissima casa, e di desiderio di compiacere ad essa in tutto
ciò che fosse fattibile, parlò del pentimento di Lodovico, e della
sua risoluzione. Il fratello diede in ismanie,[31] che il cappuccino 35
lasciò svaporare, dicendo di tempo in tempo: «è un troppo
giusto dolore.» Fece intendere che, in ogni caso, la sua famiglia
avrebbe saputo prendersi una soddisfazione:[32] e il cappuccino,

---

[28] **contraddote,** *freely,* widow's pension.
[29] **chiunque . . . ostacolo,** whoever might attempt to hinder it (*their
vengeance* or **vendetta**).
[30] **a loro . . . ucciso,** they grieved much over the deceased.
[31] **diede in ismanie,** made a big show of excitement (**smania,** eagerness
or frenzy, *not related to* **mania**—*cf.* **smaniosi** *a few lines above*).
[32] **avrebbe . . . soddisfazione,** would manage to find some means to
satisfy itself (its pride).

qualunque cosa ne pensasse,[33] non disse di no. Finalmente
richiese, impose come una condizione, che l'uccisor di suo 40
fratello partirebbe subito da quella città. Il guardiano, che
aveva già deliberato che questo fosse fatto, disse che si farebbe,
lasciando che l'altro credesse, se gli piaceva, esser questo un
atto d'ubbidienza: e tutto fu concluso. Contenta la famiglia,
che ne usciva con onore; contenti i frati, che salvavano un 45
uomo e i loro privilegi, senza farsi alcun nemico; contento il
popolo, che vedeva fuor d'impiccio un uomo ben voluto,[34] e
che, nello stesso tempo, ammirava una conversione; contento
finalmente, e più di tutti, in mezzo al dolore, il nostro Lodovico,
il quale cominciava una vita d'espiazione e di servizio, che 50
potesse, se non riparare, pagare almeno il mal fatto, e rintuzzare
il pungolo intollerabile del rimorso. Il sospetto che la sua
risoluzione fosse attribuita alla paura, l'afflisse un momento;
ma si consolò subito, col pensiero che anche quell'ingiusto
giudizio sarebbe un gastigo per lui, e un mezzo d'espiazione. 55
Così, a trent'anni, si ravvolse nel sacco;[35] e, dovendo, secondo
l'uso, lasciare il suo nome, e prenderne un altro, ne scelse uno
che gli rammentasse, ogni momento, ciò che aveva da espiare:
e si chiamò fra Cristoforo.

Appena compita la cerimonia della vestizione, il guardiano 60
gl'intimò che sarebbe andato a fare il suo noviziato a ***,
sessanta miglia lontano, e che partirebbe all'indomani. Il
novizio s'inchinò profondamente, e chiese una grazia. «Permet-
tetemi, padre,» disse, «che, prima di partir da questa città, dove
ho sparso il sangue d'un uomo, dove lascio una famiglia 65
crudelmente offesa, io la ristori almeno dell'affronto, ch'io
mostri almeno il mio rammarico di non poter risarcire il
danno, col chiedere[36] scusa al fratello dell'ucciso, e gli levi,
se Dio benedice la mia intenzione, il rancore dall'animo.» Al

---

[33] **qualunque cosa ne pensasse,** whatever he might (*really*) think
about that.
[34] **ben voluto,** of whom they were fond.
[35] **nel sacco,** in the (*coarse brown robe of*) sacking *or* sackcloth,
distinctive of the Franciscan orders.
[36] **col chiedere,** by begging.

guardiano parve che un tal passo, oltre all'esser buono in sè, 70
servirebbe a riconciliar sempre più la famiglia col convento; e
andò diviato da quel signor fratello, ad esporgli la domanda di
fra Cristoforo. A proposta così inaspettata, colui sentì, insieme
con la maraviglia, un ribollimento di sdegno, non però senza
qualche compiacenza. Dopo aver pensato un momento, 75
«venga[37] domani,» disse; e assegnò l'ora. Il guardiano tornò, a
portare al novizio il consenso desiderato.

Il gentiluomo pensò subito che, quanto più quella soddisfazione fosse solenne e clamorosa, tanto più[38] accrescerebbe il
suo credito presso tutta la parentela, e presso il pubblico; e 80
sarebbe (per dirla con un'eleganza moderna) una bella pagina
nella storia della famiglia. Fece avvertire in fretta tutti i parenti
che, all'indomani, a mezzogiorno, restassero serviti[39] (così si
diceva allora) di venir da lui, a ricevere una soddisfazione
comune. A mezzogiorno, il palazzo brulicava di signori d'ogni 85
età e d'ogni sesso. Le anticamere, il cortile e la strada for-
micolavan di servitori, di paggi, di bravi e di curiosi. Fra
Cristoforo vide quell'apparecchio, ne indovinò il motivo, e
provò un leggier turbamento; ma, dopo un istante, disse tra
sè: sta bene: l'ho ucciso in pubblico, alla presenza di tanti 90
suoi nemici: quello fu scandolo, questa è riparazione. – Così, con
gli occhi bassi, col padre compagno al fianco, passò la porta di
quella casa, attraversò il cortile, tra una folla che lo squadrava
con una curiosità poco cerimoniosa; salì le scale, e, di mezzo
all'altra folla signorile, che fece ala al suo passaggio, seguito 95
da cento sguardi, giunse alla presenza del padron di casa; il
quale, circondato da' parenti più prossimi, stava ritto nel mezzo
della sala, con lo sguardo a terra, e il mento in aria, impugnando,
con la mano sinistra, il pomo della spada, e stringendo con la
destra il bavero della cappa sul petto. 100

C'è talvolta, nel volto e nel contegno d'un uomo, un'espressione così immediata, si direbbe quasi un'effusione dell'animo

---

[37] **venga,** let him come.
[38] **quanto più . . . tanto più,** the more . . . the more.
[39] **restassero serviti,** would do him the honor.

interno, che, in una folla di spettatori, il giudizio sopra quell'animo sarà un solo. Il volto e il contegno di fra Cristoforo disser chiaro agli astanti, che non s'era fatto frate, nè veniva a 5 quell'umiliazione per timore umano: e questo cominciò a conciliarglieli tutti. Quando vide l'offeso, affrettò il passo, gli si pose inginocchioni ai piedi, incrociò le mani sul petto, e, chinando la testa rasa, disse queste parole: «io sono l'omicida di suo[40] fratello. Sa Iddio se vorrei restituirglielo[41] a costo del mio 10 sangue; ma non potendo altro che farle inefficaci e tarde scuse, la supplico d'accettarle per l'amor di Dio.» Tutti gli occhi erano immobili sul novizio, e sul personaggio a cui egli parlava; tutti gli orecchi eran tesi. Quando fra Cristoforo tacque, s'alzò, per tutta la sala, un mormorio di pietà e di rispetto. Il gentiluomo, 15 che stava in atto di degnazione forzata, e d'ira compressa, fu turbato da quelle parole; e, chinandosi verso l'inginocchiato, «alzatevi,» disse, con voce alterata: «l'offesa . . . il fatto vera- mente . . . ma l'abito che portate . . . non solo questo, ma anche per voi . . . S'alzi, padre . . . Mio fratello . . . non lo posso 20 negare . . . era un cavaliere . . . era un uomo . . . un po' impetuoso . . . un po' vivo. Ma tutto accade per disposizione di Dio. Non se ne parli più[42] . . . Ma, padre, lei non deve stare in codesta positura.» E, presolo per le braccia, lo sollevò. Fra Cristoforo, in piedi, ma col capo chino, rispose: «io posso 25 dunque sperare che lei m'abbia concesso il suo perdono! E se l'ottengo da lei, da chi non devo sperarlo? Oh! s'io potessi sentire dalla sua bocca questa parola, perdono!»

«Perdono?» disse il gentiluomo. «Lei non ne ha più bisogno. Ma pure, poichè lo desidera, certo, certo, io le perdono di 30 cuore, e tutti . . .»

«Tutti! tutti!» gridarono, a una voce, gli astanti. Il volto del frate s'aprì a una gioia riconoscente, sotto la quale traspariva

---

[40] **suo,** your. *By the early seventeenth century, approximate date of this incident, the use of third person* **Ella** (*or* **Lei**) *for* **Vostra Signoria** *or similar terms was gradually replacing* **voi** *and* **tu** *as a mode of formal address. The conversation following abounds in examples.*

[41] **restituirglielo,** give him back to you (*cf. n. 40*).

[42] **non se ne parli più,** *imperative, cf. n. 37,* (let's say no more of it).

però ancora un'umile e profonda compunzione del male a cui la remissione degli uomini non poteva riparare. Il gentiluomo, 35 vinto da quell'aspetto, e trasportato dalla commozione generale, gli gettò le braccia al collo, e gli diede e ne ricevette il bacio di pace.

Un «bravo! bene!» scoppiò da tutte le parti della sala; tutti si mossero, e si strinsero intorno al frate. Intanto vennero servitori, 40 con gran copia di rinfreschi. Il gentiluomo si raccostò al nostro Cristoforo, il quale faceva segno di volersi licenziare, e gli disse: «padre, gradisca qualche cosa; mi dia questa prova d'amicizia.» E si mise per servirlo prima di ogni altro; ma egli, ritirandosi, con una certa resistenza cordiale, «queste cose,» disse, «non 45 fanno più per me; ma non sarà mai[43] ch'io rifiuti i suoi doni. Io sto per mettermi in viaggio: si degni di farmi portare un pane,[44] perchè io possa dire d'aver goduto la sua carità, d'aver mangiato il suo pane, e avuto un segno del suo perdono.» Il gentiluomo, commosso, ordinò che così si facesse; e venne subito 50 un cameriere, in gran gala, portando un pane sur un piatto d'argento, e lo presentò al padre; il quale, presolo e ringraziato, lo mise nella sporta. Chiese quindi licenza; e, abbracciato di nuovo il padron di casa, e tutti quelli che, trovandosi più vicini a lui, poterono impadronirsene un momento, si liberò da essi a 55 fatica; e si trovò nella strada, portato come in trionfo, e accompagnato da una folla di popolo, fino a una porta della città; d'onde uscì, cominciando il suo pedestre viaggio, verso il luogo del suo noviziato.

[43] **non sarà mai,** *freely,* let it never be said.
[44] **un pane,** a loaf of bread, *with the full symbolic force associated with breaking bread in communion with another. He keeps this bread as a symbol of penance and atonement.*

Esercizi

I. Rispondere in italiano:

1. In quale grande romanzo italiano si trova questo episodio e chi ne è l'autore?
2. Che faceva il giovane Lodovico all'inizio di questo episodio?

3. Da chi era accompagnato?
4. Che età aveva Cristoforo? Aveva famiglia?
5. Chi vide Lodovico spuntar da lontano?
6. Come camminavano Lodovico e il signor tale?
7. Perchè Lodovico aveva il diritto di non staccarsi dal muro?
8. Perchè l'altro pretendeva che quel diritto competesse invece a lui?
9. Che disse il signor tale quando i due si trovarono a viso a viso?
10. Cosa gli rispose Lodovico?
11. Si limitarono a uno scambio di parole i due contendenti?
12. Che fece Cristoforo vedendo il suo padrone in pericolo?
13. Da chi fu ucciso Cristoforo? E il signor tale da chi fu ucciso?
14. Dove fu condotto Lodovico dalla folla?
15. Aveva egli sparso sangue prima d'allora?
16. Quale vista cambiò, in un punto, il suo animo?
17. Quale pensiero Lodovico sentì rinascere in sè?
18. A chi donò tutto il suo patrimonio?
19. Che voleva intanto la famiglia dell'ucciso?
20. A chi si presentò il padre guardiano?
21. Quale condizione impose il fratello dell'ucciso?
22. Perchè tutti erano contenti?
23. Perchè Lodovico si chiamò fra Cristoforo?
24. Quale grazia chiese al padre guardiano prima di partire dalla città?
25. Perchè il fratello dell'ucciso invitò tutti i parenti al suo palazzo?
26. Che fece fra Cristoforo quando vide l'offeso?
27. Il gentiluomo lo perdonò?
28. Quale bacio si scambiarono?
29. Che cosa simboleggia il pane che fra Cristoforo chiese al fratello dell'ucciso?

II. Tradurre in italiano le espressioni in parentesi:

1. Era un uomo (about fifty years old).
2. Ciò (according to custom), gli dava il diritto di non istaccarsi dal muro.
3. (It was up to Lodovico) d'andar nel mezzo.
4. Si trovarono (face to face).
5. La gente arrivava (from all around).
6. – (He's in a mess too.) – Vedete com'è concio!

7. (The event had taken place) vicino a una chiesa di cappuccini.
8. Sentì rinascere quel pensiero di (become a friar).
9. Il cappuccino, (whatever he thought about it) non disse di no.
10. Sarebbe andato a ***, e partirebbe (on the following day).
11. Il padron di casa (was standing up straight) nel mezzo della sala.
12. (He asked to be given leave) e abbracciò di nuovo il padron di casa.

Massimo Bontempelli

L'Angelo umile

The best writing of Massimo Bontempelli (1878–1960) dates from the period immediately following the first world war, when he led a movement for a purely European kind of art, rejecting regionalistic tendencies that have always been so strong in Italy. His ideal, baptized *realismo magico*, has some affinity with contemporary surrealism in France, but is stamped with his own original intelligence and exceptionally lucid style. The following novella is from his volume *Donna nel sole e altri idilli* (1926).

Abitavo in una pensione ch'era all'ultimo piano d'una grande casa, ai limiti della città. Dalla mia camera una porta vetrata dava sopra una terrazza, donde si vedevano prati in infinito e tutto il cielo.

In quella mia camera, o su quella terrazza di fronte al cielo, 5 passai molte ore e molti giorni e mesi aspettando l'avvenire, perchè ero giovane. Qualche volta invece di aspettarlo cercavo d'andargli incontro con la fantasia.[1] Una volta ho creduto di vederlo volare per quel gran cielo, il mio avvenire, e volli[2] raggiungerlo in aeroplano.   10

---

[1] **d'andargli . . . fantasia,** to go toward it (to meet it) in my imagination.
[2] **volli,** I decided.

Avevo fatto amicizia con un aviatore giovanissimo e audace.
Si chiamava Mahoro. Mahoro era venuto in quella città per
preparare un gran volo; il primo, sarebbe stato,[3] dei grandi voli
a lunghe tappe: mezza Europa egli doveva sorvolare, che per
quel tempo era immenso. Ogni sera andavo a trovarlo al suo 15
albergo, ogni sera Mahoro mi parlava con entusiasmo dei
preparativi compiuti durante la giornata. Contava i giorni
come li contano gli innamorati. Doveva partire il 21 di maggio.
Mahoro aveva una faccia bianca e due occhi azzurri pieni di
lume.   20
  Avrebbe compiuto il suo viaggio da solo. Era felice e impaziente della imminente gloria. Io volevo molto bene a Mahoro.
Ma di giorno in giorno mi sentivo più triste.
  Un giorno improvvisamente raccapricciai, colpito dal sospetto
che questa[4] fosse in me una specie d'invidia.   25
  Perchè i giorni miei passavano inerti e senza traccia. Non
sapevo in che cosa sperare. Ora anche Mahoro sarebbe partito,
il 21 di maggio. Non dormivo la notte dopo i suoi accesi
discorsi. Ma la mia tristezza non era fatta d'invidia.
  Una mattina, che ne mancavano sette a[5] quella partenza, 30
Mahoro tutt'a un tratto mi disse:
  – Tu sai che ho stabilito di fare questo viaggio da solo. Trenta
persone m'hanno fatto richiedere[6] di venire con me. Li ho
rifiutati tutti. Per accompagnarmi, non potrei accettare che un
fratello. Viaggerò solo.   35
  – Lo sapevo – risposi. Poi m'accorsi che guardavo a terra.
  Ma sentii che lui guardava me, a lungo; e così lesse fino in
fondo al mio cuore. Allora disse tranquillamente:
  – Vuoi venire tu?

La mia gioia non aveva limiti.   40

---

[3] **sarebbe stato,** *throughout this story the conditional perfect is used
with the force of a simple conditional, as if it depended on an implied
verb, such as "I told myself," "He thought," etc.*
[4] **questa,** *agrees by anticipation with* **invidia.**
[5] **che . . . a** = **quando mancavano ancora sette mattine per.**
[6] **m'hanno fatto richiedere,** have sent word to me asking.

Ora intendevo tutta la passata malinconia; ma essa si sarebbe sciolta a quella prova, che doveva chiudere[7] la infeconda giovinezza.

Ero stato ammalato, come tutti i giovani dal ricco destino, di[8] dubbio, d'inerzia, di pazienza. Partire con Mahoro mi faceva 45 uomo. La mia forza vera sarebbe cominciata da questo volo.

Risolvevo anche la mia vita pratica. Mahoro annunciò a tutti la sua risoluzione di prendermi per compagno. Un giornale italiano, due giornali stranieri subito m'impegnarono a scrivere la descrizione del nostro viaggio. Uscivo di colpo dalla tenebra 50 dei principii.[9] Ecco l'occasione enorme: se non so farne un tesoro, mia colpa. Ora Mahoro ogni sera mi parlava di questo con la stessa felicità con la quale aveva descritto i suoi preparativi intensi. La mia anima era impaziente ma ora la notte dormivo. Ecco la sera del 20 di maggio. 55

La sera del 20 di maggio, andai come sempre da Mahoro. Egli non parlò come le altre sere. Disse soltanto:

– Domani mattina, alle sei in punto, al Campo.

Mi strinse lungamente la mano. Così tenendomi e guardandomi negli occhi, aggiunse: 60

– Dormi.

Sentii e chiusi in me tutto l'imperio che era in quella raccomandazione. Raggiunsi la mia pensione. Chiamai la cameriera. Settimia era una ragazza misera, con pochi pallidi capelli tirati sul cranio ovale, due grandi occhi neri bruciati in una 65 faccia terrea: teneva una spalla un po' più alta dell'altra.[10]

– Sentimi, Settimia.

Aveva l'aria affaticata delle bestie utili.

– Vado a dormire – continuai. – Dormirò. Puoi svegliarmi domani mattina alle cinque? Ma certo? 70

---

[7] **essa ... chiudere,** it would melt away (*cf. n. 3*) in this test, which was destined to mark the end of.

[8] **di = ammalato di.**

[9] **Uscivo ... principii,** I was emerging abruptly from the obscurity of a mere beginner (*lit.*, of beginnings).

[10] *Much of the point of the story can be found in the contrast between this description and those that follow (n. 19 and n. 24).*

– Alle cinque.
– Non un minuto più tardi?
– Alle cinque.
– Ne va della mia vita.[11] Della mia vita.
– Alle cinque.   75

Come la sera del 20 di maggio era tiepida!

Mi spogliai, mi lavai, poi mi rivestii quasi del tutto per essere
più pronto la mattina dopo. Così mi buttai sul letto. E subito il
mio cuore cominciò a battere forte. Temei potesse[12] impedirmi
di dormire, allora ricordai il potente «dormi» di Mahoro, e 80
frenai il mio cuore. Una sicurezza m'invase, mi immerse nel
sonno.

Dormii senza sogni.

Vi sono più[13] modi di svegliarsi. Il mio risveglio del mattino
appresso fu doloroso. Mi sentivo come strappare a fibra a 85
fibra da[14] una vita lontana in cui il mio essere già si stava
incarnando. L'ultimo distacco mi gettò per qualche istante in
una rigidità di catalessi. Il mio cervello dovè dare una spinta
enorme al mio corpo per scuoterlo. Finalmente fui sveglio. Il
mattino era limpidissimo.   90

Improvviso m'invase la commozione della partenza
imminente.

Mi levai a sedere sul letto. Di là si vedeva oltre la finestra il
grande lume del cielo. Avvertii qualche scricchiolio dietro la
porta, pensai: «Settimia viene a svegliarmi» ma passò. D'un 95
tratto m'accorsi che sentivo un lungo brusio giungere a me
come lontanissimo; tendevo un momento l'orecchio per
afferrarlo, ed ecco, non so perchè, di scatto mi voltai, mi tesi
verso il tavolino, guardai l'orologio, erano le sei e mezzo.
Sentii come un gran colpo nel cervello. Non credetti. Guardai 100
bene. Erano le sei e mezzo.

[11] **Ne va della mia vita,** My (very) life is at stake.
[12] **potesse = che potesse;** *che is sometimes omitted before the imp. subj.*
[13] **più = vari, diversi.**
[14] **Mi . . . da,** I felt myself being torn, fiber by fiber, from.

Saltai dal letto gridando e mi precipitai sulla terrazza.

Tutt'attorno i balconi, le finestre, i tetti, i sommi delle cancellate[15] brulicạvano di gente che guardava in là, verso i prati; e anche i prati ẹrano neri d'uọmini, e oltre i prati una 5 riga di pioppi nascondeva il principio del Campo, del Campo ove Mahoro . . .

E feci per fuggire di là[16] e cọrrer via e in qualche modo raggiụngerlo, ma un alto grido di gioia si levò da quella folla e m'inchiodò; allora di là dalla riga dei pioppi[17] vidi distinta- 10 mente l'apparecchio già levato, librato,[18] già più alto del piano dei tetti, già spinto dall'immenso grido della città che lo salutava.

Sentịi un respiro affannoso, come d'un cane,[19] dietro me; mi voltai.   15
   – Sei tu! maledetta! maledetta!

Settimia era accasciata quasi fino a terra: era un sọrdido mucchio che si rattrappiva sempre più giù,[20] e quel mucchio trẹmulo mi guardava con due immensi occhi, neri come i pezzi di cielo tra stella e stella la notte. Balbettava gẹmiti.   20
   – Maledetta – le urlai ancora. Mi torsi come per precipitarmi contro la miserạbile che aveva rovinata la mia vita. Ma lei era in terra tutta riversa, i suoi occhi ora ẹrano chiusi. E io mi sentịi tutto come se un rogo cominciasse a incendiarsi sotto i miei piedi; ero legato, immọbile e ritto, tra quelle fiamme[21] che 25 mi brucịavano fino alla fronte; stentai a vọlgere il capo di nuovo in là, verso l'aperto fino al cielo.

Ora Mahoro in ruote montanti raggiungeva il cielo. L'aero-plano s'illuminò tutto nell'oro del sole.

[15] **i sommi delle cancellate,** the tops of grilled gateways (railings).
[16] **feci . . . là,** I started to rush out.
[17] **di là . . . pioppi,** beyond the line of poplars.
[18] **librato,** poised (at the peak of its ascent in take-off).
[19] **cane,** *note how from this point, which marks the lowest stage of Settimia's abjection, she gradually takes on a new aspect.*
[20] **si . . . giù,** kept shrinking ever lower.
[21] **quelle fiamme,** *refers to the figurative* flames *of the* **rogo** *above.*

Sentivo lacrime enormi di fuoco rigarmi la faccia e precipitare 30
ai miei piedi.

Poi un gran furore mi sconquassò dai piedi alla testa, seccò
nei miei occhi le lacrime. Guardai ancora verso Settimia,
ch'era sempre rovesciata sul suolo, e credo che stavo per
gettarmi su lei e con le mie mani ucciderla.   35

Ma un immane urlo della folla mi fermò.

Agghiacciai, mi voltai.

E vidi nell'aria celeste l'aeroplano di Mahoro sbattere ancora
due volte penosamente le ali in mezzo all'oro dei raggi, poi
ripiegarle e volgersi in giù e a capofitto piombò verso la terra.[22] 40
La caduta mi parve eterna. L'urlo della folla era spaventoso.
A mezza caduta una gran fiamma sorse dall'aeroplano precipi-
tante: poi tutto scomparve in basso dietro la cortina dei pioppi.

M'abbattei in terra, mi storcevo e gridavo di dolore, di
umiliazione. Ero tutto vergogna. Giù in terra buttato, ora non 45
vedevo più niente. Lo strido della gente si intorbidò nei miei
orecchi in un ronzio nero. Non so quanto tempo stetti in quel
modo.

Quando mi scossi, subito come punto[23] da un serpente mi
rialzai per fuggire.   50

Sulla porta della terrazza era Settimia, e io mi fermai a due
passi da lei per l'orrore.

S'era levata in ginocchio. Teneva alte e aperte le braccia verso
me. I suoi occhi erano spalancati e accesi d'una luce che non
vidi mai più in alcuna creatura. La sua voce mi parve venire da 55
mondi lontani,[24] mentre ella mi diceva:

– Signore . . . signore . . .

---

[22] **sbattere . . . terra,** *this description has a deliberate touch of the
fantastic ("magic realism"). Seen in the rays of the rising sun
(***l'oro dei raggi***) *the airplane seems to be flapping its wings like a
dying bird until it* plunges down in a nose dive (***a capofitto***).

[23] **punto,** *from* **pungere,** bitten.

[24] *This striking description gives the story its title and suggests various
interpretations. Is Settimia his guardian angel? Did she so act
because she loved him, or simply out of neglect?*

Un odio più forte m'invase. Mi gettai contro lei, la colpii due tre volte, sulle spalle, sulla faccia; scavalcando il suo corpo fuggii subito senza voltarmi lontano, lontano da lei, dalle case, 60 dalla città; mi aggirai non so quanti giorni non so dove, ammattito. Non sono più tornato laggiù. Non ho più riveduto Settimia. Sono passati tanti anni. E mai più ho provato nella mia vita un così grande strazio.

Ma quando rivedo nella memoria gelata tutti gli istanti del 65 mattino orrendo, non so ricordare Settimia, in quell'ultimo gesto, che[25] illuminata e bellissima.

[25] **non so ricordare Settimia ... che,** I can only remember Settimia ... as.

Esercizi

I. Rispondere in italiano:

1. Dove abitava Massimo?
2. Che si vedeva dalla sua terrazza?
3. Che cosa aspettava, e perchè?
4. Con chi aveva fatto amicizia Massimo?
5. Perchè Mahoro era venuto in quella città?
6. Come avrebbe compiuto il viaggio?
7. Perchè Massimo si sentiva ogni giorno più triste?
8. Perchè la sua tristezza si cambia in gioia?
9. In che giorno e a che ora Massimo doveva trovarsi al campo?
10. Chi era Settimia?
11. A che ora la ragazza doveva svegliare il giovane?
12. A che ora invece egli si svegliò?
13. Che vide dalla terrazza?
14. E quando si voltò, chi vide?
15. Perchè Massimo urlava «maledetta!»?
16. Che faceva intanto Mahoro?
17. Cosa vide Massimo quando sentì l'immane urlo della folla?
18. Che fa Massimo, invaso dall'odio?
19. Chi è l'«angelo umile» e perchè si chiama così?

II. Tradurre in italiano le espressioni in parentesi:

1. Abitavo in una pensione ch'era (on the top floor) d'una grande casa.

2. Io (was very fond of) Mahoro.
3. Non sapevo (in what to hope).
4. Domani mattina (at six o'clock sharp), al Campo!
5. Mi rivestii (almost completely) per ẹssere più pronto la mattina dopo.
6. (I became aware) che sentivo un lungo brusịo giụngere a me.
7. I balconi, le finestre (swarmed with people).
8. Ero legato tra quelle fiamme che mi bruciạvano (right to my forehead).
9. Ma (a frightful howl) della folla mi fermò.

Italo Calvino

Bellinda e il Mostro

Italo Calvino (born of Italian parentage in Cuba in 1923) is one of the most widely appreciated and original of contemporary Italian writers. Of particular interest are three *romanzi fantastici*: *Il visconte dimezzato* (1952), *Il barone rampante* (1957), and *Il cavaliere inesistente* (1959); and the prize-winning collection of short stories *I racconti* (1958). He has also the merit of having compiled and transcribed from the Italian dialects and expressed artistically the most complete collection yet made of Italian folk-tales (*Fiabe italiane*, 1956). "Bellinda e il Mostro," written in a vividly colloquial style, represents a Tuscan version of the famous legend of Beauty and the Beast, in which elements have been included from a number of other versions. Those interested in the art film will easily recognize many striking similarities to the famous film of Jean Cocteau, *La Belle et la Bête*, made in 1945. In all versions it is usual to consider that Bellinda symbolizes the redeeming power of love.

C'era una volta un mercante di Livorno, padre di tre figlie a nome Assunta, Carolina e Bellinda. Era ricco, e le tre figlie le aveva avvezzate[1] che non mancasse loro niente.[2] Erano belle

---

[1] **le tre figlie le aveva avvezzate,** he had accustomed his three daughters. *A flavor of colloquialism is obtained by the recurrent use of this construction in which special emphasis is given to the direct object (figlie) which precedes the verb and is then expressed again with the redundant personal pronoun (le). It occurs constantly in this fable.*

[2] **che non mancasse loro niente,** to want nothing (*lit.*, that nothing should be wanting to them).

tutte e tre, ma la più piccola era d'una tale bellezza che le
avevano dato quel nome di Bellinda. E non solo era bella, ma 5
buona e modesta ed assennata, quanto le sorelle erano superbe,
caparbie e dispettose, e per di più sempre cariche d'invidia.

Quando furono più grandi, andavano i mercanti più ricchi
della città a chiederle per spose, ma Assunta e Carolina tutte
sprezzanti li mandavano via dicendo: – Noi un mercante non lo 10
sposeremo[3] mai.

Bellinda invece rispondeva con buone maniere: – Sposare io
non posso perchè sono ancora troppo ragazza. Quando sarò
più grande, se ne potrà riparlare.[4]

Ma dice il proverbio: finché ci sono denti in bocca, non si sa 15
quel che ci tocca.[5] Ecco che al padre successe di perdere un
bastimento con tutte le sue mercanzie e in poco tempo andò in
rovina. Di tante ricchezze che aveva, non gli rimase che una
casetta in campagna, e se volle tirare a campare alla meglio,
gli toccò d'andarcisi a ritirare[6] con tutta la famiglia, e a lavorare 20
la terra come un contadino. Figuratevi le boccacce che fecero le
due figlie maggiori quando intesero che dovevano andare a far
quella vita. – No, padre mio, – dissero, – alla vigna noi non ci
veniamo;[7] restiamo qui in città. Graziaddio, abbiamo dei gran
signori che vogliono prenderci per spose.   25

Ma sì, valli a rincorrere[8] i signori! Quando sentirono che
erano rimaste al verde,[9] se la squagliarono tutti quanti. Anzi,
andavano dicendo: – Gli sta bene![10] Così impareranno come si
sta al mondo. Abbasseranno un po' la cresta. – Però, quanto
godevano a vedere Assunta e Carolina in miseria, tanto erano 30

---

[3] **un mercante non lo sposeremo,** *cf. n. 1.*
[4] **se ne potrà riparlare,** we can talk of it then (again).
[5] **finché . . . tocca,** as long as we're still alive we don't know what may
happen to us.
[6] **se volle . . . ritirare,** to make both ends meet he had to go into
retirement there.
[7] **alla vigna noi non ci veniamo,** we won't come to your vineyard.
Cf. again n. 1.
[8] **valli a rincorrere,** try to catch them.
[9] **al verde = senza un soldo.**
[10] **Gli sta bene** (*colloquial*), It serves them right.

spiacenti per quella pǫvera Bellinda, che non aveva mai arricciato il naso per nessuno. Anzi, due o tre giovinotti andạrono a chiẹderla in sposa, bella com'era e senza un soldo. Ma lei non voleva saperne,[11] perchè il suo pensiero era d'aiutare il padre, e ora non poteva abbandonarlo. Infatti, alla vigna era 35 lei ad alzarsi di buonora,[12] a far le cose di casa, a preparare il pranzo alle sorelle e al padre. Le sorelle invece s'alzạvano alle dieci e non muovẹvano un dito; anzi ce l'avẹvano sempre con lei,[13] quella villana, come la chiamạvano, che s'era sụbito abituata a quella vita da cani.   40

Un giorno, al padre arriva una lẹttera che diceva che a Livorno era arrivato il suo bastimento che si credeva perso, con una parte del cạrico che s'era salvato. Le sorelle più grandi, già pensando che tra poco sarẹbbero tornate in città e sarebbe finita la miseria, quasi diventạvano pazze dalla gioia. Il mercante 45 disse: – Io ora parto per Livorno per vedere di recuperare quel che mi spetta. Cosa volete che vi porti in regalo?

Dice l'Assunta: – Io voglio un bel vestito di seta color d'aria.

E Carolina: – A me invece portạtemene uno color di pesca. 50

Bellinda invece stava zitta e non chiedeva niente. Il padre dovette domandarle ancora, e lei disse: – Non è il momento di far tante spese. Portạtemi una rosa, e sarò contenta. – Le sorelle la prẹsero in giro,[14] ma lei non se ne curò.

Il padre andò a Livorno, ma quando stava per mẹtter le mani 55 sopra alla sua mercanzịa, saltạrono fuori altri mercanti, a dimostrare che lui era indebitato con loro e quindi quella roba non gli apparteneva. Dopo molte discussioni, il pǫvero vecchio restò con un pugno di mosche.[15] Ma non voleva delụdere le sue figlie, e con quei pochi quattrini che gli rimanẹvano comprò il 60 vestito color aria per Assunta e il vestito color pesca per

---

[11] **non voleva saperne,** wouldn't hear of it.

[12] **era lei . . . buonora,** she was the one to get up early.

[13] **ce l'avẹvano sempre con lei,** they always held it against her, blamed her.

[14] **la prẹsero in giro,** made fun of her.

[15] **restò . . . mosche,** was left empty-handed (with a handful of flies).

Carolina. Poi non gli era rimasto neanche un soldo e pensò che tanto la rosa per Bellinda era così poca cosa, che comprarla o no non cambiava nulla.

Così, s'avviò verso la sua vigna. Cammina cammina,[16] venne 65 notte: s'addentrò in un bosco e perse la strada. Nevicava, tirava vento: una cosa da morire. Il mercante si ricoverò sotto un albero, aspettandosi da un momento all'altro d'essere sbranato dai lupi, che già sentiva ululare da ogni parte. Mentre stava così, voltando gli occhi, scorse un lume lontano. S'avvicinò 70 e vide un bel palazzo illuminato. Il mercante entrò. Non c'era anima viva; gira di qua, gira di là: nessuno. C'era un camino acceso: zuppo fradicio com'era, il mercante ci si scaldò, e pensava: «Adesso qualcheduno si farà avanti.»[17] Ma aspetta, aspetta, non si faceva viva un'anima. Il mercante vide una 75 tavola apparecchiata con ogni sorta di graziadidio, e si mise a mangiare. Poi prese il lume, passò in un'altra camera dov'era un bel letto ben rifatto, si spogliò e andò a dormire.

Al mattino, svegliandosi, restò di stucco:[18] sulla seggiola vicino al letto c'era un vestito nuovo nuovo. Si vestì, scese le 80 scale e andò in giardino. Un bellissimo rosaio era fiorito in mezzo ad una aiola. Il mercante si ricordò del desiderio di sua figlia Bellinda e pensò che ora poteva soddisfare anche quello. Scelse la rosa che gli pareva più bella e la strappò. In quel momento, dietro alla pianta si sentì un ruggito e un Mostro 85 comparve tra le rose, così brutto che faceva incenerire[19] solo a guardarlo. Esclamò: – Come ti permetti, dopo che t'ho alloggiato, nutrito, e vestito, di rubarmi le rose? La pagherai con la vita!

Il povero mercante si buttò in ginocchio e gli disse che quel 90 fiore era per sua figlia Bellinda che non desiderava altro che una rosa in dono. Quando il Mostro ebbe sentito la storia, si

---

[16] **cammina cammina,** *like two similar expressions in the same paragraph, this is a kind of "distributive"*—he kept walking and walking.

[17] **si farà avanti** = **si farà vivo,** will show sign of himself, show up.

[18] **restò di stucco,** he was petrified (with amazement).

[19] **faceva incenerire,** it would turn you to ashes, kill you.

ammansì; e gli disse: – Se hai una figlia così,[20] portamela, che
io la voglio tenere con me, e starà come una regina. Ma se non
me la mandi, perseguiterò te e la tua famiglia dovunque siate. 95

Al poveretto, più morto che vivo, non parve vero di dirgli di
sì pur di andarsene,[21] ma il Mostro lo fece ancora salire nel
palazzo e scegliere[22] tutte le gioie, gli ori e i broccati che gli
piacevano e ne riempì una cassa, che avrebbe pensato lui a
mandargliela a casa.   100

Tornato che fu il mercante alla sua vigna, le figlie gli corsero
incontro, le prime due con molte smorfie chiedendogli i regali,
e Bellinda tutta contenta e premurosa. Lui diede uno dei vestiti
ad Assunta, l'altro a Carolina, poi guardò Bellinda e scoppiò
in pianto, porgendole la rosa, e raccontò per filo e per segno 5
la sua disgrazia.

Le sorelle grandi cominciarono subito a dire: – Ecco! Lo
dicevamo, noi! Con le sue idee strane. La rosa, la rosa! Ora
dovremo tutti pagarne le conseguenze.

Ma Bellinda, senza scomporsi, disse al padre: – Il Mostro ha 10
detto che se vado da lui non ci fa nulla? Allora, io ci andrò
perché è meglio che mi sacrifichi io piuttosto di patire tutti.

Il padre le disse che mai e poi mai ve l'avrebbe condotta, e
anche le sorelle – ma lo facevano apposta – le dicevano che
era matta: ma Bellinda non sentiva più nulla: puntò i piedi e 15
volle partire.

La mattina dopo, dunque, padre e figlia all'alba si misero in
strada. Ma prima, alzandosi per partire, il padre aveva trovato
a piè del letto la cassa con tutte le ricchezze che aveva scelto al
palazzo del Mostro. Senza dir niente alle due figlie grandi, egli 20
la nascose sotto il letto.

Al palazzo del Mostro arrivarono di sera e lo trovarono tutto
illuminato. Salirono le scale: al primo piano c'era una tavola

[20] **una figlia così,** such a (wonderful) daughter. *Così is used in a variety
of idiomatic ways as if it were an adjective or substantive (**meglio di
così,** etc.).*

[21] **non parve . . . andarsene,** he was only too glad (couldn't believe his
luck) to consent in order to get away.

[22] **lo fece . . . salire . . . e scegliere,** invited him to come up and choose.

imbandita per due, zeppa di graziadidio. Fame non ne avevano
molta, pure si sedettero a piluccar qualcosa. Finito ch'ebbero di 25
mangiare, si sentì un gran ruggito, e apparve il Mostro. Bellinda
restò senza parola: brutto fino a quel punto non se l'era proprio
immaginato.[23] Ma poi, piano piano, si fece coraggio, e quando
il Mostro le chiese se era venuta di sua spontanea volontà,
franca franca gli rispose di sì.   30

Il Mostro parve tutto contento. Si rivolse al padre, gli diede
una valigia piena di monete d'oro e gli disse di lasciar subito
il palazzo e di non mettervi più piede: avrebbe pensato lui a
tutto quel che poteva servire alla famiglia.[24] Il povero padre
diede l'ultimo bacio alla figlia, come avesse avuto cento spine 35
in cuore e se ne tornò a casa piangendo da commuovere anche i
sassi.

Bellinda, rimasta sola (il Mostro le aveva dato la buonanotte
e se n'era subito andato) si spogliò e si mise a letto e dormì
tranquilla per la contentezza d'aver fatto una buona azione e 40
salvato suo padre da chissà quali sciagure.

La mattina, s'alzò serena e fiduciosa, e volle visitare il
palazzo. Sulla porta del suo appartamento c'era scritto:
Appartamento di Bellinda. Sullo sportello del guardaroba c'era
scritto: *Guardaroba di Bellinda.* In ognuno dei begli abiti c'era 45
ricamato: *Vestito di Bellinda.* E dappertutto c'erano cartelli che
dicevano:

> La regina qui voi siete,
> Quello che volete avrete.

La sera, quando Bellinda si sedette a cena, si sentì il solito 50
ruggito, e comparve il Mostro. – Permettete, – le disse, – che
vi faccia compagnia mentre cenate?

Bellinda, garbata, gli rispose: – Siete voi il padrone.

Ma lui protestò: – No, qui padrona siete solo voi. Tutto il
palazzo e quel che ci sta dentro è roba vostra. – Stette un po' 55

---

[23] **brutto . . . immaginato,** she really hadn't imagined him (to be) as
ugly as that.
[24] **avrebbe . . . famiglia,** he would take care of the family's needs.

zitto, come sovrappensiero, poi chiese: – È vero che sono così
brutto?

E Bellinda: – Brutto siete brutto, ma il cuore buono che avete
vi fa quasi bello.

E allora lui, subito: – Bellinda, mi vorresti sposare?   60
Lei tremò da capo a piedi e non seppe cosa rispondere.
Pensava: «Ora se gli dico di no, chissà come la prende!» Poi si
fece coraggio e rispose: – Se ho da dirvi la verità, di sposarvi non
me la sento proprio.[25]

Il Mostro, senza far parola, le diede la buonanotte e se 65
n'andò via sospirando.

Così avvenne che Bellinda restò tre mesi in quel palazzo. E
tutte le sere il Mostro veniva a chiederle la stessa cosa, se lo
voleva sposare, e poi se n'andava sospirando. Bellinda ci aveva
tanto preso l'abitudine, che se una sera non l'avesse visto, se 70
l'avrebbe avuta a male.[26]

Bellinda passeggiava tutti i giorni nel giardino, e il Mostro le
spiegava le virtù delle piante. C'era un albero fronzuto che era
l'albero del pianto e del riso. – Quando ha le foglie diritte in
su, – le disse il Mostro, – in casa tua si ride; quando le ha 75
pendenti in giù, in casa tua si piange.

Un giorno Bellinda vide che l'albero del pianto e del riso
aveva tutte le fronde diritte con la punta in su. Domandò al
Mostro: – Perchè s'è così ringalluzzito?

E il Mostro: – Sta andando sposa tua sorella Assunta.   80

– Non potrei andare ad assistere alle nozze? – chiese Bellinda.

– Va' pure, – disse il Mostro. – Ma che[27] entro otto giorni tu
sia ritornata, se no mi troveresti bell'e[28] morto. E questo è un
anello che ti do: quando la pietra s'intorbida vuol dire che sto
male e devi correre subito da me.[29] Intanto prendi pure nel 85

---

[25] **non me la sento proprio,** I really don't feel like it.
[26] **se . . . a male,** she would have felt slighted.
[27] **che,** on condition that.
[28] **bell'e,** *used idiomatically like English* good and *but here best untranslated.*
[29] **da me** = **a casa mia, al palazzo.**

palazzo quel che più ti garba da portare in regalo di nozze, e
metti tutto in un baule stasera a piè del letto.

Bellinda ringraziò, prese un baule e lo riempì di vestiti di seta,
biancheria fine, gioie e monete d'oro. Lo mise a piè del letto e
andò a dormire: e la mattina si svegliò a casa di suo padre, col 90
baule e tutto. Gli fecero una gran festa, anche le sorelle, ma
quando seppero che lei era così contenta e ricca, e il Mostro era
tanto buono, ripresero a esser róse[30] dall'invidia, perchè loro
conducevano una vita che, pur senza mancar di nulla per via
dei regali del Mostro, tuttavia non poteva dirsi ricca, e l'Assunta 95
sposava un semplice legnaiolo. Dispettose com'erano, riuscirono
a portar via a Bellinda l'anello, con la scusa di tenerlo un po' in
dito, e glielo nascosero. La Bellinda cominciò a disperarsi,
perchè non poteva vedere la pietra dell'anello; e arrivato il
settimo giorno tanto pianse e pregò, che il babbo ordinò alle 100
sorelle di renderle subito l'anello. Appena l'ebbe in mano, lei
vide che la pietra non era più limpida come prima; e allora volle
subito partire e tornare al palazzo.

All'ora di desinare il Mostro non comparve, e Bellinda era
preoccupata e lo cercava e chiamava dappertutto. Lo vide solo a 5
cena comparire con un'aria un po' patita. Disse: – Sai che sono
stato male e se tardavi ancora m'avresti trovato morto? Non
mi vuoi più niente bene?

– Sì che ve ne voglio,[31] – lei rispose.

– E mi sposeresti? 10

– Ah, questo no, – esclamò Bellinda.

Passarono altri due mesi e si ripetè il fatto dell'albero del riso
e del pianto con le foglie alzate perchè si sposava la sorella
Carolina. Anche stavolta Bellinda andò con l'anello e un baule
di roba. Le sorelle l'accolsero con un risolino falso; e Assunta 15
era diventata ancora più cattiva perchè il marito legnaiolo la
bastonava tutti i giorni. Bellinda raccontò alle sorelle cosa aveva

---

[30] **róse,** gnawed (*from* **ródere**—*pronounce with close o to distinguish
from* **ròsa,** rose).

[31] **Sì che ve ne voglio** = **Ma sì, vi voglio (del) bene,** Indeed I am fond of
you.

rischiato per essersi trattenuta troppo la volta prima e disse che
stavolta non poteva fermarsi. Ma ancora le sorelle le trafugarono
l'anello e quando glielo ridiedero le pietra era tutta intorbidita. 20
Tornò piena di paura e il Mostro non si vide[32] nè a pranzo nè a
cena; venne fuori la mattina dopo, con l'aria languente e le
disse: – Sono stato lì lì per[33] morire. Se tardi un'altra volta sarà
la mia fine.

Altri mesi passarono. Un giorno, le foglie dell'albero del 25
pianto e del riso pendevano tutte giù come fossero secche.
– Che c'è a casa mia? – gridò Bellinda.

– C'è tuo padre che sta per morire, – disse il Mostro.

– Ah, fatemelo rivedere![34] – disse Bellinda. – Vi prometto che
stavolta tornerò puntuale!   30

Il povero mercante, a rivedere la figlia minore al suo capezzale,
dalla contentezza cominciò a star meglio. Bellinda l'assistette
giorno e notte, ma una volta nel lavarsi le mani posò l'anello
sul tavolino e non lo trovò piu. Disperata lo cercò dappertutto,
supplicò le sorelle, e quando lo ritrovò la pietra era nera, 35
tranne un angolino.

Tornò al palazzo ed era spento e buio, come fosse disabitato
da cent'anni. Prese a chiamare il Mostro strillando e piangendo,
ma nessuno rispondeva. Lo cercò dappertutto, e correva
disperata per il giardino, quando lo vide steso sotto il rosaio 40
che rantolava[35] tra le spine. S'inginocchiò accanto a lui, sentì
che ancora il cuore gli batteva, ma poco. Si buttò sopra di lui a
baciarlo e a piangere e diceva: – Mostro, Mostro, se tu muori
non c'è più bene per me! Oh, se tu vivessi, se tu vivessi ancora,
ti sposerei subito per farti felice!   45

Non aveva finito di dirlo, che d'un tratto si vide il palazzo
tutto illuminato e da ogni finestra uscivano canti e suoni.
Bellinda volse il capo sbalordita e quando tornò a guardare[36]

---

[32] **si vide** = **si fece vedere** = **si fece vivo,** *as in n. 17.*
[33] **lì lì per,** right on the point of.
[34] **fatemelo rivedere,** let me see him again (*cf. n. 22*).
[35] **che rantolava,** gasping (in the death throes).
[36] **tornò a guardare,** she looked again.

nel rosaio, il Mostro era sparito e in vece sua[37] c'era un bel
cavaliere che s'alzò di tra le rose, fece una riverenza e disse: 50
– Grazie, Bellinda mia, m'hai liberato.

E Bellinda restata di stucco: – Ma io voglio il Mostro,
– disse.

Il cavaliere si gettò in ginocchio ai suoi piedi e le disse:
– Eccolo il Mostro. Per un incantęsimo, dovevo restare mostro 55
finchè una bella giǫvane non avesse promesso[38] di sposarmi
brutto com'ero.

Bellinda diede la mano al giǫvane, che era un Re, e insieme
andạrono verso il palazzo. Sulla porta c'era il padre di Bellinda
che l'abbracciò, e le due sorelle. Le sorelle, dall'astio che 60
avęvano, restạrono una da una parte una dall'altra della porta e
diventạrono due statue.

Il giǫvane Re sposò Bellinda e la fece Regina. E così felici
vịssero e regnạrono.

[37] **in vece sua = invece di lui.**
[38] **finchè ... promesso,** until a beautiful girl would promise.

Esęrcizi

I. Rispǫndere in italiano:

1. Quante figlie aveva il mercante di Livorno?
2. In quale regione d'Italia si trova Livorno?
3. Com'ęrano le tre sorelle?
4. Perchè andò in rovina il padre?
5. Dove si andò a ritirare con tutta la famiglia?
6. Che regali gli chięsero le figlie quand'egli partì per Livorno?
7. Perchè il vecchio non comprò il regalo per Bellinda?
8. Dove perse la strada?
9. Cosa vide quando s'avvicinò al lume?
10. Dove andò al mattino, appena sveglio?
11. Che cosa strappò dal rosaio?
12. Chi comparve in quel momento tra le rose?
13. Che gli chiese il Mostro?
14. Che decise di fare Bellinda?
15. Come restò Bellinda quando apparve il Mostro?

16. Perchè Bellinda quella notte dormì tranquilla?
17. Cosa dicevano i cartelli?
18. Che rispose Bellinda quando il Mostro le chiese se voleva sposarlo?
19. Perchè Bellinda volle andare a casa sua?
20. Che le dà il Mostro per farle sapere se lui sta male?
21. Perchè le sorelle portano via l'anello a Bellinda?
22. Che vide lei appena ebbe di nuovo in mano l'anello?
23. Quante volte ancora ritornò a casa sua, e perchè?
24. Com'era la pietra dell'anello l'ultima volta che Bellinda lo ritrovò?
25. Quando Bellinda rivide il Mostro mezzo morto, cosa gli disse?
26. Chi era il bel cavaliere?
27. Che cosa simboleggia Bellinda?
28. Qual'è la morale di questa favola?

II. Tradurre in italiano le espressioni in parentesi:

1. (Once upon a time there was) un mercante di Livorno.
2. Bellinda rispondeva (politely).
3. Le sorelle non muovevano un dito; anzi (they were always angry with her).
4. Bellinda invece (remained quiet) e non chiedeva niente.
5. Le sorelle (made fun of her).
6. Aspetta, aspetta, (not a soul came around).
7. (Without saying anything) alle figlie, egli la nascose sotto il letto.
8. Al palazzo del Mostro, (they arrived at night).
9. Il Mostro le (had said goodnight).
10. Dispettose com'erano, (they managed to) portar via a Bellinda l'anello.
11. C'è tuo padre che (is dying).
12. (She looked everywhere for him) e correva disperata per il giardino.
13. (Because of a spell) dovevo restare mostro.

Visioni d'Italia (V)

Venezia

I. UNA CITTÀ CHE GALLEGGIA

Quando il treno, movendo verso Venezia, lascia la terraferma e si mette sul lunghissimo ponte di pietra, che, a guisa di un nastro, congiunge la città al continente, il viaggiatore vede subitamente scomparire intorno a sè ogni segno di natura viva. Egli procede in mezzo a una distesa d'acque tranquille, a un 5 mare chiuso e morto, su cui guizzano barche leggere e spuntano qua e là magre isolette palustri: vede qualche gruppo di pescatori gittar le reti intorno a una vela bizzarramente dipinta[1] di ranciato e di rosso, vede uccelli marini radere con le ali spiegate il placido specchio che la brezza increspa appena, e tutto 10 intorno, fin dove giunge lo sguardo, aria e acqua brillare d'un riso tremulo e solitario. Non più terra vegetata, non piante verdi, non voci di animali: silenzio e solitudine fra la laguna e il cielo.

Ma in quel mezzo, sulla linea del sereno orizzonte, ecco levarsi 15 a poco a poco una figura di città emergente dal seno stesso dell'acque: ecco mura, ecco fastigi di chiese, frecce di campanili; ecco, a grado a grado, sul fondo luminoso dell'aria, disegnarsi

---

[1] **dipinta,** *sails on the Adriatic are commonly* colored; *shades from deep gold to* orange *and* red *are the most popular.*

183

Canaletto (1697–1768), Venezia, chiesa della Salute veduta dalla Piazzetta. [National Gallery of Art, Washington, D.C.]

Bellezze veneziane: Tiziano (1477–1576), Donna allo specchio, c. 1514. [Alinari, Firenze]

Bellezze veneziane: Paolo Veronese (1529–1588), Mosé salvato dalle acque. [National Gallery of Art, Washington, D.C.]

Venezia: la Salute [E.N.I.T.]

Venezia: San Marco, Palazzo dei Dogi, Campanile e Isola di San Giorgio.
[Alfred Galpin]

Venezia: la Piazzetta. [Alfred Galpin]

187

Venezia, una città che galleggia senza suolo, senza dintorni, senza cornice naturale, senz'altra base visibile che la sua stessa 20 immagine capovolta nelle acque.

E come poi il viaggiatore entra in Venezia e s'affaccia all'aperta veduta del Canale,[2] il suo stupore si compie e si moltiplica: templi, palazzi, edifici marmorei d'ogni maniera sorgono, come per miracolo, dallo specchio delle acque tran- 25 quille, e quel medesimo silenzio, quel medesimo riso solitario e tremulo avvolgono meraviglie di cui non si trovano forse le eguali.

Pompeo Molmenti

[2] **veduta del Canale,** *the larger steamers follow from the railway station the line of the outer lagoon, with the result that the principal monuments near the opening of the* **Canal Grande** *may come into view with spectacular suddenness. These would include the Ducal Palace, the church and piazzetta of San Marco with the tall* **campanile** (*bell tower*) *and, at the opening of the* **Canal Grande,** *the church of Santa Maria della Salute.*

II. CITTÀ DEL SOGNO

Anche chi non sia mai stato a Venezia avrà veduto certamente pitture, riproduzioni, stampe, fotografie, cartoline, che gli 30 avranno mostrato l'aspetto curioso di questa città, nelle vie della quale le automobili non hanno accesso, perchè son fatte soltanto per i pedoni, come i marciapiedi delle altre città; mentre tutta la circolazione pesante, corrispondente ai veicoli d'ogni genere che circolano nelle altre città, si fa per acqua, e 35 con mezzi d'acqua: dalle gondole romantiche, agli agili motoscafi, dalle grosse barche da carico, ai *ferry-boats*, che trasportano le automobili attraverso la laguna fino al Lido.[1]

[1] **al Lido,** *lit.*, to the shore. *Of the narrow strips of land that enclose the Venetian lagoon several are technically* **lidi,** *but* **il Lido** *always stands for the* **Lido di Malamocco,** *with its world-famous beach, perhaps the most elegant in the world, site of the Venetian airport, of the Casino, the Cinema Palace, and of many luxury hotels; here automobiles are allowed.*

Ebbene, per quanto esatta sia l'idea che ci si sia potuto fare[2]
d'una città così diversa da tutte le altre, la realtà parrà sempre 40
più bella e più fantastica dell'immaginazione.

«Venezia è in realtà molto più grandiosa di quanto si possa
immaginarla dai dipinti o dalle descrizioni,» ha detto il pittore
francese Jacques Villon.

«Venezia è molto più bella, perchè più reale e schietta di 45
quanto si possa immaginarla: non ha nulla di falso . . .,» ha
detto il poeta cileno Pablo Neruda.

Città del sogno. Nessuna altra città del mondo può aspirare a
questo nome più di Venezia. E in verità sembra che in questa
città, dove la personalità umana individuale conserva il 50
possesso della strada, l'inesorabile progresso del tempo sia
sospeso come per incanto. L'individuo si può sentire fuori del
suo tempo. Sembra che la vita sia dominata dalla fantasia.
Eppure in realtà non c'è angolo del mondo più sostanzialmente
realistico di questo, dove non v'è linea di orizzonte, ove non v'è 55
punto nè macchia di paesaggio che non sia stato creato
dall'uomo. Una sola cosa dà la natura[3] a Venezia: il suo cielo
che intensifica nelle serene notti di agosto, fino ad un cupo
vellutato, tempestato di stelle, il suo azzurro squillante.[4] Ma
tutto il resto, dai suoi palazzi, dalle sue chiese, dai suoi ponti 60
allo stesso suo territorio urbano, alle stesse isole che le fanno
corona,[5] tutto è opera dell'uomo. Dell'uomo che ha compiuto
qui uno dei più mirabili sforzi di volontà e di dominio sulla
materia.

Nessuno ha detto finora che i veneziani sono stati gli americani 65
dell'alto medioevo? Ebbene questa è una semplice e luminosa
verità.

[2] **per . . . fare,** no matter how accurate an idea one may have formed.
[3] **la natura,** *subj. of* **dà.**
[4] **intensifica . . . squillante,** on clear August nights heightens its
piercing blue to a star-tossed shade of dark velvet.
[5] **alle stesse . . . corona,** to the very islands that stand as jewels in her
crown. *Like the countless fragments of land on which Venice is
erected, the islands of the lagoon, like Torcello, Burano, Murano,
are to a large degree artificially constructed by reinforcing and
connecting smaller elements.*

Venezia nel Medioevo ha avuto la stessa funzione finanziaria, economica, commerciale, morale ed estetica che hanno avuto ai nostri giorni la finanza, l'economia, il commercio degli Stati 70 Uniti, che hanno avuto ed hanno New York, Chicago e San Francisco.

Le industrie caratteristiche degli artigiani veneziani continuano ad essere coltivate con amore. Murano, l'isola operosa dei vetrai, produce ancora nelle sue numerose fornaci i 75 meravigliosi vetri soffiati che hanno fatto la sua gloria; e le donne di Burano sedute davanti alle porte delle loro povere case, fanno fiorire con le loro dita gli stupendi merletti che tutto il mondo ammira.

Anche la serie delle manifestazioni che ogni anno si svolge a 80 Venezia è un richiamo[6] che si aggiunge a quello già potente della città lagunare. Si tratta di avvenimenti di eccezionale importanza internazionale, quali possono essere la Mostra Cinematografica, il Festival Internazionale dell'Alta Moda, il Festival Internazionale della Musica Contemporanea che si 85 svolge alla Fenice, il più bel teatro d'Europa, la Biennale d'Arte figurativa, che aduna il fior fiore della produzione artistica moderna.

Ma fuori all'aperto, nel grande sole, e sotto le stelle palpitanti nel bel cielo sereno, si danno come ogni anno da secoli e 90 secoli, le grandi feste popolari veneziane. Le più caratteristiche (cioè la Regata Storica, che è la antenata di tutte le regate del mondo alle quali ha dato il nome, la Veglia del Redentore,[7] dove decine di migliaia di persone banchettano cantando su migliaia di gondole e barche illuminate da palloncini di carta e di vetro, 95 e il Fresco[8] in Canal Grande, dove altre migliaia di barche incrociano al chiaro di luna e a suon di musica), meritano veramente di essere viste e vissute da chi vuol servare impressioni di bellezza, di grazia e di festosità.

Elio Zorzi

[6] **richiamo,** *here,* appeal *or* attraction.
[7] **Veglia del Redentore,** Vigil of the (Feast of the) Redeemer, *one of the great traditional holidays of Venice, the third Sunday in July.*
[8] **Fresco,** Outing; *the Venetian sense of fresco* (open air) *is a* gondola ride.

Esercizi

Questions for discussion:

UNA CITTÀ CHE GALLEGGIA

1. What, according to the author, are the visitor's first impressions of Venice?

CITTÀ DEL SOGNO

1. How is Venice different from other cities?
2. In what way is Venice both real and fanciful?
3. Why does the author compare medieval Venice to the United States?
4. Describe some of the festivals which take place in Venice. Which are of ancient origin?

Vitaliano Brancati

Storia di un uomo che per due
volte non rise

At the moment of his untimely death, Vitaliano Brancati (1907–1954) had already contributed significantly to contemporary Italian literature. He is best known for his novels *Don Giovanni in Sicilia* and *Il bell'Antonio*, but wrote also other fiction, including short stories and theatrical pieces. He has been linked with his great fellow Sicilian, Luigi Pirandello, because of his strong dramatic sense, incisive style, and roots in Sicilian tradition.

La notte di capodanno del 1900, Giacomo Licalzi aveva già quarant'anni. Quella notte, nelle case di Catania,[1] si sturarono molte bottiglie; pare che il sindaco si sia ubbriacato a tal punto da togliersi i pantaloni e appenderli al davanzale della finestra; pare che, fra le due e le tre del mattino, abbia nevicato; 5 secondo altri, invece, non nevicò, ma si levò un vento fortissimo che sbattè per un'ora le persiane e poi cadde di colpo come un albero reciso dal fulmine; secondo altri infine, non ci fu nè vento nè alcuna nevicata, ma una bellissima notte odorosa e quieta.　　　　　　　　　　　　　　　　　　　　　　　　　10

Si brindò al nuovo secolo: se ne dissero di cotte e di crude[2] sulla felicità, il progresso, la fratellanza, l'amore, ecc.; si parlò

---

[1] **Catania,** *the second city of Sicily, on its eastern coast, near the southeastern slopes of Europe's greatest living volcano, Mount Etna.*
[2] **se ne . . . crude,** they said all sorts of silly things.

192

molto e si rise anche di più. Solo Giacomo Licalzi non rise minimamente, e passò la notte col viso atteggiato a malinconia, sbraciando la cenere della conchetta,[3] fumando la pipa e 15 alzandosi di tanto in tanto per domandare ai figli: – Dormite? –.

I due bimbi si svegliavano,[4] si stropicciavano gli occhi e rispondevano: – Sì, papà, dormiamo! –.

– Ebbene –, diceva il padre, – . . . e allora dormite! –.

Era stato un uomo allegro fino a poco tempo innanzi; d'un 20 tratto, una strana nebbia gli era calata sul viso, aveva rinunciato ad uscire la sera, a giocare a carte, ad andare a teatro, si era liberato dei[5] cani, del cavallo, della scimmia, del fucile da caccia, e ridotti[6] i discorsi, i bisogni, i piaceri, come un buon capitano che alleggerisce la nave all'ingresso di un mare infido, 25 s'era inoltrato nel nuovo secolo.

– Brutto secolo! –, diceva fiutando l'aria. – Brutte cose, brutti avvenimenti, brutte faccende; porcheria; noia; schifo; e soprattutto bruttissimi uomini! –.

Quando, nel '43, la Sicilia[7] cominciò ad essere bombardata, 30 questo vecchio di ottantatrè anni non aveva più spazio, nè in faccia nè in cuore, per la paura o la meraviglia, e profondissimamente muto, fissava sulle persone lo sguardo incomprensibile e freddo che dall'occhio socchiuso di un morto cade sul ladro che gli ruba le scarpe.   35

Abitava all'ultimo piano, sotto un terrazzino che anche la più minuta delle schegge avrebbe facilmente bucato; ma i figli e i nipoti non riuscirono mai a farlo scendere nel rifugio; e quando la guerra s'avvicinò, e i catanesi fuggirono da Catania,

---

[3] **sbraciando . . . conchetta,** stirring the coals in the brazier, *which may have been a sort of foot-warmer like that in* "La mia New York" (*p. 237*).

[4] **si svegliavano,** *note force of the imperfect tenses in this passage.*

[5] **si . . . dei,** he had got rid of his.

[6] **ridotti,** cutting down on (his).

[7] **la Sicilia,** *the Allied invasion of Italy began with the seizure of the little island of Pantelleria off the coast of Sicily on 11 June, 1943; landings on Sicily followed on 10 July, followed by the resignation of Mussolini on 25 July.*

tutto il quartiere all'intorno, comprese la cattedrale e la biblio- 40
teca pubblica, non ebbe che un abitante: questo vecchio muto
che, la prima notte del 1900, era stato il solo a non ridere.

I tedeschi, durante la ritirata, occuparono la casa, e il
generale venne a visitare Giacomo Licalzi, più per studiare la
finestra,[8] naturalmente, che per avere il piacere di conoscerlo. 45

– Voi siete molto feroci! –, gli disse in tedesco il vecchio
ottuagenario che da tre anni non parlava nemmeno il suo
dialetto.

Il generale tirò fuori dal portafoglio sette fotografie: due
vecchi, una donna, tre bambini, una ragazza, le sciorinò sulla 50
tavola come un mazzo di carte quando il giocatore vuole che
l'altro ne scelga una, poi disse: – Tutti morti! –. Quindi,
cavata la rivoltella, sparò all'impazzata contro i balconi
dirimpetto. – Per me –, disse, – il mondo può crepare! Che
muoiano tutti! Viva solo Hitler! –.   55

Il vecchio si alzò e lo accompagnò alla porta. L'altro si
lasciò spingere da quello sguardo semivivo, si piantò sull'attenti,[9]
salutò ed uscì.

Scomparsi i tedeschi all'orizzonte, mentre i loro cannoni
brontolavano fra i boschi dell'Etna, la città rimase nelle mani 60
dei ladri. Travestiti da tedeschi, da inglesi, da carabinieri, da
fascisti, i ladri sfondarono i portoni, salirono sui balconi,
s'affacciarono dai tetti. In quei giorni, fu rubata qualunque
cosa e, mossi dai ladri, che vi si nascondevano sotto, armadi
letti statue cassettoni specchi si misero a camminare per le 65
strade deserte e ingombre di macerie.

Giacomo Licalzi, dal suo alto finestrino, guardava il triste
spettacolo e fumava la pipa. Non si meravigliava di nulla; tutte
queste cose, egli le aveva già viste con la mente la prima notte
del novecento; e si congratulava con se stesso di non aver diviso 70
minimamente lo stupido riso degli altri per salutare l'alba del

---

[8] **la finestra,** *Licalzi's window had a strategically important view
over the countryside beneath.*

[9] **si lasciò . . . attenti,** as if hypnotized (*lit.,* let himself be pushed on)
by this half-dead glance (*of Licalzi*), stood stiffly to attention.

nuovo secolo. Nel ricordo, quella gente che sturava bottiglie ridendo e sghignazzando gli appariva come un popolo di scimmie ubbriache e saltellanti. – Al diavolo, quanto erano brutti! –. 75

Finalmente arrivarono gl'inglesi. Cauti, circospetti, guardando anche sotto le panche se mai vi facesse capolino il piede di un tedesco,[10] s'arrampicarono fin nella soffitta ove il vecchio fumava la pipa. Un sergente e un soldato gli chiesero il permesso di affacciare la bandiera britannica dal finestrino. Un'impercetti- 80 bile favilla luccicò nell'occhio di Licalzi alla vista di quella povera stoffa che penzolava su una città sconquassata, simbolo di una moltitudine armata che s'avanzava impaurita dietro un'altra che rinculava impaurita.

– Voi siete molto feroci! –, gli disse il vecchio in cattivo 85 inglese.

– No –, gridò il sergente, – no, per niente, buonissimi! –.

Il sergente parlava l'italiano e portava al collo una corona di rosario. – Sono cattolico! –, disse. E poichè il vecchio rimaneva imperturbabile, il sergente, credendo ch'egli non avesse capito, 90 alzò la voce: – Cattolico! –, ripetè. Si fece il segno della croce; – Padre, Figlio e Spirito Santo! –. Vista una figura di santa Rita sul lettuccio, salì in ginocchio sul materasso di crine, e baciò i piedi dell'immagine. Rise di nuovo. Saltò dal letto. Tolse con garbo la pipa dalla bocca del vecchio, gliela riempì 95 di tabacco e gliela rimise fra i denti. – Beviamo! –, esclamò. – Nonno, beviamo! –. Tirò fuori una bottiglia, riempì un bicchiere che vide sul tavolo e lo porse al vecchio. Lui bevve impetuosamente alla bocca del fiaschetto. – Viva la pace! –, gridò. – Pace! Pace! Avremo sempre pace! Voi, nonno, vivrete 100 centottanta, trecento anni! –.

Il vecchio stava per sorridere; ma quando l'altro, nella sua foga, volle aggiungere: – Pace! Sempre pace! Si comincia nuovo secolo! –, il vecchio si abbuiò, e ancora una volta, accanto a una persona che si torceva fra le risate, non rise. 5

[10] **se mai ... tedesco,** just in case some German's foot might be sticking out from under them.

Esercizi

I. Rispondere in italiano:

1. Che età aveva Giacomo Licalzi la notte di capodanno del 1900?
2. Perchè quella notte si sturarono molte bottiglie?
3. Che tempo faceva?
4. Come passò la notte Giacomo Licalzi?
5. Era stato un uomo allegro prima d'allora?
6. A quali cose rinunciò d'un tratto?
7. Che diceva del nuovo secolo?
8. Quando cominciò ad essere bombardata la Sicilia?
9. Che età aveva allora Giacomo Licalzi?
10. Quando fuggirono i catanesi da Catania?
11. Chi rimase solo in città?
12. Chi venne a visitare il vecchio Licalzi, e perchè?
13. Partiti i tedeschi, nelle mani di chi rimase la città?
14. Perchè il vecchio non si meravigliava di nulla?
15. Cosa gli chiesero i soldati inglesi?
16. Che diceva il sergente mentre beveva?
17. Perchè il vecchio, ancora una volta, non rise?

II. Tradurre in italiano le espressioni in parentesi:

1. Giacomo Licalzi (was already forty years old).
2. Pare che (between two and three in the morning) abbia nevicato.
3. Era stato un uomo allegro (until a short time before).
4. (He had given up going) a teatro.
5. I figli (did not succeed in) farlo scendere.
6. Il vecchio ottuagenario (for three years had not spoken) nemmeno il suo dialetto.
7. (Disguised as Germans) i ladri sfondarono i portoni.
8. Si misero a camminare per le strade (cluttered with debris).
9. Un'impercettibile favilla luccicò nell'occhio di Licalzi (at the sight of) quella povera stoffa.
10. Il vecchio (was about to smile).

Carlo Levi

Cristo si è fermato a Eboli

Ever since its unification in 1861, Italy has struggled with the problem of bringing the regions of the South, as well as the islands of Sicily and Sardinia, up to the same level of economic prosperity and social progress as that enjoyed by the regions from Rome to the North. The *problema del Mezzogiorno* has been the subject of endless debates, dissertations, studies, and disputes, while the situation remained unchanged.

A certain number of writers, and the film makers of the New Realism, took the lead after the fall of fascism in taking this problem out of the hands of bureaucrats or committees and putting it before the general public. Carlo Levi's *Cristo si è fermato a Eboli* (1945), revealing with compassionate insight a shocking state of hopeless poverty, aroused public opinion in Italy and throughout the world. The resulting movement for relief of conditions in the South has led to concrete government programs and to active intervention by many private educational and industrial groups.

Carlo Levi (born 1902), a medical doctor by training and a painter, was confined as an anti-fascist in 1935 and 1936 to one of the most desolate rural communities of the South, in the region of Lucania. The following excerpts show that his book, with all its bitter realism, is not lacking in good humor.

I. LA DONNA

La casa era in ọrdine, la roba era a posto, e ora dovevo
risọlvere il problema di trovare una donna che mi facesse le
pulizịe,[1] che andasse a prẹndermi l'acqua alla fontana e mi
preparasse da mangiare. Il padrone, l'ammazzacapre,[2] donna
Caterina e le sue nipoti fụrono concordi: 5
– Ce n'è una sola che fa per lei. Non può prẹndere che
quella! – E donna Caterina mi disse:
– Le parlerò io, la farò venire. A me dà retta; e non dirà di no.
Il problema era più diffịcile di quanto non credessi:[3] e non
perchè mancạssero donne a Gagliano, che anzi, a decine si 10
sarẹbbero contese quel lavoro e quel guadagno. Ma io vivevo
solo, non avevo con me nè moglie nè madre nè sorella; e
nessuna donna poteva perciò entrare, da sola, in casa mia. Lo
impediva il costume,[4] antichịssimo e assoluto, che è a fondamento del rapporto fra i sessi. L'amore, o l'attrattiva sessuale, 15
è considerata dai contadini come una forza della natura,
potentịssima, e tale che nessuna volontà è in grado di oppọrvisi.[5]
Se un uomo e una donna si trọvano insieme al riparo e senza
testimoni, nulla può impedire che essi si abbrạccino: nè propọsiti
contrari, nè castità, nè alcun'altra difficoltà può vietarlo; e se 20
per caso effettivamente essi non lo fanno, è tuttavịa come se lo
avẹssero fatto: trovarsi assieme è fare all'amore. L'onnipotenza
di questo dio è tale, e così sẹmplice è l'impulso naturale, che
non può esịstere una vera morale sessuale, e neanche una vera
riprovazione sociale per gli amori illẹciti. Moltịssime sono le 25
ragazze[6] madri, ed esse non sono affatto messe al bando o

---

[1] **che . . . pulizịe,** who would do the cleaning for me.
[2] **il padrone, l'ammazzacapre,** the landlord and the goat-butcher.
[3] **di quanto non credessi,** than I (had) thought. *The **non** in such constructions does not negate but contrasts:* than what on the other hand
I might think.
[4] **Lo impediva il costume,** The . . . custom forbade it, *or translate as
passive*, Such behavior was forbidden by . . . .
[5] **in grado di oppọrvisi,** capable of opposing [itself to] it.
[6] **ragazze,** unwed.

additate al disprezzo pubblico: tutt'al più troveranno qualche
maggior difficoltà a sposarsi in paese, e dovranno accasarsi nei
paesi circostanti, o accontentarsi di un marito un po' zoppo o
con qualche altro difetto corporale. Se però non può esistere 30
un freno morale contro la libera violenza del desiderio,
interviene[7] il costume a rendere difficile l'occasione. Nessuna
donna può frequentare un uomo se non in presenza d'altri,
soprattutto se l'uomo non ha moglie: e il divieto è rigidissimo:
infrangerlo anche nel modo più innocente equivale ad aver 35
peccato. La regola riguarda tutte le donne, perchè l'amore non
conosce età.

Avevo curato[8] una nonna, una vecchia contadina di settanta-
cinque anni, Maria Rosano, dagli occhi azzurri chiari nel viso
pieno di bontà. Aveva una malattia di cuore, dai sintomi gravi e 40
preoccupanti, e si sentiva molto male.

– Non mi alzerò più da questo letto, dottore. È arrivata la mia
ora – mi diceva.

Ma io, che mi sentivo aiutato dalla fortuna, l'assicuravo del
contrario. Un giorno, per farle coraggio, le dissi: 45

– Guarirai, sta' sicura. Da questo letto scenderai, senza
bisogno di aiuto. Tra un mese starai bene, e verrai da sola, fino
a casa mia, in fondo al paese, a salutarmi.

La vecchia si rimise davvero in salute, e, dopo un mese sentii
battere alla mia porta. Era Maria, che si era ricordata delle mie 50
parole, e veniva a ringraziarmi e a benedirmi, con le braccia
cariche di regali, fichi secchi, e salami, e focacce dolci fatte con
le sue mani. Era una donna molto simpatica, piena di buon
senso e di tenerezza materna, saggia nel parlare e con un certo
ottimismo paziente e comprensivo nell'antica faccia rugosa. Io 55
la ringraziai dei suoi doni e la trattenni a conversare; ma mi
accorgevo che la contadina stava sempre più a disagio, ritta ora
su un piede ora sull'altro, e lanciava delle occhiate alla porta
come se volesse scappare e non osasse. Dapprincipio non ne
capivo la ragione: poi mi avvidi che la vecchia era entrata da 60

---

[7] **interviene,** *subj. follows as at n. 4 above.*
[8] **curato,** treated. *Levi was a physician.*

me da sola, a differenza di tutte le altre donne che venivano a
farsi visitare[9] o a chiamarmi, e che arrivavano sempre in due o
almeno accompagnate da una bambina, che è un modo di
rispettare il costume e di ridurlo insieme a poco più di un
simbolo; e sospettai che fosse questa la ragione della sua 65
inquietudine. Lei stessa me lo confermò. Mi considerava il suo
benefattore, il suo salvatore miracoloso: si sarebbe buttata nel
fuoco per me: non avevo soltanto guarito lei, che aveva un
piede nella fossa, ma anche la sua nipotina prediletta, malata di
una brutta polmonite. Le avevo detto di venire sola a trovarmi, 70
quando fosse stata bene.[10] Io intendevo che non avrebbe avuto
bisogno di nessuno[11] per darle il braccio ma la buona vecchia
aveva presa la cosa alla lettera, e non aveva osato infrangere il
mio ordine. Perciò non si era fatta accompagnare; aveva fatto
per me davvero un grosso sacrificio; e ora era inquieta perchè 75
essere con me, a malgrado dell'evidente innocenza, era tuttavia
di per sè una grossa infrazione al costume. Mi misi a ridere, e
anche lei rise, ma mi disse che l'uso era più vecchio di lei e di me,
e se ne andò contenta.

[9] **a farsi visitare,** to have themselves examined.
[10] **quando fosse stata bene,** when she would be well (cured).
[11] **Io intendevo . . . nessuno,** I meant to say that she wouldn't need
anyone.

II. AMERICANI

La bottega dell'americano,[1] del parrucchiere dei signori, era 80
l'unica delle tre[2] che sembrasse una vera bottega di barbiere.
C'era uno specchio, tutto appannato dalle cacche di mosca,
c'era qualche seggiola di paglia, e al muro erano attaccati
ritagli di giornali americani, con fotografie di Roosevelt, di
uomini politici, di attrici, e *réclames*[3] di cosmetici. Era l'unico 85

[1] **americano,** *commonly designates one who has returned after seeking
his fortune in North or South America.*
[2] **tre,** *the other two barbers in the village are occupied mainly with other
affairs so that their shops are usually closed.*
[3] *réclames,* (*Fr.*) ads.

resto dello splendido salone in non so più quale strada di New
York: il barbiere, ripensandoci, si rattristava e si faceva cupo.
Che cosa gli rimaneva della bella vita di laggiù, dove era un
signore? Una casetta in cima al paese, con la porta pretensio-
samente scolpita e qualche vaso di geranio sul balcone, la 90
moglie malaticcia, e la miseria. – Non fossi mai[4] tornato! –
Questi americani del 1929 si riconoscono tutti all'aria delusa di
cani frustati, e ai denti d'oro.

I denti d'oro brillavano anacronistici e lussuosi nella larga
bocca contadina di Faccialorda,[5] un uomo grosso, robusto, 95
dall'aspetto testardo ed astuto. Faccialorda, chiamato da tutti
con questo soprannome forse per il colore della sua pelle, era
invece un vincitore nella lotta dell'emigrazione, e viveva nella
sua gloria. Era tornato dall'America con un bel gruzzolo, e
anche se l'aveva già in gran parte perduto per comprarsi una 100
terra sterile, ci poteva ancora modestamente campare: ma il
vero valore di quel denaro consisteva nel non essere stato
guadagnato col lavoro, ma con l'abilità. Faccialorda, la sera,
tornando dai campi, sull'uscio di casa sua, o passeggiando per
la piazza, amava raccontarmi la sua grande avventura americana, 5
felice per sempre della sua vittoria. Era un contadino, in
Amèrica faceva il muratore.

– Un giorno mi danno da svuotare un tubo di ferro, di quelli
che servono per le mine, che era pieno di terra. Io ci batto su
con una punta; invece di terra, c'era la polvere, e il tubo mi 10
scoppia in mano. Mi sono un po' sgraffiato qui sul braccio ma
sono rimasto sordo. Si era rotto il timpano. Là in America ci
sono le assicurazioni, dovevano pagarmi. Mi fanno una visita,
mi dìcono di tornare dopo tre mesi. Dopo tre mesi io ci sentivo
di nuovo bene,[6] ma avevo avuto l'infortunio, dovevano 15

---

[4] **Non fossi mai,** If only I had never. *Reference here is to the great
stock-market crash and ensuing depression beginning in October
1929.*

[5] **Faccialorda,** Dirtyface. *Nicknames among the peasantry almost
replace the family name in many regions.*

[6] **ci . . . bene,** I could hear well again (had recovered my hearing).
For meaning of **visita** *here, cf. n. 9.*

pagarmi, se c'è la giustizia. Tremila dǫllari dovęvano darmi.
Io facevo il sordo: parlạvano, sparạvano, non sentivo nulla. Mi
facęvano chiụdere gli occhi: io mi dondolavo e mi lasciavo
cadere per terra. Quei professori[7] dicęvano che non avevo
niente, e non volęvano darmi l'indennità. Mi fęcero un'altra 20
vịsita, e poi tante altre. Io non sentivo mai nulla, e cadevo per
terra: dovęvano pur darmi il mio denaro! Siamo andati avanti
due anni, che non lavoravo, i professori dicęvano di no, io
dicevo che non potevo far nulla, che ero rovinato. Poi i professori, i primi professori dell'Amęrica si sono convinti, e dopo 25
due anni mi hanno dato i miei tremila dǫllari. Mi vęngono per
giustizia. Sono sụbito tornato a Gagliano, e sto benịssimo. –

Faccialorda era fiero di aver combattuto da solo contro tutta
la scienza, contro tutta l'Amęrica, e di aver vinto, lui, pịccolo
cafone di Gagliano, i professori americani, armato soltanto di 30
ostinazione e di pazienza. Era, del resto, convinto che la
giustizia fosse dalla sua parte, che la sua simulazione fosse un
atto legịttimo. Se qualcuno gli avesse detto che egli aveva
truffato i tremila dǫllari, si sarebbe sinceramente stupito. Io mi
guardavo bene dal dịrglielo,[8] perchè in fondo non gli davo 35
torto;[9] ed egli mi ripeteva con orgoglio la sua avventura, e si
sentiva, nel suo cuore, un poco un eroe della pǫvera gente,
premiato da Dio nella sua difesa contro le forze nemiche
dello Stato.

[7] **professori,** doctors, "experts."
[8] **Io . . . dịrglielo,** I was careful not to say so to him.
[9] **non gli davo torto,** I didn't consider him to be in the wrong.

Esercizi

I. Rispǫndere in italiano:

LA DONNA

   1. Chi è l'autore di questi due episodi?
   2. Quali regioni d'Italia descrive nel suo famoso libro?
   3. Com'era la casa in cui Levi era andato ad abitare?
   4. Quale problema doveva ora risǫlvere?

5. Perchè nessuna donna poteva entrare, da sola, in casa sua?
6. Com'è considerato l'amore dai contadini?
7. Le ragazze madri trọvano difficoltà a sposarsi?
8. Può una donna frequentare un uomo da sola?
9. Perchè questa rẹgola riguarda tutte le donne?
10. Che età aveva Marịa Rosano?
11. Che le disse Levi per farle coraggio?
12. Che fece Marịa un mese dopo?
13. Che tipo di donna era Marịa?
14. Che regali portò al suo benefattore?
15. Di che si accorgeva lui mentre conversạvano insieme?
16. Perchè la contadina gettava delle occhiate alla porta?
17. Cosa intendeva dire lui quando le aveva detto di venire sola?
18. Perchè la buona vecchia non si era fatta accompagnare?
19. Perchè si mịsero tutt'e due a rịdere?

AMERICANI

1. Che bottega aveva l'americano?
2. Cosa c'era nẹlla sua bottega?
3. Che gli rimaneva della bella vita di New York?
4. Come si riconọscono gli americani del 1929? Perchè sono chiamati così?
5. Chẹ uomo era Faccialorda?
6. Perchè aveva questo nome?
7. Con che cosa era tornato dall'Amẹrica?
8. Come aveva guadagnato quel denaro?
9. Che mestiere faceva in Amẹrica?
10. Perchè era rimasto sordo?
11. Ci sentiva di nuovo bene dopo tre mesi?
12. Perchè voleva tremila dọllari?
13. Che cosa dicẹvano i professori?
14. Contro chi Faccialorda aveva combattuto da solo?
15. Di che era convinto?
16. Perchè Levi non gli dava torto?

II. Completare in italiano:

1. La casa era _____.
2. Nessuna donna poteva entrare, _____, in casa mia.

3. Nessuna volontà è _____ opporvisi.
4. La regola _____ tutte le donne.
5. _____, starai bene e verrai a casa mia.
6. Era una donna simpatica, _____ buon senso.
7. Non avevo soltanto guarito lei, che aveva _____.
8. Il barbiere, _____, si rattristava.
9. Faccialorda, _____, amava raccontarmi la sua grande avventura americana.
10. Mi dondolavo e mi lasciavo _____.
11. Era convinto che la giustizia fosse _____.
12. In fondo, non gli _____.

III. Tradurre in italiano:

1. perchance
2. at the most
3. really
4. ill at ease
5. by two's
6. literally
7. on the other hand
8. moreover
9. basically

IV. Formare delle frasi usando le espressioni tradotte.

Visioni d'Italia (VI)

Roma

I. ROMA REGINA DELLE ACQUE

Roma è la più maravigliosa, stupenda, straordinaria, superba , città del mondo e basta viverci per esser felici. Basta girare, mettere un piede innanzi all'altro e voltar la testa in qua e là per vedere meraviglie d'arte e natura, per capire l'immortalità di questa Roma, città cosmopolita, centro della civiltà moderna 5 di tutto il mondo, regina dell'acqua, invasa da continue scorrerie di orde barbariche, da inglesi e tedeschi, che vengono qui a maravigliarsi, ad ubriacarsi di bellezza, come i Maomettani vanno alla Mecca: città che porta indelebile e sublime l'impronta di tutte le civiltà, di tutte le arti, di tutte le successive tras- 10 formazioni loro, dall'arte egizia, greca, romana, fino alla modernissima, passando attraverso tutti i generi di architettura, scultura e pittura: Bizantina, del Rinascimento, delle scuole veneziana e fiamminga e spagnola, del Seicento e della decadenza. Ogni moto dell'ingegno umano ha lasciato in Roma un'orma 15 indelebile; ogni secolo, ogni anno, ogni momento ha lasciato in Roma testimonianza del suo passaggio.

E questa Roma è regina delle acque. Per le vene di Roma scorre l'Acqua Vergine, l'Acqua Felice, l'Acqua Marcia, l'Acqua Paola,[1] acque freschissime e pure e maestose. Le fontane di 20

---

[1] **Acqua ... Paola,** *terms designating some of the principal* sources *for the water supply of Rome, in most cases brought in originally from the surrounding hills by the famed Roman aqueducts.*

Roma! Spesso rimango ore e ore ad amoreggiare con le fontane. In Piazza Navona[2] ve ne sono tre ed io passo dall'una all'altra senza mai saziarmi della loro vista. E la Barcaccia[3] in Piazza di Spagna? Essa è posta dinanzi alla scalinata per cui si sale alla Trinità dei Monti, il punto più soavemente bello di Roma. E la fontana di Trevi?[4] È il capolavoro di Nicola Salvi: tra i più capricciosi e svariati giuochi d'acqua emergono cavalli marini e tritoni, irrigati di rivoletti freschi che danno l'apparenza di essere vivi: campeggia su tutti l'Oceano sulla sua conchiglia. Sembra un sogno. E il gioiello della fontana delle Tartarughe?[5] Ma già, è inutile che te le enumeri tutte. In tutte le piazze e in tutti i maravigliosi giardini vi è, con le più inaspettate risorse di linee, un trionfale inno marmoreo o bronzeo all'acqua.

Vedi, fratello, a parlare di Roma io m'esalto. E credi che ho ragione di esaltarmi e lo capirai anche tu quando l'avrai veduta.

From a letter by Giosuè Borsi (1888–1915)

[2] **Piazza Navona,** *one of the great monumental squares of Rome, with three fountains of which the most celebrated is that of the Rivers by Bernini.*

[3] **la Barcaccia,** *designates a fountain at the foot of the Spanish Steps in Piazza di Spagna.*

[4] **fontana di Trevi,** *famed to moviegoers from "Three Coins in a Fountain" and "La Dolce Vita," the largest and most monumental of Roman fountains, not far from Piazza di Spagna.*

[5] **il gioiello ... Tartarughe,** *that jewel, the Tortoise fountain, with a graceful design due to the sculptor Landini (1585).*

II. STRANIERI A ROMA

Prima degli ultimi quattro o cinque anni, d'estate Roma non aveva mai veduto turisti. L'estate italiana era ritenuta in tutto il mondo insopportabile. Ora, di questa stagione, nel centro di Roma pare che una nuova popolazione si sovrapponga a quella locale. Le piazze famose e i monumenti sembrano collocarsi in un'altra dimensione, e anche noi che vi abbiamo vissuto in mezzo[1] per tutta o quasi la nostra vita, ci troviamo di

[1] **vi ... mezzo** = **abbiamo vissuto in mezzo a essi.**

fronte ad essi come stranieri. Li vediamo con gli occhi di quei visitatori, ci ritroviamo anche noi estranei, pellegrini fra le nostre cose. È un sentimento nuovo, è uno dei fenomeni del 45 turismo di massa. Già la crescita della città moderna coi suoi mezzi di locomozione aveva rotto il rapporto, quasi fisico e familiare, dell'uomo coi monumenti della sua città; la via moderna con la sua circolazione a tutte le ore, isola quei monumenti, li pone in una nuova dimensione, li rende lontani. 50 Ci capita di sorprenderci a guardare[2] la nostra città in cui abbiamo vissuto, con l'occhio dello straniero. Ne riconosciamo le cupole, le torri, le piazze, i monumenti, familiari e insieme allontanatisi[3] come il padre e la madre da cui si è preso[4] congedo per la vita.   55

V'è stato un fenomeno che s'è prodotto insensibilmente e di cui ci accorgiamo all'improvviso: l'aumento della popolazione, e il numero di persone che hanno acquistato la facoltà di arrivare da tutti i punti della terra a quella piazza, in quella strada, in quell'angolo di città fino a ieri romito. Luoghi 60 familiari e di culto, sono divenuti mèta[5] di visitatori e spettatori. I quali percorrono migliaia di chilometri per trovarsi un istante, solo un istante, in quell'ambiente, vedere quella pietra e quell'albero e quel pezzo di cielo. Forse è saluto di riconoscimento, forse un congedo da una vecchia civiltà. 65 Sentiamo che in tutto il mondo essa è sparita per sempre, che nuove forme di vita e nuove testimonianze, nuovi modi d'essere nasceranno e stanno nascendo; che quei modi antichi resteranno unici e non più replicabili. Per poco che mutino le proporzioni delle vecchie città, che si dia mano libera[6] alla fatal tendenza 70 umana alla distruzione, questi monumenti appariranno immagini puerili d'un'infanzia del mondo; se non il sepolcro del vecchio

---

[2] **Ci . . . guardare,** *We sometimes find ourselves looking at.*
[3] **allontanatisi = che si sono allontanati,** far removed.
[4] **si è preso = abbiamo preso.**
[5] **méta,** a goal, *usually so written to distinguish it from* **metà,** half.
[6] **Per poco . . . libera,** However little it may be that the proportions of old cities change, that we give in (grant a free hand).

Roma, veduta aerea: Piazza Venezia, monumento a Vittorio Emanuele,
Foro e Colosseo. [E.N.I.T.]

Roma: Basilica di S. Pietro,
la cupola di Michelangelo.
[Hélène de Franchis]

Roma: particolare della
cupola. [Hélène de Franchis]

Roma: fontana di Nettuno, Piazza Navona. [E.N.I.T.]

Roma: scalinata della Trinità dei Monti (Spanish Steps). [Hélène de Franchis]

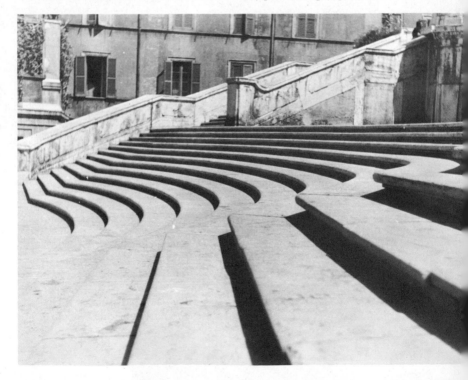

Roma: Piazza del Campidoglio, su disegno di Michelangelo. [Hélène de Franchis]

mondo. Non ci si ferma, vi si passa; non se ne domandano più
i segreti . . .

I mezzi del mondo d'oggi concedono un solo istante per 75
scorgere la cupola di San Pietro come un'opaca luna sulla
campagna, e un monte che si delinea, scompare;[7] e[8] una
fontana famosa che riempie per un secondo del suo scroscio
l'automobile in corsa. Che cos'era? Quale papa? Quale re?
Quale guerra? Quale crollo o trionfo? Conservatori e custodi 80
d'una storia non più replicabile, sembra che ce la trasciniamo
dietro[9] come tanti oggetti di cui non osiamo disfarci . . .

Corrado Alvaro (1895–1956)

[7] **si delinea, scompare,** stands out (*for a moment, then*) disappears.
[8] **e = e per scorgere.**
[9] **ce la trasciniamo dietro = la portiamo [la storia] con noi;** *cf. the construction in n. 1 where* **mezzo,** *like* **dietro** *here, really governs the preceding pronoun* (**vi** *or* **ce**).

Esercizi

Questions for discussion:

ROMA REGINA DELLE ACQUE

1. Discuss some of the ways in which every century has left its
   indelible mark on Rome. Do not limit your remarks to information included in the text.
2. What, in Rome, is particularly appealing to the author? Why?

STRANIERI A ROMA

1. How has tourism affected the inhabitants of Rome? Does the
   native, as a result, see more or less of his city? Why? How has
   modern transportation affected his view of the city?

Dino Buzzati

Nuovi strani amici

Simplicity and clarity of style are the qualities that make Dino Buzzati (born 1906) one of the most readily accessible to a foreign reader among the major Italian writers of today. He gained international fame in 1940 with his novel *Il deserto dei Tartari*, in which one can discern a certain influence of Franz Kafka. He has continued to distinguish himself in the field of the novel with such realistic works as *Un amore* (1963), and in the drama *Un caso clinico* (1953). He is probably most widely read, however, as one of the contemporary masters of the novella, in which he shows himself to some extent a disciple of Bontempelli and his "magic realism" (see p. 164).

Our first selection from Buzzati, "Nuovi strani amici," is found in his volume *Paura alla Scala* (1948). Ten years later the author published a selection from his previous volumes, under the collective title *Sessanta racconti*; this includes our second story, "Grandezza dell'uomo."

Come fu morto, Stefano Martella, direttore di una società di assicurazioni – il quale aveva soggiornato, peccato, lavorato e vinto la sua partita[1] sulla superficie della terra per quasi cinquant'anni – si trovò in una meravigliosa città, fatta di edifici sontuosi, strade ampie e regolarissime, giardini, ricchi 5 negozi, ricche automobili, cine e teatri, gente ben nutrita e

---

[1] **vinto la sua partita,** won his game (in the battle for worldly success).

elegante, limpido sole, tutto bellissimo a vedersi. Egli camminava placidamente per un viale e al suo fianco un signore molto gentile gli dava le spiegazioni. «Lo sapevo» pensava tra sè «non poteva essere diverso; ho lavorato per tutta la vita, ho provve- 10 duto ai miei,[2] ho lasciato ai figli una sostanza rispettabile, ho fatto insomma il mio dovere; eccomi perciò in paradiso.»

Il signore che lo accompagnava disse di chiamarsi Francesco e di trovarsi là da una decina d'anni. «Soddisfatto?» gli chiese il Martella con un sorriso di complicità, quasi la domanda fosse 15 ridicolmente superflua. L'altro lo guardò fissamente: «Come posso dire di no?» rispose. E si misero a ridere.

Era Francesco un funzionario della municipalità o lo faceva per semplice cortesia? Condusse il Martella da una strada all'altra, da una meraviglia a una meraviglia più grande. Tutto 20 era perfetto, ordinato, pulito, senza odori cattivi nè frastuoni. Camminarono un bel pezzo senza che il Martella, il quale era abbastanza corpulento, avvertisse stanchezza.[3]

A un angolo era ferma una macchina, bella, bellissima; con dentro un autista in livrea che aspettava. «È la sua» disse 25 Francesco, e invitò il Martella a salire. Su questa macchina fecero ancora un lungo giro. L'ospite guardava la gente per le vie, uomini e donne di ogni età e di varia condizione sociale, tutti però ben vestiti e di aspetto florido. Avevano tutti una espressione favorevole; c'era tuttavia sui volti una specie di 30 fissità, quasi di segreta noia. «Per forza» si disse il Martella «non possono mica continuare a sorridere di felicità per tutto il santo giorno.»

Giunsero a un palazzo, uno dei più belli. «È la sua casa» disse Francesco e invitò l'altro a entrare. La villa che il Martella 35 aveva posseduto nel mondo era una catapecchia al paragone. Come nelle favole. Tutto c'era: saloni, studio, biblioteca, sala da biliardo e una serie di altre comodità che è inutile enumerare; giardino, naturalmente, con tennis, galoppatoio, piscina,

---

[2] **ho provveduto ai miei,** I provided for my family.
[3] **senza che il Martella . . . avertisse stanchezza,** without Martella feeling fatigue.

laghetto con pesci. E dappertutto servitori che aspettavano 40 ordini.

Con l'ascensore salirono all'ultimo piano. Ivi era, tra l'altro, un incantevole salone da musica, con una vetrata immensa da cui lo sguardo spaziava. Il Martella ristette meravigliato: per quanto sforzasse la vista,[4] non riusciva a scorgere il limite della 45 città: terrazze, cupole, grattacieli, torri, pinnacoli, stendardi al vento e poi ancora cupole, terrazze, pinnacoli, torri, stendardi, sempre più lontani più lontani; pareva non finissero mai. Poi un'altra cosa: non si vedevano campanili. Allora, lui domandò: «E le chiese? Non ci sono chiese?» «Mah» rispose Francesco e 50 pareva stupito per l'ingenuità, «qui non dovrebbe essercene bisogno, vero?»

«E Dio?» domandò il Martella (in cuor suo non gliene importava un bel niente, ma gli sembrava doveroso, se non altro per cortesia, informarsi circa il padrone di casa, il signore di 55 quel regno). «E Dio? Mi ricordo che al catechismo, da piccolo, mi dicevano che in paradiso si gode la vista di Dio. Da quassù non si vede?» Francesco rise, in tono un po' beffardo a dire il vero: «Eh, caro Martella, scusi se glielo dico, ma adesso forse pretende un po' troppo, mi sembra.» (Ma perchè rideva in quel 60 modo antipatico?) «Ciascuno ha il suo giusto paradiso, natural-mente, conforme alla sua natura. Che cosa[5] le può interessare Dio, se non ci ha mai creduto?» Al che l'altro non insistette; dopo tutto, che gliene importava?

Visitarono, non tutta la casa, che sarebbe stato troppo lungo, 65 ma le cose principali; l'insieme prometteva una esistenza beata. Poi Francesco propose di andare al circolo: il Martella vi avrebbe trovato un gruppo di cari amici. Intanto, mentre uscivano, l'ex-direttore di assicurazioni volle cavarsi una curiosità; con accento furbesco, quasi per celia, sussurrò alla 70 sua guida: «E donnette? ce ne sono di graziose donnette?» (Non che per la via non ne avesse vedute; una più bella dell'altra, anzi; ma voleva proprio sapere se lui, alla sua età, senza

---

[4] **per . . . vista,** no matter how he strained his sight.
[5] **Che cosa = Come.**

rimetterci in prestigio, avrebbe potuto eccetera eccetera.) «Che domande» fece l'altro, divertito, ma sempre con quel fondo 75 beffardo. «Vuole che manchino proprio qui in paradiso?»

Al circolo, una residenza degna di monarchi, sette otto signori di cospicua levatura sociale furono intorno al Martella, con la cordialità di vecchi amici. Lui ebbe l'impressione di averne conosciuti già due; gli venne anzi il vago sospetto che fossero 80 stati due colleghi, chissà, suoi rivali, a cui forse aveva giocato qualche brutto tiro; ma di preciso non riusciva a ricordare. Nessuno dei due del resto diede segno di riconoscerlo.

«Eccoti qui dunque anche tu!» disse il più vecchio di quei signori, bianco di capelli, dignitosissimo, che lo contemplava 85 avidamente. «Contento? contento?» «Eh, per forza contento,» rispose il Martella, centellinando un aperitivo che gli era stato subito offerto.

«Perchè dici per forza?» intervenne un altro, magro, sulla trentina, con una faccia un po' sul tipo di Voltaire, una piega 90 delle labbra alquanto ironica ed amara. «Credi proprio che sia obbligatorio essere contenti?»

«Non cominciare con le tue solite storie, ti prego» gli disse subito il vecchio, come se quelle parole lo avessero infastidito. «Per mio conto dico che è praticamente obbligatorio. Tutto 95 quello che ci faceva penare laggiù» e fece con la destra un piccolo gesto bizzarro, che il Martella non aveva mai visto, evidentemente un gesto convenzionale e assai comune nell'aldilà per indicare la primiera esistenza «tutto quello che ci faceva penare laggiù adesso è scomparso.»   100

«Tutto, proprio tutto? Anche gli scocciatori?» fece il Martella per mostrarsi di spirito.

«Spero bene» disse il vecchio signore.

«E malattie? Neanche un raffreddore?»

«Malattie? Allora perchè si sarebbe in paradiso?» e accentuò 5 l'ultima parola, chissà perchè, quasi la disprezzasse.

«Tranquillizzati» confermò il magro fissando bene negli occhi il nuovo compagno, «inutile aspettarsi malattie, non verranno.»

«E che cosa ti fa pensare che io ne aspetti? Ne ho avuto

abbastanza, direi» disse il Martella e si compiacque che gli 10
fosse venuta fuori così, spontaneamente, una facezia.

«Non si sa mai, non si sa mai» insisteva l'altro, nè si capiva se
scherzasse o no. «Non sperare di potertene stare qualche giorno
in letto con la febbre . . . o di avere un bel mal di denti . . .
Neppure una storta, neanche una volgarissima storta ci è 15
concessa!»

«Ma perchè gli parli così? Non sono mica disgrazie!»
esclamò il vecchio; quindi, rivolto all'ospite: «Non badarci, sai,
lui si diverte a scherzare.»

«Eh, ho ben capito» disse il Martella con stentata disinvoltura, 20
perchè invece si sentiva in imbarazzo. «Qui insomma il dolore
non esiste.»

«Non c'è dolore, caro mio» ribadiva il signore canuto, «e
quindi non ospedali, non manicomi, non colonie sanatoriali.»

«Giusto!» approvò il magro. «Su, spiegagli bene tutto!»   25

«Ecco» continuò il vecchio signore, «noi non abbiamo dolori.
E poi qui nessuno ha paura. Di che cosa dovrebbe aver paura?
Vedrai, non ti capiterà più di sentire il cuore che batte.»[6]

«Neanche quando si fanno dei brutti sogni, degli incubi?»

«E perchè vuoi avere degli incubi? Non credo neppure si 30
sogni, da noi. Che io mi ricordi,[7] da quando sono qui non ho
mai sognato una volta.»

«Ma desideri, desideri ne avrete, dico.»

«Desideri di che? Se abbiamo tutto. Che cosa resta da
desiderare? Che cosa ci manca?»   35

«E le cosiddette . . . le cosiddette pene d'amore?»

«Neanche queste, naturalmente. Nè desideri, nè amore, nè
rimpianti, nè odi, nè guerre, ti dico: tutto assolutamente
tranquillo.»

Ma a questo punto il giovane magro si alzò, da seduto che 40
era,[8] in piedi; una espressione dura sul volto. «Non pensarci

---

[6] **il cuore che batte,** *not necessarily with fear: the double meaning
suggested here gives much of the force to the conversation following.*
[7] **Che io mi ricordi,** As well as I can recall.
[8] **da seduto che era,** from his (previous) sitting position.

nemmeno» disse al Martella con impeto. «Cavatelo dalla mente.[9] Qui, siamo tutti felici, intesi? Niente ti costerà fatica, non sarai mai stanco, non avrai sete, mai ti farà male il cuore alla vista di una donna, mai dovrai aspettare la luce dell'alba, 45 rivoltolandoti sul letto, come una liberazione. Non abbiamo nostalgie, nè rimorsi, niente ci fa più paura, non c'è più neanche la paura dell'inferno! Siamo felici, te ne vuoi persuadere?» (Qui si fermò un attimo, quasi colto da pensiero sgradito.) «E poi . . ., e poi specialmente una cosa: sulle prime non ci si pensa, eppure 50 è tutta qui la questione: da noi non esiste la morte, capisci? Non abbiamo più la facoltà di morire; che bellezza, vero? Ne siamo de-fi-ni-ti-va-men-te (e sillabava la parola) definitivamente esonerati . . . Ha un bel passare il tempo,[10] oggi è uguale a ieri, domani uguale a oggi, niente di male ci potrà mai succedere.» 55 (La voce qui si fece lenta e grave.) «La morte! Ti ricordi quanto la odiavamo? Come ci amareggiava la vita! E i cimiteri, te li ricordi? E i cipressi, e i lumini nella notte, e i fantasmi, i fantasmi con le catene che uscivano dalle tombe? . . . E il pensiero dell'aldilà, le discussioni che si facevano, quel mistero, 60 ti ricordi? Oh, ma chi ci pensa oramai . . . Qui tutto è diverso, qui siamo liberi finalmente, non c'è nessuno che ci stia ad aspettare alla porta. Che soddisfazione, vero? che bellissima festa!»

Il vecchio signore aveva ascoltato lo sfogo con crescente 65 apprensione. Ora intervenne duramente: «Smettila, ti dico, smettila. È mai possibile perdere così il controllo?»

«Il controllo? E che me ne importa? E perchè lui non deve sapere?» esclamò il magro, sbeffeggiando; e rivolto al Martella: «Sei venuto anche tu qui a marcire, non hai ancora capito? A 70 migliaia ne arrivano come te, ogni giorno, lo sai? E trovano la loro automobile, il castello, i teatri, le donnine, gli spassi . . . e non hanno malattie, nè amore, nè ansie, nè paure, nè rimorsi, nè desideri, nè niente!»

Era troppo. Senza tumulto ma con estrema fermezza, tre dei 75

---

[9] **Cavatelo dalla mente.** Put it out of your mind.
[10] **Ha . . . tempo,** Time may flow on as it pleases.

presenti, fra cui il vecchio, afferrano il giovane per le braccia,
traendolo di forza all'uscita, come avesse contravvenuto a un
geloso patto dal quale dipendesse la comune esistenza. D'altra
parte, la prontezza dell'intervento denotava che non era una
novità; scenate del genere dovevano avvenire abbastanza spesso. 80

Il giovane fu spinto fuori della porta e poi giù dalla scalinata
verso il giardino, ma continuava a gridare, sempre indirizzato
al Martella: «Guardali, i bei palazzi, i giardini, i gioielli.
Divertiti, se sei capace. Ma non capisci che abbiamo perso
tutto? Ma non hai ancora capito che . . .» Qui le parole furono 85
soffocate, come[11] gli avessero imposto un bavaglio.

La frase terminò in un borbottio informe che il Martella non
potè decifrare. Non importava, oramai. Una voce sottile,
estremamente precisa, gli diceva ciò che l'altro non era
riuscito.[12] «Ma non hai ancora capito» diceva questa voce «che 90
noi siamo all'inferno?»

L'inferno? Con quei palazzi, quei fiori, e tante leggiadre
creature? Quello, l'inferno? Che assurdità! Eppure Stefano
Martella si guardava intorno smarrito, sentendosi rovesciare il
cuore. Si guardava intorno come invocando smentita.[13] Ma 95
intorno gli stavano sei sette volti impeccabili, dalla pelle liscia,
ben nutrita, volti misteriosi che lo fissavano, le labbra socchiuse
a una regolamentare letizia. Un servitore si avvicinò, porgendogli
un altro bicchiere. Lui bevve un sorso con disgusto; si sentiva
orribilmente solo, abbandonato dal genere umano; poi lenta- 100
mente si riprese, fissò anche lui in faccia i cari amici, unendosi
alla disperata congiura. E tutti insieme, con fatica miseranda,
tentavano di sorridere.

[11] **come** = come se.
[12] **riuscito** = riuscito a dire.
[13] **come invocando smentita,** as if to appeal for denial.

Esercizi

I. Rispondere in italiano:

1. Dove si trovò Stefano Martella appena morto?
2. Com'era fatta quella città?

3. Chi dava al Martella le spiegazioni?
4. Perchè egli pensava di ęssere in paradiso?
5. Di chi era la mącchina ferma all'ąngolo?
6. Com'era la gente che incontrąvano per le vie?
7. Com'era il palazzo destinato al Martella?
8. C'ęrano chiese in quella città? E Dio c'era?
9. Quando era in vita il Martella aveva creduto in Dio?
10. Cosa propose di fare Francesco?
11. Mancąvano in quel paradiso le graziose donnette?
12. Chi trovąrono al cįrcolo?
13. Che aspetto aveva il giǫvane magro?
14. Quali sono i mali che più tormęntano gli uǫmini in vita?
15. Questi mali esįstono in paradiso?
16. Che cosa dice della morte il giǫvane magro?
17. Perchè il giǫvane fu spinto fuori della porta?
18. Che cosa diceva al Martella una voce sottile?
19. La bella città era davvero il paradiso?

II. Tradurre in italiano le espressioni in paręntesi:

1. Camminąrono (*for quite a way*).
2. Su questa mącchina (*they took a long ride*).
3. La villa che il Martella aveva posseduto nel mondo era una catapecchia (*by comparison*).
4. Con accento furbesco, (*almost in jest*) sussurrò alla sua guida: – E donnette?
5. (*Neither of the two*) diede segno di riconǫscerlo.
6. Intervenne un altro, magro (*about thirty years old*).
7. (*It's useless to expect*) malattįe, non verranno.
8. Che cosa resta da desiderare? (*What are we missing?*)
9. (*Don't even think about it*) – disse al Martella con įmpeto.
10. (*At first*) non ci si pensa.
11. (*Cut it out*) ti dico.
12. Scenate del gęnere (*must have taken place*) abbastanza spesso.

Dino Buzzati

Grandezza dell'uomo

Si era fatto già buio quando la porta della buia prigione fu aperta e le guardie scaraventarono dentro un vecchiettino minuscolo e barbuto.

La barba di questo vecchietto era bianca e quasi più grande di lui. E nella grave penombra del carcere emanava una debole 5 luce, ciò che fece, ai manigoldi chiusi là dentro, una certa impressione.

Ma per via della tenebra il vecchietto sulle prime[1] non si era accorto che in quella specie di spelonca ci fosse altra gente e domandò: 10

«C'è qualcuno?»

Gli risposero vari sogghigni e mugolii. Quindi ci furono, secondo l'etichetta locale, le presentazioni.

«Riccardon Marcello»[2] fece una voce roca «furto aggravato.»

Una seconda voce, pure discretamente cavernosa: 15

«Bezzedà Carmelo, recidivo in truffa.»

E poi:

«Marfi Luciano, violenza carnale.»

«Lavataro Max, innocente.»

[1] **sulle prime,** at first.
[2] **Riccardon Marcello,** Marcel Riccardon. *Each of the criminals names the crime for which he is in prison, including* aggravated theft, swindling (a repeater), rape, murder, *and* parricide.

Scrosciò una salva di grosse risate. La facezia infatti era 20
piaciuta moltissimo dato che tutti conoscevano Lavataro come
uno dei banditi più famosi e carichi di sangue. Quindi ancora:

«Esposito Enea, omicidio» e palpitò nella voce un fremito
d'orgoglio.

«Muttironi Vincenzo» il tono era di trionfo «parricidio . . . E 25
tu, vecchia pulce?»

«Io . . .» rispose il nuovo venuto «precisamente non so. Mi
hanno fermato, mi hanno chiesto i documenti, io i documenti
non li ho mai avuti.»

«Vagabondaggio, allora, puah!» disse uno con disprezzo. «E 30
il tuo nome?»

«Io . . . io sono Morro, ehm ehm . . . detto comunemente il
Grande.»

«Morro il Grande, questa è mica male» commentò uno,
invisibile, dal fondo. «Ti va un po' largo,[3] un nome simile. Ci 35
stai dentro dieci volte.»

«Proprio così» disse il vecchietto con grande mansuetudine.
«Ma la colpa non è mia. Me l'hanno cacciato addosso a scopo
di dileggio,[4] questo nome, io non ci posso fare niente. E mi
procura delle noie, anche. Per esempio, una volta . . . ma è una 40
storia troppo lunga . . .»

«Dai, dai, sputa fuori»[5] incitò duramente uno di quei malnati
«il tempo non ci manca.»

Tutti approvarono. Nella tetra noia del carcere qualsiasi
diversivo era una festa.   45

«Bene» il vecchietto raccontò, «un giorno che giravo per una
città che forse è meglio tacere, vedo un grande palazzo con
servitori che vanno e vengono dalla porta carichi di ogni ben di
Dio. Qui si dà una festa, io penso, e mi avvicino per domandare
l'elemosina. Non faccio in tempo che un marcantonio alto due 50
metri mi abbranca[6] per il collo. «Eccolo qui, il ladro» si mette a

---

[3] **Ti va un po' largo,** It's a bit big for you.
[4] **Me . . . dileggio,** They stuck that name on me to make fun of me.
[5] **Dai, dai, sputa fuori,** Come on now, out with it (spit it out).
[6] **Non . . . abbranca,** I'm not quick enough about it to keep a great
giant of a fellow from grabbing me.

urlare «il ladro che ieri ha rubato la gualdrappa del nostro padrone. E ha il coraggio anche di tornare. Adesso ti conteremo noi le ossa!» «Io?» rispondo. «Ma se ieri ero almeno a trenta miglia da qui. Come è possibile?» «Ti ho visto con queste mie 55 pupille, ti ho visto che te la filavi[7] con la gualdrappa sulle spalle» e mi trascina nel cortile del palazzo. Io mi butto in ginocchio: «Ieri ero a trenta miglia almeno da qui. In questa città non sono mai stato, parola di Morro il Grande.» «Cosa?» fa l'energumeno guardandomi con tanto d'occhi.[8] «Parola di 60 Morro il Grande» io ripeto. Quello, da imbufalito che era,[9] improvvisamente scoppia a ridere. «Morro il Grande?» dice. «Venite, venite a vedere questo pidocchio che dice di chiamarsi Morro il Grande» e a me: «Ma lo sai chi è Morro il Grande?» «Oltre a me» rispondo «non conosco nessun altro.» «Morro il 65 Grande» dice il sacripante «è nientemeno che il nostro eccellentissimo padrone. E tu, pezzente, osi usurparne il nome! Ora stai fresco. Ma eccolo qua che viene.»

«Proprio così. Richiamato dalle grida, il padrone del palazzo era sceso personalmente nel cortile. Un mercante ricchissimo, 70 l'uomo più ricco di tutta la città, forse del mondo. Si avvicina, domanda, guarda, ride, l'idea che un poveraccio come me porti il suo stesso nome, lo esilara. Ordina al servo di lasciarmi, mi invita a entrare, mi fa vedere tutte le sale piene zeppe di tesori, mi conduce perfino in una stanza corazzata dove ci erano 75 mucchi così[10] d'oro e di gemme, mi fa dar da mangiare e poi mi dice:

«Questo caso, o vecchio mendico che porti un nome uguale al mio, è tanto più straordinario perchè anche a me, durante un viaggio in India, è capitata la stessa identica cosa. Ero andato al 80 mercato per vendere e subito, vedendo le preziose cose che portavo, si erano fatti intorno in molti[11] a chiedermi chi ero e da dove venivo. 'Mi chiamo Morro il Grande' io rispondo. E

[7] **che te la filavi,** sneaking off.
[8] **con tanto d'occhi,** with wide open eyes.
[9] **da imbufalito che era,** who had been looking like an angry buffalo.
[10] **così,** piled as high as this (*with gesture*).
[11] **si ... molti,** people gathered about me in great numbers.

quelli, con la faccia scura: 'Morro il Grande? Che grandezza
può essere mai la tua, volgarissimo mercante? La grandezza 85
dell'uomo sta nell'intelletto. Di Morro il Grande ce ne è uno
solo, e vive in questa città. Egli è l'orgoglio del nostro Paese e
tu, briccone, ora gli renderai conto della tua millanteria.' Mi
prendono, mi legano e mi conducono da questo Morro di cui
ignoravo l'esistenza. Era un famosissimo scienziato, filosofo, 90
matematico, astronomo ed astrologo, venerato quasi come un
dio. Per fortuna lui ha capito subito l'equivoco, si è messo a
ridere, mi ha fatto liberare, poi mi ha condotto a visitare il suo
laboratorio, la sua specola, i suoi meravigliosi strumenti tutti
costruiti da lui. E infine ha detto: 95
«Questo caso, o nobile mercante straniero, è tanto più
straordinario perchè anche a me, durante un viaggio nelle
Isole del Levante, è capitata la stessa identica cosa. Mi ero colà
incamminato verso la cima di un vulcano che intendevo studiare,
quando un gruppo di armigeri, insospettiti dai miei abiti 100
stranieri, mi fermarono per sapere chi fossi. E avevo appena
fatto in tempo a pronunciare il mio nome che mi caricarono
di catene, trascinandomi verso la città. 'Morro il Grande?' mi
dicevano 'che grandezza mai può essere la tua, miserabile
maestrucolo? La grandezza dell'uomo sta nelle gesta eroiche. 5
Di Morro il Grande ne esiste uno solo. È il signore di questa
isola, il più valoroso guerriero che abbia mai fatto balenare la
sua spada al sole. E ora ti farà decapitare.' Mi condussero infatti
alla presenza del loro monarca che era un uomo dall'aspetto
terribile. Per fortuna riuscii a spiegarmi e lo spaventoso guerriero 10
si mise a ridere per la singolare combinazione, mi fece togliere
le catene,[12] mi donò ricche vesti, mi invitò a entrare nella reggia
e ad ammirare le splendide testimonianze delle sue vittorie su
tutti i popoli delle isole vicine e lontane. Infine mi disse:
«Questo caso, o illustre scienziato che porti il medesimo mio 15
nome, è tanto più straordinario perchè anche a me, quando ero
a combattere[13] nella lontanissima terra denominata Europa,

---

[12] mi . . . catene, had my chains removed.
[13] ero a combattere, I was fighting.

capitò la stessa idęntica cosa. Avanzavo infatti con i miei armati per una foresta quando mi si fęcero incontro[14] dei rozzi montanari che mi chięsero: 'Chi sei tu che porti tanto fragore 20 d'armi nel silenzio delle nostre selve?' E io dissi: 'Sono Morro il Grande' e pensavo che al solo nome sbigottįssero. Invece quelli ębbero un sorriso di commiserazione, dicendo: 'Morro il Grande? Tu vuoi scherzare. Che grandezza mai può ęssere la tua, vanaglorioso armįgero? La grandezza dell'uomo sta 25 nell'umiltà della carne e nell'elevazione dello spįrito. Di Morro il Grande ce n'è al mondo uno solo e adesso ti condurremo da lui affinchè tu veda la vera gloria dell'uomo.' Infatti mi guidąrono in una solitaria valletta e qui in una mįsera capanna stava, vestito di cenci, un vecchietto dalla barba cąndida, che passava 30 il tempo, mi dįssero, contemplando la natura e adorando Dio; e onestamente devo ammęttere che non avevo mai visto un ęssere umano più sereno, contento e probabilmente felice, ma per me in verità era ormai troppo tardi per cambiare strada.»

«Questo aveva raccontato il potente re dell'įsola al sapiente 35 scienziato e lo scienziato poi lo aveva narrato al ricchįssimo mercante e il mercante l'aveva detto al pǫvero vecchietto presentątosi al suo palazzo pęr chiędere la carità. E tutti si chiamąvano Morro e tutti, chi per una ragione o per l'altra, ęrano stati denominati grandi.» 40

Ora, nel tenebroso cąrcere, avendo il vecchietto finito la sua storia, uno di quei furfanti domandò:

«E così, se il mio cranio non è pieno di stoppa, quel dannato vecchietto della capanna, il più grande di tutti, non saresti altro che tu?» 45

«Eh, cari figlioli» mormorò il barba senza rispǫndere nè sì nè no «è una cosa ben buffa la vita!»

Allora per qualche istante i manigoldi che lo avęvano ascoltato, tącquero, perchè anche agli uǫmini più sciagurati certe cose danno parecchio a pensare. 50

[14] **mi si fęcero incontro,** there came toward me.

Esercizi

I. Rispọndere in italiano:

1. Chi era il vecchiettino che le guardie scaraventạrono in prigione?
2. A chi il vecchietto racconta la sua storia?
3. Perchè un servitore lo prende e lo trascina nel cortile d'un palazzo?
4. Chi era il padrone del palazzo?
5. Che cosa era capitata al ricco mercante durante un viaggio in India?
6. Chi era il terzo Morro?
7. Cosa voleva studiare in un'ịsola del Levante?
8. Chi era il quarto Morro?
9. Dove era andato a combạttere?
10. Da chi lo condụcono i rozzi montanari?
11. Come passava il tempo il vecchietto dalla barba bianca?
12. Chi era il Morro più grande di tutti?
13. Perchè tạcquero i manigoldi che avẹvano ascoltato il vecchio?
14. In che consiste la vera grandezza dell'uomo?

II. Tradurre in italiano le espressioni in parẹntesi:

1. (*It had already grown dark*) quando la porta fu aperta.
2. Il vecchietto domandò: – (*Is anyone there?*)
3. Il tono era (*triumphant*).
4. – Dai, dai, sputa fuori, (*we're not lacking time*).
5. (*I come close*) per domandare l'elemọsina.
6. Ma se ieri ero almeno (*thirty miles away from here*).
7. (*Besides me,*) non conosco nessun altro.
8. Tu, briccone, ora (*you will answer to him*) della tua millanterịa.
9. Lo spaventoso guerriero si mise a rịdere (*on account of the strange coincidence*).
10. Eh, cari figlioli, (*life is a very funny thing*).

Poesia

PIANTO ANTICO

L'albero a cui tendevi
la pargoletta mano,
il verde melograno
da' bei vermigli fior,

Nel muto orto solingo   5
rinverdì tutto or ora,
e giugno lo ristora
di luce e di calor.

Tu, fior de la mia pianta
percossa e inaridita,   10
Tu de l'inutil vita
estremo unico fior,

Sei ne la terra fredda,
sei ne la terra negra;
nè il sol più ti rallegra,   15
nè ti risveglia amor.

Giosuè Carducci (1835–1907)

TRANSLATION

THRENODY

The tree toward which you used to stretch your tiny hand, the green pomegranate with its lovely crimson blossoms, has just now turned green in the mute lonely orchard, and June is restoring it with light and warmth.

You, flower of my stricken and withered life-tree, you, last and only flower of this barren life, are in the cold cold ground, in the black earth, nor can the sun give you joy nor love arouse you.

—*For his only son Dante Carducci, who died in 1870 at the age of three.*

DAL GRECO DI SAFFO

FRAMMENTI LIRICI, II

A me pare uguale agli dèi
chi a te vicino così dolce
suono ascolta mentre tu parli

e ridi amorosamente. Subito a me
il cuore si agita nel petto   5
solo che appena ti veda, e la voce

si perde sulla lingua inerte.
Un fuoco sottile affiora rapido alla pelle,
e ho buio negli occhi e il rombo
del sangue alle orecchie.   10

E tutta in sudore e tremante
come erba patita scoloro:
e morte non pare lontana
a me rapita di mente.

tradotto da Salvatore Quasimodo (n. 1901)

TRANSLATION

SAPPHO: LYRICAL FRAGMENTS, II

Probably the best English version of this famous lyric (c. 610 B.C.) is by William Ellery Leonard in Mark van Doren's Anthology of World Poetry. Mr. Quasimodo's version can be read as poetry on its own merits, and indeed, he has been praised as highly for his translations from the Greek as for his original work. Simply to aid the student we offer the following approximately literal translation of the Quasimodo version:

To me the one appears equal to the gods who beside you hears such sweet music as you lovingly speak and laugh. Suddenly my heart stirs in my breast just the moment I see you, and my voice fails on my lifeless tongue. A subtle fire flashes up through my flesh, darkness comes over my eyes and my blood throbs in my ears. All in a sweat and trembling I grow pale like withered grass, and Death seems not far away, to me transported in ecstasy.

ANTICO INVERNO

Desiderio delle tue mani chiare
nella penombra della fiamma:
sapevano di rovere e di rose;
di morte. Antico inverno.

Cercavano il miglio gli uccelli   5
ed erano subito di neve;
così le parole.
Un po' di sole, una raggera d'angelo,
e poi la nebbia; e gli alberi,
e noi fatti d'aria al mattino.   10

Salvatore Quasimodo

TRANSLATION

Ancient Winter

Desire for your bright hands
in the penumbra of the flame:
they smelt of oak and roses;
of death. Ancient winter.

The birds were seeking grain
and suddenly were snowed under;
thus—words.
A little sun, an angel's glory,
and then the mist; and the trees
and us, made of air in the morning.

(*Official English translation by Allen Mandelbaum*)

Vanità

D'improvviso
è alto
sulle macerie
il limpido
stupore   5
dell'immensità

E l'uomo
curvato
sull'acqua
sorpresa   10
dal sole
si rinviene
un'ombra

Cullata e
piano   15
franta.

Giuseppe Ungaretti (9 agosto 1917)

TRANSLATION

VANITY

Suddenly stands high over the rubble the limpid amazement of space and a man bent over the sun-splashed water becomes a shadow rocked and gently shattered.

Luigi Barzini

La mia New York

Luigi Barzini, born in Milan in 1908, continues a journalistic tradition begun by his father Luigi Barzini (1874–1947). Born in Orvieto, his father was first famous as a foreign correspondent and later as director in New York of the Italian-language newspaper *Corriere d'America*. Like his father, Barzini has been active in politics, being currently a member of the Italian parliament, and in world travel. In 1940 he won the highly rated Bagutta prize for his book *Evasione in Mongolia*; he is a contributing editor to a number of leading Italian periodicals.

From his long years of residence and study in the United States, Barzini acquired complete mastery of English. In 1964 his book *The Italians* figured high on the best-seller lists in the United States. His opinions on New York are based on an intimate and cosmopolitan acquaintance with our largest city.

New York mi è sempre sembrata due città diverse, a seconda di dove ci arrivavo.[1] Quando venivo dal West, dal cuore vero degli Stati Uniti, l'occhio si soffermava con sollievo su tutto ciò che era vecchio, civile, polveroso, consunto, rassegnato. Quando arrivavo dall'Europa, invece, New York per me era 5

---

[1] **a seconda di dove ci arrivavo,** according to where I was coming (there) from.

un mondo appena nato, tutto contemporạneo, audace, insofferente di precedenti e tradizioni. Mi piaceva mangiare in un
drugstore qualche diavolerịa[2] inventata durante la mia assenza,
di cui avevo visto la pubblicità sulle riviste. Imparavo le nuove
danze. Ammiravo nelle vetrine le recenti invenzioni, le mạcchine 10
ingegnose, gli apparecchi curiosi detti *gadgets*, che dovẹvano
un giorno annullare la fatica dell'uomo. Le persone che vedevo
ẹrano tutti alti, sani, ottimisti. Nessuno aveva la barba. Le
donne ẹrano splẹndide, giọvani, elegantịssime, spregiudicate,
desiderạbili. Le due città, naturalmente, convivẹvano, sovrap- 15
poste, come le immạgini su una pellịcola impressionata due
volte.[3] La vecchia New York europea, civile, *shabby*, e rassegnata era naturalmente negli interstizi della New York moderna, travolgente, frenẹtica, e ottimista. L'occhio sorvolava e
sceglieva. 20

Questo va detto[4] per spiegare l'impressione che mi fece New
York la prima volta che vi arrivai dall'Europa nel 1925, quando
avevo sẹdici anni. Oggi, dopo tanto tempo, rivedo le fotografịe
della città di allora, gli edifici scomparsi, la folla, i personaggi,
e non la riconosco affatto. Non è quella che ricordo, quella 25
che avevo visto. In retrospettiva, mi rendo conto che si trattava
in realtà di una grande città quasi europea. La domẹnica
mattina le buone famiglie andạvano a piedi al servizio religioso,
il padre col cilindro in capo, la madre con le piume di struzzo
sul cappello, i figli vestiti solennemente come per una cerimonia. 30
Il cilindro era quello dei banchieri della *City*,[5] quello dei
borghesi tedeschi. Lungo la *Fifth Avenue* ẹrano suntuose ville
inglesi, palazzi fiorentini, castelli francesi, le abitazioni dei
milionari. La bizzarra imitazione di architetture d'altri tempi e
d'altri paesi non dava il senso di trovarsi in un nuovo continente 35
senza storia. I milionari di tutta Europa abitạvano residenze
sịmili, costruite negli ụltimi anni, anche a Milano e a Roma.

---

[2] **diavolerịa,** crazy concoction.
[3] **le . . . volte,** in a double exposure.
[4] **va detto,** must be said (*or simply omit:* This to explain).
[5] **della City,** of the central (*here,* financial) section of London.

Sfilavano automobili suntuose (la sera, sotto le arcate del *Metropolitan,* per esempio), fabbricate in Europa, Hispano Suiza, Isotta Fraschini. Domestici in livrea, la mattina presto, 40 facevano passeggiare i cani, come a Parigi o a Londra. Per tutto, come a Vienna, erano avvisi di concerti, di rappresenta- zioni musicali, di cori, di quartetti, di sinfonie. I quartieri della povera gente formicolavano di folla, bambini scalzi, suonatori ambulanti, biancheria stesa, negozietti di alimentari, odori 45 d'ogni ben di Dio,[6] grida, musiche di chitarra e di organetti, come a Napoli.

Tutto ciò era allora invisibile per me. Ciò che vidi, sbarcando, era una mostruosa città, inospitale e indifferente, immensa, fatta per il futuro e non per il presente, per uomini diversi da 50 me e non per me. Da lontano, arrivandoci dal mare, nella luce chiara d'altopiano[7] che è spesso quella di New York la mattina, i grattacieli di *downtown* ricordavano cose domestiche, per esempio, un mazzo di candele di varia altezza davanti a un quadro santo. Da vicino erano terrificanti. Si camminava nella 55 loro ombra, nelle stradette strette del quartiere finanziario, come in gole di montagna. Il cielo era solo una altissima striscia sottile. E tutt'intorno erano ponti incredibili, lunghissimi, lanciati attraverso bracci di mare[8] formicolanti di navi. Tutto (anche gli uomini e gli animali) era più grande e pesante del 60 previsto: questa, credo, sia stata la prima impressione. Tutto era fatto con un' abbondanza grossolana[9] di materiali sconosciuta in Europa, dove il lavoro costava poco e la roba molto. Notai le immense pubblicità, che da noi non si conoscevano ancora, i cartelli che si vedevano accendersi e spegnersi sulla costa del 65 New Jersey, le insegne luminose che coprivano intere facciate di case. Il traffico intenso mi impressionò, intenso e ordinato, e

---

[6] **biancheria . . . Dio,** laundry hung out to dry, corner groceries, all sorts of food smells. (**ben di Dio = graziadidio** *as in* «Bellinda e il Mostro»).

[7] **nella luce chiara d'altopiano,** in the clear light (as if) of a (high) plateau.

[8] **bracci di mare,** stretches of water.

[9] **grossolana,** vulgar, reckless.

la folla affrettata, che correva sempre, come se ognuno dovesse
trovare un medico per salvare una vita umana, e la gente che
non si sedeva per mangiare ma talvolta masticava un *sandwich* 70
e beveva un bicchiere di latte senza togliersi il cappello e senza
abbandonare una valigia o un pacco.

Ciò che mi ricordava, però, soprattutto, di essere straniero in
una città straniera, erano i nomi delle strade e il loro disegno.
La graticola ad angolo retto[10] delle *avenues* e delle *streets*, 75
ciascuna numerata come uno scaffale in un grande magazzino o
un deposito all'aria aperta, sembrava trasformasse la città non
più in una cosa viva, che era andata crescendo spontaneamente
secondo le proprie leggi, ma in una invenzione arida di uomini
senza immaginazione, di geometri e ingegneri. Più tardi mi 80
accorsi che la faccenda non aveva l'importanza che le attribuivo.
Tuttavia, da ragazzo, ero stupidamente oppresso da quell'idea,
dall'idea che, in quella strada, una strada qualunque, numerata
debitamente, non era mai successo nulla, mentre amavo
ricordare che in quella dove ero nato e avevo vissuto fino alla 85
partenza, a Milano, erano passati cortei pittoreschi, in tutti i
secoli, di invasori, barbari, imperatori germanici, padri della
Chiesa, sovrani, fino a Vittorio Emanuele e Napoleone III, nel
1859, reduci[11] dalla battaglia di cui la via portava il nome,
Magenta. Io stesso avevo visto la storia svolgersi sotto il 90
balcone, avevo visto socialisti e fascisti[12] prendersi a legnate, e
cordoni di cavalleria ristabilire l'ordine caricando con le
sciabole sguainate, nel dopoguerra.

Naturalmente anche per una qualunque strada numerata di
New York, era passata la storia, e solo la mia ignoranza mi 95
faceva pensare che non vi fosse mai successo nulla. Non era
comunque la storia alla quale ero abituato io. Non so se questo
sentimento sia comune a molti, nè se sia mai stato studiato

---

[10] **graticola ad angolo retto,** checkerboard pattern.
[11] **reduci,** returning (*from the battle of Magenta which was decisive in liberating N. Italy from the Austrians*).
[12] **fascisti,** *the reference is to the period of civil strife culminating in the fascist march on Rome, 28 Oct. 1922.*

dagli urbanisti, il bisogno di vivere dove erano vissuti gli altri,
dove avevano lasciato impronte di sè, ricordi del loro passaggio, 100
monumenti insigni o modesti, un senso di scoramento nell'abitare in un reticolato di strade numerate, tutte anonime, moderne,
tutte più o meno uguali l'una all'altra (o almeno così mi
apparivano), che mi imprigionavano come i fili di una ragnatela
rettangolare. Provavo, quindi, un senso di liberazione, quando, 5
camminando lungo un'*avenue*, la monotonia rettilinea era rotta
da Broadway, che andava serpeggiando dalla Battery al Bronx,
alla sua antica e non-razionale maniera, così come le vacche
olandesi e i carri dei contadini inglesi l'avevano disegnata. Ogni
curva mi dava gioia. Ricordo che, più tardi, visitando Gary, 10
Indiana, una città che ha la mia stessa età, creata nel 1908, e
che allora era giovane come me, scoprii con entusiasmo che le
strade erano state disegnate apposta con molte curve, e che per
far ciò avevano dovuto far venire *surveyors* dall'East, perchè
nessuno sul posto sapeva fare altro che strade dritte, col 15
tiralinee. Non ero solo, quindi, a sentire l'oppressione di vivere
in reticolati regolari.

Provavo anche un certo sollievo andando nella vecchia città
finanziaria o nei quartieri antichi, dove le strade erano messe a
casaccio[13] e avevano nomi veri, come li hanno gli uomini liberi, 20
e non cifre, come le hanno i carcerati: Maiden, John, Ann,
Chambers, Warren, Murray, Pine, Cedar, eccetera. Ognuno di
questi nomi aveva una sua storia o leggenda. Non per nulla,
pensavo, gli emigrati italiani abitavano in gran parte in strade
antiche con un nome: Mulberry, Houston, Bleecker. Guardavo 25
con soddisfazione la statua di Washington che giura fedeltà alla
Costituzione, sui gradini della Tesoreria. Lì qualche cosa era
avvenuto di importante, che meritava essere tramandato.
Guardavo con soddisfazione anche l'arco di trionfo di Washington Square, che mi ricordava Roma, Milano, Parigi. Non era 30
gran che,[14] come arco. Tuttavia era vero, e non falso come i

---

[13] **messe a casaccio,** constructed at random (*from* **caso,** chance, *as
below*).
[14] **Non era gran che,** It didn't amount to much.

chiostri[15] medioevali conservati in un museo *uptown*, a Riverside Drive, *souvenirs* di turisti.

I vecchi residenti europei, gli amici di casa, si lamentavano anche che non esistessero, a New York, alcune cose essenziali 35 alla vita di tutti i giorni. Non c'erano vespasiani,[16] per esempio, e non c'erano caffè, locali dove passare mezz'ora, leggere il giornale, e bere qualche cosa, guardando magari la gente passare. Se eri in anticipo per un appuntamento, se qualcuno ti diceva, «Torni tra un'ora,» dove andare ad attendere? C'era 40 chi prendeva un *subway*, viaggiava a casaccio in un senso per metà del tempo, e poi tornava indietro. Se si era vicini a un parco e il tempo era buono, ci si sedeva[17] su qualche panchina. Se pioveva, ci si sedeva nella *lobby* di un albergo, fingendo di aspettare qualcuno. Se si era nel vicinato del solo caffè esistente 45 a New York ai miei tempi, ci si andava con sollievo. Era l'Hotel Brevoort, dove camerieri francesi ti accoglievano sorridendo, c'erano giornali di tutti i paesi, i clienti giocavano a carte o agli scacchi, e nessuno ti cacciava via.[18]

Tutto ciò, la modernità, la fretta, la regolarità della pianta, 50 la mancanza di umili cose che noi europei consideravamo necessarie, dava spesso a noi un senso sgradevole di sopravvissuti, di antenati catapultati nel mondo dei discendenti. Questa sensazione era vivissima talvolta. Mio padre la provò nel 1907, davanti a una vetrina di antiquario, in Fifth Avenue. 55 Tra i velluti era deposto un antico braciere[19] di rame. Era il braciere di casa sua, a Orvieto, che era stato in cucina, durante

---

[15] **chiostri,** the Cloisters.

[16] **vespasiani,** *sidewalk* "comfort stations" *for men, by the average tourist probably associated with Paris but established in the first century A.D. by the Roman emperor Vespasian.*

[17] **ci si sedeva = noi ci sedevamo;** *cf. below* **ci si andava = noi ci andavamo.**

[18] **nessuno ti cacciava via,** *the essence of the European café is perhaps in its function as a place for relaxation or meeting friends, where the purchase of a drink permits one to stay indefinitely with no sense of constraint; an American Student Union offers a certain analogy.*

[19] **braciere,** brazier *or pan for holding live coals, probably used here as a* foot warmer.

tutta la sua infanzia, colmo in inverno di cenere calda e di bragia. Lo riconobbe subito, dalle protuberanze, dalle botte,[20] ognuna delle quali corrispondeva a un incidente di famiglia, 60 nonchè dagli inutili e graziosi puttini e fiori di bronzo che l'artigiano orvietano ci aveva messo per abitudine. Con la dispersione della famiglia, il braciere era finito al robivecchi,[21] poi forse da un antiquario di Roma, e infine era arrivato a Nuova York. Barzini[22] se lo guardò a lungo, commosso fino 65 alle lagrime, ed entrò nel negozio per chiederne il prezzo. Era valutato una grossa somma, perché si trattava, gli dissero, di un oggetto di grande antichità, di un lavoro italiano, di una cosa di grande gusto. Uscì rattristato. Capì che il suo mondo, quello in cui gli artigiani facevano bracieri così belli che 70 finivano tra gli oggetti d'arte degli antiquari di New York, era un mondo scomparso.

Poi, poco per volta, imparai a vivere a New York. Mi accorsi, con gli anni, che la vita degli uomini differiva poco, nella sua intimità, da quella che avevo conosciuto in Europa, che la 75 disposizione di strade ad angolo retto, secondo un rigido ordine numerico, non impediva che ognuna avesse la sua fisionomia, e che la storia era passata anche di là, se storia significava la vita di milioni di uomini che avevano lavorato, sofferto, gioito, sperato, combattuto, ed erano morti. Imparai a poco a poco a 80 vivere a New York come si vive a Siena, a Firenze, a Roma, a Milano. Imparai cioè a tagliarmi nella immensa metropoli il mio villaggio personale, come fanno tutti, abitato dai miei amici, fatto di edifici, panorami, scorci,[23] negozi, e trattorie a me cari. Scoprii le biblioteche, le sale da concerto, le gallerie di 85 quadri, i sodalizi frequentati da persone colte e intelligenti. Credevo allora di ritrovare l'Europa. In realtà oggi so che stavo scoprendo l'America.

---

[20] **protuberanze . . . botte,** bumps . . . dents.
[21] **robivecchi,** junk dealer's.
[22] **Barzini,** *the present writer's famous father—see introduction.*
[23] **scorci,** intimate perspectives (*lit.*, foreshortenings *or* closeups).

Esercizi

I. Rispondere in italiano:

1. Com'è sempre sembrata New York a Barzini?
2. Cosa vi cercava con gli occhi quando veniva dal West?
3. Cos'era invece New York per lui quando arrivava dall'Europa?
4. Dove gli piaceva mangiare?
5. Che ammirava nelle vetrine?
6. Com'erano le donne che vedeva?
7. Che età aveva Barzini nel 1925, quando arrivò per la prima volta a New York?
8. A quali città europee faceva allora pensare New York, e perchè?
9. Che città vide Barzini sbarcando?
10. Quali cose ricordavano i grattacieli di New York visti dal mare?
11. Com'erano visti da vicino?
12. Com'era tutto, anche gli uomini e gli animali?
13. Che impressione faceva la folla che correva sempre?
14. Che cosa soprattutto ricordava a Barzini di essere in una città straniera?
15. Quale idea lo opprimeva da ragazzo, vedendo le strade numerate di New York?
16. Erano veramente senza storia le strade di quella città?
17. Dove abitavano gli emigrati italiani?
18. Perchè Barzini guardava con soddisfazione l'arco di trionfo di Washington Square?
19. Come gli sembravano invece i chiostri medioevali a Riverside Drive?
20. Secondo i vecchi residenti europei, quali cose essenziali alla vita di tutti i giorni mancavano a New York?
21. Com'era il solo caffè esistente a New York in quei tempi?
22. Che vide Barzini padre nel 1907 nella vetrina di un antiquario?
23. Che cosa capì dopo aver sentito il prezzo di quell'oggetto?
24. Come imparò Barzini a vivere a New York?
25. Credeva di ritrovare l'Europa e invece che stava scoprendo?
26. New York è davvero due città diverse, come è sempre sembrata a Barzini?

II. Completare in italiano:

1. Quando venivo dal West, l'occhio si soffermava _____ su tutto ciò che era vecchio.
2. Mi piaceva mangiare in un "drugstore" qualche _____ inventata durante la mia assenza.
3. Oggi, rivedo le fotografie della città _____ e non la riconosco affatto.
4. In retrospettiva, mi _____ che si trattava in realtà di una grande città quasi europea.
5. I quartieri della povera gente formicolavano _____.
6. _____ erano ponti incredibili, lunghissimi.
7. _____ avevo visto la storia svolgersi sotto il balcone.
8. Naturalmente, anche per una _____ strada numerata di New York, era passata la storia.
9. Visitando Gary, scoprii con entusiasmo che le strade erano state disegnate _____ con molte curve.
10. Lì qualche cosa era _____ di importante.
11. Se eri _____ per un appuntamento, dove andare ad attendere?
12. Era il braciere _____, a Orvieto.
13. Barzini se lo guardò _____.
14. Poi, _____, imparai a vivere a New York.

III. Dare il contrario:

1. moderno
2. il futuro
3. da lontano
4. sconosciuto
5. accendersi
6. prima
7. piacevole

Luigi Pirandello

Il capretto nero

Luigi Pirandello was born in the ancient city of Agrigento in
Sicily in 1867 and died at Rome in 1936, after achieving international
fame as a dramatist and receiving the Nobel prize in 1934. Until the
period of the first world war, he was best known for his fiction, in
particular for being perhaps the greatest modern master of that form
which first took shape in Italy and in which the Italians excel, the
novella (tale or short story). *Il capretto nero*, one of his most
amusing *novelle*, is also typically "Pirandellian." The author
was obsessed with doubts about the permanence of any reality,
particularly that of human nature. In this world of change we can
only feel sure of truth as it seems to us, but even that "reality" is
mere illusion. It is notable that one of the first to formulate a
philosophy of change and mutability was the Greek philosopher
Empedocles, who was also born in Agrigento. He was the first to
formulate the theory of the four elements, air, earth, fire, and water.
The entire region around Agrigento was a great center of Greek
culture and some of the finest specimens of Greek architecture still
extant can be seen there.

Senza dubbio il signor Charles Trockley ha ragione. Sono
anzi disposto ad ammęttere che il signor Charles Trockley non
può aver torto mai, perchè la ragione e il signor Trockley sono
una cosa sola. Ogni mossa, ogni sguardo, ogni parola del

Luigi Pirandello davanti al tempio della Concordia, Agrigento. [Cortesia dell'Amministrazione degli eredi di Luigi Pirandello]

signor Charles Trockley sono così rigidi e precisi, così ponderati 5
e sicuri, che chiunque, senz'altro, deve riconoscere che non è
possibile che il signor Charles Trockley, in qual si voglia caso,[1]
per ogni questione che gli sia posta, o incidente che gli occorra,
stia dalla parte del torto.

   Io e lui, per portare un esempio, siamo nati lo stesso anno, lo 10
stesso mese e quasi lo stesso giorno; lui, in Inghilterra, io in
Sicilia.[2] Oggi, quindici di giugno, egli compie quarantotto
anni; quarantotto ne compirò io il giorno ventotto. Bene:
quant'anni avremo, lui il quindici, e io il ventotto di giugno
dell'anno venturo? Il signor Trockley non si perde; non esita 15

---

[1] **qual si voglia caso,** any case whatsoever.
[2] *Pirandello was born in Agrigento (see introduction) on 28 June 1867.*

un minuto; con sicura fermezza sostiene che il quindici e il
ventotto di giugno dell'anno venturo lui e io avremo un anno
di più, vale a dire quarantanove.

È possibile dar torto al[3] signor Charles Trockley?

Il tempo non passa ugualmente per tutti. Io potrei avere da 20
un sol giorno, da un'ora sola più danno, che non lui[4] da dieci
anni passati nella rigorosa disciplina del suo benessere; potrei
vivere, per il deplorevole disordine del mio spirito, durante
quest'anno, più d'una intera vita. Il mio corpo, più debole e
assai men curato del suo, si è poi, in questi quarantotto anni, 25
logorato quanto[5] certamente non si logorerà in settanta quello
del signor Trockley. Tanto vero ch'egli, pur coi capelli tutti
bianchi d'argento, non ha ancora nel volto di gambero cotto[6]
la minima ruga, e può ancora tirare di scherma ogni mattina
con giovanile agilità.   30

Ebbene, che importa? Tutte queste considerazioni, ideali e di
fatto, sono per il signor Charles Trockley oziose e lontanissime
dalla ragione. La ragione dice al signor Charles Trockley che io
e lui, a conti fatti, il quindici e il ventotto di giugno dell'anno
venturo avremo un anno di più, vale a dire quarantanove.   35

Premesso questo, udite che cosa è accaduto di recente al
signor Charles Trockley e provatevi, se vi riesce, a dargli torto.[7]

Lo scorso aprile, seguendo il solito itinerario tracciato dal
Bædeker per un viaggio in Italia, Miss Ethel Holloway,
giovanissima e vivacissima figlia di Sir W. H. Holloway, 40
ricchissimo e autorevolissimo Pari d'Inghilterra, capitò in
Sicilia, a Girgenti,[8] per visitarvi i maravigliosi avanzi dell'antica

---

[3] **dar torto al,** blame, impute error to. *The rest of the story is the answer to this question.*

[4] **che non lui,** than what (on the other hand) he (might have).

[5] **si è poi . . . logorato quanto,** has, further, worn itself out in a way (to a degree) that.

[6] **di gambero cotto,** as red as a boiled lobster (*lit.* crayfish).

[7] **provatevi . . . torto,** try, if you can, to blame him.

[8] **Girgenti,** *this Sicilian form of the name, from the latin* **Agrigentum,** *was officially changed to* **Agrigento** *in 1927. The city was established about 581 B.C. as a colony by Dorian Greeks from the island of Rhodes. (Cf. n. 11.)*

città dorica. Allettata dall'incantevole piaggia tutta in quel
mese fiorita del bianco fiore dei mandorli⁹ al caldo soffio del
mare africano, pensò di fermarsi più d'un giorno nel grande 45
Hôtel des Temples che sorge fuori dell'erta e misera cittaduzza¹⁰
d'oggi, nell'aperta campagna, in luogo amenissimo.

Da ventidue anni il signor Charles Trockley è vice-console
d'Inghilterra a Girgenti, e da ventidue anni ogni giorno, sul
tramonto, si reca a piedi, col suo passo elastico e misurato, 50
dalla città alta sul colle alle rovine dei Tempii akragantini,¹¹
aerei e maestosi su l'aspro ciglione che arresta il declivio della
collina accanto, la collina akrea, su cui sorse un tempo, fastosa
di marmi, l'antica città da Pindaro esaltata come bellissima tra
le città mortali.   55

Dicevano gli antichi che gli Akragantini mangiavano ogni
giorno come se dovessero morire il giorno appresso, e costrui-
vano le loro case come se non dovessero morir mai. Poco ora
mangiano, perchè grande è la miseria nella città e nelle campagne,
e delle case della città antica, dopo tante guerre e sette incendii 60
e altrettanti saccheggi, non resta più traccia. Sorge al posto di
esse un bosco di mandorli e d'olivi saraceni, detto perciò il
*Bosco della Civita.*¹² E i chiomati olivi cinerulei s'avanzano in

⁹ **mandorli,** *many tourists are drawn yearly to Sicily for the flowering
of the almond trees. The season normally runs from late February into
mid-March.*

¹⁰ **erta . . . cittaduzza,** craggy poverty-stricken little town.

¹¹ **akragantini.** *The Greek name of* Agrigento *was* Akragas, *which was
applied also to the nearby mountain and the torrent which flowed
down it, and which gives this adjective form; the first element of the
name, used above in the form* akrea, *means in Greek a height or
citadel on a hill (as in* Acropolis). *The rest of this difficult sentence
may be translated:* (the ruins of the temples of Agrigento), standing
in ethereal loftiness on the rugged shoulder of land that interrupts
the slope of the adjacent hill, the Akrean hill, upon which there
once rose, glorious in marble, the ancient city exalted by Pindar
as the most lovely of mortal cities.

¹² **Civita,** *presumably from* Civitas, *Latin for* city. *The following
sentence may be translated:* And a long procession of ashen-grey
(grey-green) olive trees in full leaf advances to the edge of the
columns of the majestic temples and seems to be praying for peace
for these abandoned shores.

teoria fin sotto alle colonne dei Tempii maestosi e par che
preghino pace per quei clivi abbandonati. Sotto il ciglione 65
scorre, quando può, il fiume Akragas che Pindaro glorificò
come ricco di greggi. Qualche greggiola di capre, attraversa
tuttavia il letto sassoso del fiume: s'inerpica sul ciglione roccioso
e viene a stendersi e a rugumare il magro pascolo all'ombra
solenne dell'antico tempio della Concordia, integro ancora.[13] 70
Il capraio, bestiale e sonnolento come un arabo, si sdraia anche
lui sui gradini del pronao dirupati e trae qualche suono lamentoso dal suo zufolo di canna.

Al signor Charles Trockley questa intrusione delle capre nel
tempio è sembrata sempre un'orribile profanazione; e innumere- 75
voli volte ne ha fatto formale denunzia ai custodi dei monumenti,
senza ottener mai altra risposta che un sorriso di filosofica
indulgenza e un'alzata di spalle. Con veri fremiti d'indignazione,
il signor Charles Trockley di questi sorrisi e di queste alzate di
spalle s'è lagnato con me che qualche volta lo accompagno in 80
quella sua quotidiana passeggiata. Avviene spesso che, o nel
tempio della Concordia, o in quello più su di Hera Lacinia, o
nell'altro detto volgarmente dei Giganti,[14] il signor Trockley
s'imbatta in comitive di suoi compatriotti, venute a visitare le
rovine. E a tutti egli fa notare, con quell'indignazione che il 85
tempo e l'abitudine non hanno ancora per nulla placato o
affievolito, la profanazione di quelle capre sdraiate e rugumanti
all'ombra delle colonne. Ma non tutti gl'inglesi visitatori, per
dir la verità, condividono l'indignazione del signor Trockley.
A molti anzi sembra non privo d'una certa poesia il riposo di 90
quelle capre nei Tempii, rimasti come sono ormai solitari in
mezzo al grande e smemorato abbandono della campagna.

[13] **Qualche . . . ancora,** A few scanty flocks of she-goats do, however,
cross the stony bed of the stream; they scramble up to the rocky
embankment on which they stretch out and chew their meager cud
in the august shadow of the still intact temple of Concord. **gradini
del pronao dirupati,** abrupt steps leading into the temple.
[14] *The temple of* Hera (*in Latin,* Juno), *called* Hera Lacinia, *after that
of Concord is the best preserved of the temples, dating from the fifth
century* B.C.; *the other, popularly called that of the Giants, was
dedicated to Olympian Zeus.*

Più d'uno, con molto scandalo del signor Trockley, di quella vista si mostra anche lietissimo e ammirato.

Più di tutti lieta e ammirata se ne mostrò, lo scorso aprile, 95 la giovanissima e vivacissima Miss Ethel Holloway. Anzi, mentre l'indignato vice-console stava a darle alcune preziose notizie archeologiche, di cui nè il Bædeker nè altra guida hanno ancor fatto tesoro, Miss Ethel Holloway commise l'indelicatezza di voltargli le spalle improvvisamente per correr dietro a un 100 grazioso capretto nero, nato da pochi giorni,[15] che tra le capre sdraiate springava qua e là come se per aria attorno gli danzassero tanti moscerini di luce, e poi di quei suoi salti arditi e scomposti pareva restasse lui stesso sbigottito, chè ancora ogni alito d'aria, ogni piccola ombra, nello spettacolo 5 per lui tuttora incerto della vita, lo facevano rabbrividire e fremer tutto di timidezza.

Quel giorno, io ero col signor Trockley, e se molto mi compiacqui della gioia di quella piccola Miss, così di subito innamorata del capretto nero, da[16] volerlo a ogni costo compe- 10 rare; molto anche mi dolsi di quanto toccò a soffrire al povero signor Charles Trockley.

– Comprare il capretto?

– Sì, sì! comperare subito! subito!

E fremeva tutta anche lei, la piccola Miss, come quella cara 15 bestiolina nera; forse non supponendo neppure lontanamente che non avrebbe potuto fare un dispetto maggiore al signor Trockley, che[17] quelle bestie odia da tanto tempo ferocemente.

Invano il signor Trockley si provò a sconsigliarla, a farle considerare tutti gl'impicci che le sarebbero venuti da quella 20

---

[15] *Note the age of the kid. The rest of the sentence can be translated:* who scampered about amid the recumbent nanny-goats as if a swarm of tiny specks (*lit.*, gnats) of light were dancing around him, and then seemed bewildered by his own daring and disjointed leaps, for every breath of air, every least shadow in the yet uncertain spectacle of life, still made him shiver and tremble all over with timidity.

[16] **così ... innamorata ... da,** so much ... in love ... as to.

[17] **che,** who.

cọmpera; dovette cẹdere alla fine e, per rispetto al padre di lei, accostarsi al selvaggio capraio per trattar l'acquisto del capretto nero.

Miss Ethel Holloway, sborsato il denaro della cọmpera, disse al signor Trockley che avrebbe affidato[18] il suo capretto al 25 direttore dell'*Hôtel des Temples*, e che poi, appena ritornata a Londra, avrebbe telegrafato perchè[19] la cara bestiolina, pagate tutte le spese, le fosse al più presto recapitata; e se ne tornò in carrozza all'albergo, col capretto belante e guizzante tra le braccia.   30

Vidi,[20] incontro al sole che tramontava fra un mirạbile frastaglio di nụvole fantạstiche, tutte accese sul mare che ne splendeva come uno smisurato specchio d'oro, vidi nella carrozza nera quella bionda giovinetta grạcile e fẹrvida allontanarsi infusa nel nembo di luce sfolgorante; e quasi mi parve un 35 sogno. Poi compresi che, avendo potuto, pur tanto lontana dalla sua patria, dagli aspetti e dagli affetti consueti della sua vita, concepir sụbito un desiderio così vivo, un così vivo affetto per un pịccolo capretto nero, ella non doveva avere neppure un brịciolo di quella sọlida ragione, che con tanta gravità 40 governa gli atti, i pensieri, i passi e le parole del signor Charles Trockley.

E che cosa aveva allora al posto della ragione la pịccola Miss Ethel Holloway?

Nient'altro che la stupidạggine, sostiene il signor Charles 45 Trockely con un furore a stento contenuto, che quasi quasi fa pena, in un uomo come lui, sempre così compassato.

La ragione del furore è nei fatti che son seguiti alla[21] cọmpera di quel capretto nero.

[18] **avrebbe affidato,** she would entrust.
[19] **perchè,** with instructions that.
[20] *Freely:* As I looked toward the sun, setting amid a marvelous lacework of fantastic clouds all aflame over the sea that shone with them like a boundless golden mirror, I saw, blond and delicate in the black carriage, the warm-hearted girl vanish from sight as if absorbed into that halo of dazzling light; and she seemed almost a dream.
[21] **son seguiti alla,** followed the.

Miss Ethel Holloway partì il giorno dopo da Girgenti. Dalla 50
Sicilia doveva passare in Grecia; dalla Grecia in Egitto;
dall'Egitto nelle Indie.

E miracolo che, arrivata sana e salva a Londra su la fine di
novembre, dopo circa otto mesi e dopo tante avventure che
certamente le saranno occorse[22] in un così lungo viaggio, si sia 55
ancora ricordata del capretto nero comperato un giorno
lontano tra le rovine dei Tempii akragantini in Sicilia.

Appena arrivata, secondo il convenuto, scrisse per riaverlo
al signor Charles Trockley.

L'*Hôtel des Temples* si chiude ogni anno alla metà di giugno 60
per riaprirsi ai primi di novembre. Il direttore, a cui Miss Ethel
Holloway aveva affidato il capretto, alla metà di giugno,
partendo, lo aveva a sua volta affidato al custode dell'albergo,
ma senz'alcuna raccomandazione, mostrandosi anzi seccato
più d'un po' del fastidio che gli aveva dato e seguitava a dargli 65
quella bestiola. Il custode aspettò di giorno in giorno che il
vice-console signor Trockley, per come[23] il direttore gli aveva
detto, venisse a prendersi il capretto per spedirlo in Inghilterra;
poi, non vedendo comparir nessuno, pensò bene di liberarsene,
di darlo in consegna a quello stesso capraio che lo aveva 70
venduto alla Miss; promettendoglielo in dono se questa, come
pareva, non si fosse più curata di riaverlo, o un compenso per
la custodia e la pastura, nel caso che il vice-console fosse
venuto a richiederlo.

Quando, dopo circa otto mesi, arrivò da Londra la lettera di 75
Miss Ethel Holloway, tanto il direttore dell'*Hôtel des Temples*,
quanto il custode, quanto il capraio si trovarono in un mare di
confusione; il primo per aver affidato il capretto al custode; il
custode per averlo affidato al capraio, e questi[24] per averlo a
sua volta dato in consegna a un altro capraio con le stesse 80
promesse fatte a lui dal custode. Di questo secondo capraio
non s'avevano più notizie. Le ricerche durarono più d'un mese.

---

[22] **le saranno occorse,** must have happened to her.
[23] **per come,** according to what
[24] **questi** (*sing.*), the latter.

Alla fine, un bel giorno, il signor Charles Trockley si vide presentare nella sede del vice-consolato in Girgenti[25] un orribile bestione cornuto, fetido, dal vello stinto rossigno 85 strappato e tutto incrostato di sterco e di mota, il quale, con rochi, profondi e tremuli belati, a testa bassa, minacciosamente, pareva domandasse che cosa si volesse da lui, ridotto per necessità di cose in quello stato, in un luogo così strano dalle sue consuetudini. 90

Ebbene, il signor Charles Trockley, secondo il solito suo, non si sgomentò minimamente a una tal vista; non tentennò un momento; fece il conto del tempo trascorso, dai primi d'aprile agli ultimi di dicembre, e concluse che, ragionevolmente, il grazioso capretto nero d'allora poteva benissimo 95 esser quest'immondo bestione d'adesso. E senza neppure un'ombra d'esitazione rispose alla Miss, che subito gliel'avrebbe mandato da Porto Empedocle col primo vapore mercantile inglese di ritorno in Inghilterra. Appese al collo di quell'orribile bestia un cartellino con l'indirizzo di Miss Ethel Holloway e 100 ordinò che fosse trasportata alla marina. Qui, lui stesso, mettendo a repentaglio la sua dignità, si tirò dietro con una fune la bestia restia per la banchina del molo, seguito da una frotta di monellacci; la imbarcò sul vapore in partenza, e se ne ritornò a Girgenti, sicurissimo d'aver adempiuto scrupolosa- 5 mente all'impegno che s'era assunto, non tanto per[26] la deplorevole leggerezza di Miss Ethel Holloway, quanto per il rispetto dovuto al padre di lei.

Ieri, il signor Charles Trockley è venuto a trovarmi in casa in tali condizioni d'animo e di corpo, che subito, costernatissimo, 10

---

[25] a horrible big horned beast, stinking, his coat of a discolored reddish hue all torn and crusted with dung and mire, which, with deep raucous quavering bleats, head lowered threateningly, seemed to be asking what any one wanted of him, reduced by force of circumstance to this state in a place so alien to his habits.

[26] **che . . . per,** which he had assumed (taken upon himself), not so much on account of.

io mi son lanciato a sorreggerlo, a farlo sedere, a fargli recare[27] un bicchier d'acqua.

– Per l'amor di Dio, signor Trockley, che vi è accaduto?

Non potendo ancora parlare, il signor Trockley ha tratto di tasca una lettera e me l'ha porta.[28]   15

Era di Sir H. W. Holloway, Pari d'Inghilterra, e conteneva una filza di gagliarde insolenze al signor Trockley per l'affronto che questi aveva osato fare alla figliuola Miss Ethel, mandandole quella bestia immonda e spaventosa.

Questo, in ringraziamento di tutti i disturbi, che il povero 20 signor Trockley s'è presi.[29]

Ma che si aspettava[30] dunque quella stupidissima Miss Ethel Holloway? Si aspettava forse che, a circa undici mesi dalla compera, le arrivasse a Londra quello stesso capretto nero che springava piccolo e lucido, tutto fremente di timidezza tra le 25 colonne dell'antico Tempio greco in Sicilia? Possibile? Il signor Charles Trockley non se ne può dar pace.[31]

Nel vedermelo davanti in quello stato, io ho preso a confortarlo del mio meglio, riconoscendo con lui che veramente quella Miss Ethel Holloway dev'essere una creatura, non solo 30 capricciosissima, ma del tutto irragionevole.

– Stupida! stupida! stupida!

– Diciamo meglio irragionevole, caro signor Trockley, amico mio. Ma vedete, – (mi son permesso d'aggiungere, timidamente) – ella, andata via lo scorso aprile con negli occhi e nell'anima 35 l'immagine graziosa di quel capretto nero, non poteva, siamo giusti, far buon viso (così irragionevole com'è evidentemente) alla ragione che voi, signor Trockley, le avete posta davanti all'improvviso[32] con quel caprone mostruoso che le avete mandato.

---

[27] **a farlo . . . recare,** to show him to a seat, to have him brought.

[28] **tratto . . . porta,** *see* ***trarre*** *and* ***porgere*** *in vocabulary.*

[29] **s'è presi,** took on himself, assumed.

[30] **che si aspettava,** what did she expect.

[31] **non se ne può dar pace,** can't get over it, resign himself to it.

[32] **non poteva . . . improvviso,** let's be fair about it, she could hardly welcome (as unreasonable as she obviously is) the reasonable solution that you put before her so abruptly.

– Ma dunque? – mi ha domandato, rizzandosi e guardandomi 40
con occhio nemico, il signor Trockley. – Che avrei dovuto
fare, dunque, secondo voi?

– Non vorrei, signor Trockley, – mi sono affrettato a rispondergli imbarazzato, – non vorrei sembrarvi anch'io irragionevole
come la piccola Miss del vostro paese lontano, ma al posto 45
vostro, signor Trockley, sapete che avrei fatto io? O avrei
risposto a Miss Ethel Holloway che il grazioso capretto nero
era morto per il desiderio de' suoi baci e delle sue carezze; o
avrei comperato un altro capretto nero, piccolo piccolo e
lucido, simile in tutto a quello da lei comperato lo scorso aprile 50
e gliel'avrei mandato, sicurissimo che Miss Ethel Holloway
non avrebbe affatto pensato che il suo capretto non poteva per
undici mesi essersi conservato così tal quale. Seguito con ciò,
come vedete, a riconoscere che Miss Ethel Holloway è del tutto
irragionevole e che la ragione sta intera e tutta dalla parte 55
vostra, come sempre, caro signor Trockley, amico mio.

Esercizi

I. Rispondere in italiano:

1. Dov'è nato il signor Trockley? E Pirandello?
2. Perchè il signor Trockley abita in Sicilia?
3. Chi è Miss Ethel Holloway?
4. Perchè si trova anche lei in Sicilia?
5. Quali animali vede il signor Trockley tra le rovine dei Tempii
   che visita ogni giorno?
6. Che cosa gli è sempre sembrata l'intrusione di questi animali?
7. Condividono la sua indignazione gli altri visitatori inglesi?
8. Come si mostrò Miss Ethel Holloway alla vista delle capre?
9. Perchè Ethel commise l'indelicatezza di voltare le spalle al
   vice-console?
10. Da quanti giorni era nato il capretto nero?
11. Perchè Ethel voleva comperarlo?
12. Il signor Trockley approvava questa decisione?
13. A chi affida Ethel il suo capretto?
14. A chi scrive, dopo circa otto mesi, per riaverlo?

15. A chi lo aveva intanto affidato il direttore dell'albergo?
16. E il custode dell'albergo, a chi pensò di darlo in consegna?
17. A chi lo aveva a sua volta consegnato il capraio?
18. Si avevano notizie del secondo capraio?
19. Quanto tempo durarono le ricerche per trovare il capretto?
20. Che animale si vide presentare, un bel giorno, il signor Trockley nella sede del vice-consolato?
21. Perchè il padre di Ethel gli scrisse una lettera con molte insolenze?
22. Aveva ragione il signor Trockley di dire che Ethel era stupida?
23. Cosa avrebbe dovuto fare il povero vice-console invece di mandare a Ethel quel caprone mostruoso?
24. Dei due, chi era più irragionevole, il signor Trockley o Ethel?

II. Completare in italiano:

1. Sono anzi _____ ammettere che il signor Charles Trockley non può aver torto mai.
2. Io e lui _____ lo stesso anno.
3. _____ il signor Charles Trockley è vice-console d'Inghilterra a Girgenti.
4. S'è lagnato con me di queste _____.
5. A molti sembra _____ d'una certa poesia.
6. _____ al padre di lei, dovette accostarsi al selvaggio capraio.
7. _____, secondo il convenuto, scrisse per riaverlo.
8. Le ricerche durarono _____.
9. Il signor Charles Trockley, secondo _____, non si sgomentò minimamente.
10. Ha tratto _____ una lettera.
11. Ma che _____ quella stupidissima Miss Ethel Holloway?
12. Il signor Charles Trockley non se ne può _____.

III. Tradurre in italiano:

1. without a doubt
2. that is to say
3. at sunset
4. in the middle of

5. at any price
6. as quickly as possible
7. safe and sound
8. from day to day
9. completely

IV. Formare delle frasi usando le espressioni tradotte.

Taormina: l'Etna veduta dal teatro greco. [E.N.I.T.]

Vocabulary

This vocabulary, being selective, generally omits:

1. The articles, basic cardinal numerals, and commonest pronouns.
2. Commonest prepositions and conjunctions that offer no special difficulty.
3. Words substantially the same as English in spelling or meaning, such as *municipalità, dicembre, Francia, disarmare, generale.*
4. Many derivatives such as superlatives in *-issimo,* adverbs in *-mente,* and some obvious diminutives.
5. Words occurring only once and translated in notes.
6. Many finite forms of irregular verbs, especially those occurring after the first few selections of Part I.

In cases of doubt we have chosen inclusion over exclusion. Gender for most substantives can be determined either from the meaning (*madre, padre, prete*) or from the final vowel (*-o* masculine, *-a* or *-à* feminine), otherwise, if not of common gender, substantives are indicated *m.* or *f.*

Pronunciation markings are limited to showing stress as in our note, p. ix; in a few cases we indicate close or open vowels, as to distinguish *còlto* from *cólto.*

Translations are based primarily, but not exclusively, on meaning(s) found in text. With many verbs we include in parentheses the commonest irregular forms, i.e., past absolute and past participle.

ABBREVIATIONS

f. feminine substantive
m. masculine substantive
p. abs. past absolute
pr. part. present participle
p. part. past participle
pers. person
pl. plural
pr. ind. present indicative
pr. subj. present subjunctive
sing. singular.

—— repeats word being translated; may also indicate a word of different origin but identical spelling. With infinitives and some other words, this repetition involves dropping final e as in **farsi**, written ——**si** after **fare**. For further clarification on accents and pronunciation, see "Note on Pronunciation."

VOCABULARY

A

abbandono abandonment, isolation
abbassare to lower; ——**la cresta** to come off one's high horse
abbastanza enough, sufficiently, rather
abbạttere to pull or knock down; ——**si** to fall down, to happen to meet
abbattimento dejection
abbellire to beautify
abbi imperative, **abbia, abbiate** pr. subj. of **avere**
abbigliamento attire, dress
abbondare to abound, to be rich (in)
abbracciare to embrace
abbraccio embrace
abbrancare to seize, to clutch
abbuiarsi to grow dark, to grow sad
abitante inhabitant
abitare to inhabit, to live (in)
abitazione f. residence, house
ạbito clothes, dress, suit
abituarsi to become used to
abitụdine f. habit

accadere (p. abs. **accadde**) to happen
accanto beside, next to
accarezzare to caress, to treat affectionately
accasarsi to get married, to settle down
accasciato overwhelmed, depressed, sunk
accẹndere (**accesi, acceso**) to light, to turn on, to inflame; ——**si** to light up
accennare to nod, to refer
accentuare to stress
accerchiare to encircle, to surround
accertare to assure
accettare to accept
acchito, di primo —— at the very first
acciocchè so that
accọgliere (**accolsi, accolto**) to receive, to welcome
accomodare to arrange, to suit
accondiscẹndere to agree
acconsentire to agree, to consent
accontentare to satisfy
accorato plaintive, grievous

accorgersi (accòrsi, accorto) to become aware, to notice

accorrere (accórsi, accorso) to rush (up)

accortamente cautiously, carefully

accostarsi to approach, to come close to

accrescere to grow

acqua water

acquietarsi to quiet down

acquistare to gain, to win, to buy

acquisto acquisition

acquolina, sentirsi venire l' —— **in bocca** to feel one's mouth begin to water

adatto suitable, adapted

addentrarsi to penetrate, to go into

addietro, anni —— years ago

additare to point out

addolcire to sweeten

addolorato grieved

addormentarsi to fall asleep

addosso on (*one's back*)

adempire to fulfill

adesso now; **d'** —— of this time

adontarsi to take offense

adorno adorned

adottare to adopt

adunarsi to assemble, to meet

aereo airy, light, graceful

affacciare, ——**si** to face, to show; to look out

affamato starving

affannoso gasping

affare *m.* matter, business, affair

affaticato wearied, tired

affatto entirely; *with negative expression,* (not) at all

afferrare to grasp, to sieze

affetto affection

affezionato a devoted to, fond of

affidare to entrust

affievolito weakened

affinchè so that

affiggere (affissi, affisso) to post, to affix

affliggere (afflissi, afflitto) to distress, to afflict, to trouble

affollarsi to crowd, to press forward

affrettare, ——**si** to hurry

agenzia d'affari business establishment

agghiacciare to freeze, to turn to ice

aggirarsi to wander about

aggiungere (aggiunsi, aggiunto) to add

agglomerarsi to crowd together

aggravarsi to get worse

agnello lamb

ahi, ahimè *ejaculations* (ouch, alas, *etc.*)

aiola, aiuola flower bed

aiutare to help

ala wing; **fare** —— to line up

alba dawn

albergo hotel

albero tree

alcuno some (one), (not) any; *pl.,* a few, (not) any

aldilà, nell'—— in the other world, in the beyond

alimentare to feed, to nourish; *m. pl.,* food

alitare to breathe

alito breath

allegare to plead as an excuse

alleggerire to lighten

allogare to place conveniently

alloggiare to lodge

alloggio lodging

allontanarsi to move away, to go away

allora then, so; **d'**—— of that time

alloro laurel

almeno at least

alquanto somewhat, a little
altamente highly, very much
altarino tiny altar
alterarsi to change, to alter
alterata, voce —— faltering voice
altercazione *f.* excitement, quarrel
alterigia arrogance
altezza height
alto high, tall
altrettanto (just) as much, likewise; *pl.*, (just) as many
altri *m. sing.* anyone else, another
altro other, else, next; **altri due** two more; **un** —— **poco** a little while longer; **nessun** —— no one else; **niente** —— nothing more; **per** —— in addition; however; **senz'** —— beyond any doubt, certainly, of course
altrui (of) others
alzare to raise; ——**si** to get up
alzata raising, shrug
amabile amiable
amare to love, to like
amareggiare to embitter
amarezza bitterness
amaro bitter
ambasciata message
ambasciatore ambassador
ambiente surrounding; *m.* environment
amicizia friendship, affection; **fare** —— to make friends
ammalarsi to get sick
ammalato sick
ammansirsi to calm down
ammattito driven mad
ammazzare to kill
ammettere (**ammisi, ammesso**) to admit
ammirare to admire, to be amazed
amore *m.* love; **fare all'**—— to go courting, to make love

ampio wide, ample
anche also, too, even
ancora still, yet; —— **di più** still more
andare to go; ——**sene,** —— **via** to go away, to leave
anello ring
angelo, angiolo, angioletto angel
angolo, angolino corner, angle
angoscioso distressing, distressed
anima soul, spirit
animo mind, valor, disposition, spirit
animoso brave, bold
annegare to drown
anno year
annoiarsi to become bored, to grow annoyed
annullare to annul, to cancel, to undo
annunciare, annunziare to announce
ansia, ansietà anxiety
ansimare to pant, to puff
antenato ancestor
anticamera anteroom
anticipo, in ——, **d'** —— early, ahead of time
antico ancient
antipatico disagreeable
antiquario antique dealer
anzi indeed, rather, on the contrary
aperto *p. part. of* **aprire** open(ed)
appannato tarnished, clouded
apparato pomp, display
apparecchiare to set, to prepare
apparecchio machine, display, aircraft
apparire to appear, to emerge, to seem
appartenere to belong
appena hardly, just, as soon as
appendere (**appesi, appeso**) to hang (up)

appoggiare to lean, to rest, to place

apposta on purpose

apprendere (appresi, appreso) to learn

apprensione *f.* apprehension

appresso next, near, following

apprezzare to value, to appreciate

appuntamento appointment

appunto precisely

aprire (apersi, aperto) to open

arancio orange (tree)

Arca di Noè Noah's Ark

arcangelo archangel

arcidiavolo archdevil

ardere (arsi, arso) to burn

ardire to dare

ardito *p. part. of* **ardire** bold

argento silver

aria air, look

armadio closet, wardrobe

armato armed (man)

armeggiare to handle arms, to joust

armi *f. pl.* weapons

armigero warrior

arnese *m.* contrivance, tool

arrabbiarsi to become angry

arrampicarsi to climb (up)

arrestare to stop, to arrest

arricchire to make rich

arricciare, —— il naso per to turn up one's nose at

arrivare to happen, to arrive

arrivederla goodbye

arrostire to roast

arrosto roast (meat)

artigiano craftsman, artisan

ascensore *m.* elevator

asciugare to dry

asilo sanctuary, asylum

aspettare to wait (for); **——si** to expect

aspetto aspect, view, appearance

assai very (much), quite, many, plenty, rather

assaporare to savor, to enjoy

assedio siege

assegnare to fix, to assign

assennato sensible, wise

assenza absence

assicurare to assure, to insure; **——si** to be assured; to make sure

assicurazione *f.* insurance

assieme = insieme together

assistere a to attend, to be present at

assoluto absolute

assorto absorbed

assumere (assunsi, assunto) to undertake, to assume

assurdità absurdity

astante onlooker

astenersi to abstain

astio resentment, bitter hatred, grudge

attaccare to attach, to attack

atteggiare to take on a pose *or* expression

attendere (attesi, atteso) to wait

attentarsi to try, to dare, to venture

attenuare, ——si to attenuate, to tone down, to fade

attenzione *f.* attention; **fare ——** to pay attention

attimo second, moment

attività activity

attizzare to stir up, to arouse

atto act, gesture, motion, manner; **in —— di** as if to; **—— apt**

attonito stunned, astonished

attore actor

attorno a around

attrarre (attrassi, attratto) to attract

attrattiva attraction

attraversare to cross

attraverso across, through

attrice actress
audace bold
aumento increase, growth
autista driver, chauffeur
autorẹvole authoritative
autunno autumn
avanti ahead, forward, before; **farsi**
—— to step forward
avanzare to put forward, to ad-
vance, to remain; ——**si** to ad-
vance, to extend
avanzi *m. pl.* ruins
avere (*p. abs.* **ebbi**) to have, to get;
—— **quarant'anni** to be forty
(years old); ——**cela con** to have
it in for; **abbi pazienza** be patient
avvedersi to notice, to perceive
avvenimento event
avvenire to happen; *m.*, future
avventarsi to hurl oneself, to throw
oneself
avventura adventure
avventuriere *m.* adventurer
avverarsi to come true, to be
realized
avvertire to notice, to inform, to
warn
avvezzare to accustom
avvezzo accustomed
avviarsi to set out, to make one's
way
avvicinarsi to approach, to draw
near(er)
avviso announcement, poster
avvọlgere (**avvolsi, avvolto**)   to
envelop, to wrap
azione *f.* action, deed
azzurro (sky)blue

B

babbo dad
baccano uproar

baciare to kiss
bacio kiss
badare to mind, to pay attention to,
to take care of
Baedeker, *German name which has
become synonymous with* guidebook
baffi *m. pl.* mustache
bagnato wet
balbettare to stammer, to mumble
balenare to flash
balla bale
ballare to dance
ballo dance
baloccarsi to play with toys
balocco toy
bambino child, baby; **da** —— as a
child
bancarella bookstall
banchettare to feast, to dine
banchiere *m.* banker
banchina bench; —— **del molo**
wharf, pier
banco bench, desk
banda, da —— aside
bandiera flag
bando, messo al —— banished,
ostracized
barba beard; old man
barbiere *m.* barber
barbuto bearded
barca boat
bardato trimmed, caparisoned
bascià *m.* Pasha
basso low; **in** —— below, at the
bottom; **a testa bassa** with head
lowered
basta that is enough (*from* **bastare,**
to suffice)
bastimento ship, vessel
bastonare to beat
bạttere to beat, to strike
battẹsimo baptism
baule *m.* trunk

bavaglio gag
bavero collar
bavoso slobbering
becco beak
beffa mockery, jest; farsi beffe di to laugh at, to put to scorn
beffardo mocking, scoffing
belante bleating
belato bleating (*sound*)
bellezza beauty
bellicoso warlike
bellina pretty
bello fine, handsome, beautiful; bell'e + *adj.*, really, good and
benchè although
bene well, very, certainly, good, indeed; va— all right, O.K.; *m.* good, wealth, property, affection; voler (del) — a to love, to have affection for; ogni ben di Dio all sorts of goodies
benedetto blessed
benedire to bless
beneficio benefit
benessere *m.* well being
benevolo benevolent, kind
benigno benign, mild
benino not so bad, so-so
benone fine
bere (bevvi, bevuto) to drink
berretto cap
bestemmia curse, blasphemy
bestia beast, (domestic) animal; *pl.*, cattle
bestialità nonsense, foolishness, bestiality
bevve *p. abs. of* bere
biada fodder
biancheria linen
bianco white, blank
biascicare to mumble
biasimare to blame
biblioteca library

bicchiere *m.* (drinking) glass
bilancia balance, scales
bilanciare to balance
bimbo = bambino child, baby
birba rogue, rascal
birbone *m.* scoundrel
birichino mischievous, naughty
birra beer
birri police
bisognare to be necessary
bisogno need; aver — di to need
bocca mouth, lips
boccacce, fare le — to make a sour face
bonario good-natured, friendly
bontà goodness
borbottare to grumble, to mutter
borbottio grumbling, mumbling
borghese middle class, bourgeois
borgo suburb, town
borioso arrogant, conceited
bosco woods, forest
botta whack, bang, blow
bottega shop, workshop
bottiglia bottle
bozza rough copy, proof
braccio arm; tra le braccia in one's arms
braci *f. pl.* embers
braciere *m.* brazier
bragia embers
bravo fine, clever, good; —! bravo! well done!
breve brief, short
breviario prayerbook, breviary
brezza breeze
briccone *m.* knave, rascal
briciolo tiny bit
brigata company, group, brigade
brillare to shine
brindare to toast
brio liveliness, drive
brivido shiver

broccato brocade
brodo clear soup, broth
brontolare to rumble, to roar, to grumble
bruciare to burn
brulicare di to swarm with
brusio buzzing, humming (sound)
brutto ugly, terrible
bubbolo harness bell
bucato washing; **di** —— freshly laundered; *p. part. of* **bucare** pierced
buffo funny, odd
bugigattolo small room
buio dark, darkness; **farsi** —— to grow dark
bulo bully, tough
buoi *m. pl.* oxen
buono good; **di** ——' **ora** early
burattino puppet
burla prank, trick
burlarsi di to laugh at, to jeer at
bussare to knock
buttare to throw; —— **via** to throw away; —— **sangue** to shed blood.

C

cacche *f. pl.* excrement, ordure
caccia hunt
cacciare to chase (away), to thrust, to put
cacio cheese
cadere (*p. abs.* **caddi**) to fall
caduta fall
caffè coffee, café
cafone *m.* Southern Italian peasant
cagione *f.* cause; **per** —— **sua** because of him (her)
cagnesco, in —— surlily
calamaio inkwell
calare to lower, to descend

caldo warm, hot; *m.*, heat; **aver** —— to be warm
calibro caliber; **di medio** —— average
calore *m.* warmth
calunnia slander
calza stocking
cambiare to change, to exchange
camera room; —— **da letto** bedroom
cameriera maid, waitress
cameriere *m.* waiter, porter
camicia shirt; **camiciotto** blouse, sport shirt
camino fireplace
camminare to walk
cammino way, path; **a** ——, **in** ——, **cammin facendo,** on the way
campagna country, countryside
campana (large) bell
campanello bell
campanile *m.* bell-tower
campare to live, to survive
campo field, camp
cancelliere *m.* chancellor, registrar
candido frank, snow white
cane *m.* dog
canneto cane field
cannuccia straw
canonico canon (*prelate*)
cantante singer
cantare to sing
cantera (*dialect*) receptacle
cantina cellar, dark damp place
cantiniere *m.* steward, butler
canto corner; —— singing, song
canuto white-haired
canzonare to make fun of
capace capable, containing
capanna hut, hovel
caparbio stubborn
capelli *m. pl.* hair
capezzale, al suo —— at his bedside

capire to understand
capitano captain, military commander
capitare to come, to turn up, to happen
capitolare to capitulate
capo head, chief
capocomico director *of a theatrical company*
capodanno New Year's Day; **la notte di** —— New Year's Eve
capofitto, a —— head-first, headlong
capovolgere (*p. part.* **capovolto**) to overturn, to reflect
cappa cloak
cappella chapel
cappello hat; **cappelluccio** little hat
cappone capon, castrated rooster
cappuccio hood
capra goat
capraio goatherd
capriccio whim, caprice
carabiniere *member of select order of armed state police*
carcerato prisoner, imprisoned
carcere (*m. or f.*) prison
carezza caress, display of affection
caricare to load, to charge, to burden
carico loaded, weighed down, full; *m.*, burden, cargo
carità charity
carne *f.* flesh, meat; **in** —— **ed ossa** in the flesh
carneficina slaughter
caro dear, expensive
carro wagon, cart
carrozza carriage, coach
carta paper, card; **giocare a carte** to play cards
cartellino card
cartello poster, sign

cartolina postale post-card
cartone *m.* cardboard
casa house, home, building, family; **a** —— (at) home
cascare to fall (down)
caso case, event, business, affair, incident; **per** —— by chance; **fare gran** —— **di** to make much of; **i casi suoi** one's own business
cassa chest, box
cassetto drawer
cassettone chest of drawers
castello castle, village
castigare to punish
castigo punishment
castità chastity
catalessi *f.* catalepsy
catanese native of Catania
catapecchia hovel
catena chain
cattedrale *f.* cathedral
cattivo bad
cauto cautious
cavalleria cavalry, chivalry
cavallo horse; **a** —— on horseback, straddling
cavare to pull out, to remove; —— **si** to get out, to free oneself, to satisfy (*a craving*)
cavernoso cavernous, very deep
cedere to yield, to give in
celeste celestial, light blue
celia joke, jest
cena supper
cenare to have supper, to dine
cencio rag
cenere *f.* ash, ashes
cenno nod, sign, order, hint
centellinare to sip
centro center
cera look, mien; —— wax
cercare to look for, to try (to)
cerchio ring, circle

cerimonioso formal, dignified, ceremonious
certezza certainty
certo certain, certainly
cervello brain
cessare to cease, to stop
cesto basket
chè *conjunction* for, since
chetarsi to quiet down
chi the one who, he who, who, whom, whoever; —— ... —— some ... others
chiacchierare to chatter
chiamare to call, to call for, to call on; ——si to be named
chiarire to clarify
chiaro clear
chiarore *m.* light, gleam, glimmer
chiazza spot, stain
chiędere (chiesi, chiesto) to ask (for)
chiesa church
chilọmetro kilometer
chinare to bend, to bow (to)
chino bent, lowered
chiome *f. pl.* locks (*of hair*)
chiostro cloister
chirurgo surgeon
chissà = **chi sa** who knows, Lord knows (what)
chitarra guitar
chiụdere (chiusi, chiuso), ——si to close
chiunque whoever
ci us, to us; there, here, to it, about it, *etc.*
ciao hi, so long, cheerio
ciascuno each (one), everyone
cibo food
cicerone guide
cielo sky, heaven
cifra number
ciglio eyelash, eyebrow, edge
cileno Chilean

cilindro top hat
cima peak, top; in —— a at the top of
cimitero cemetery
cine = **cinematọgrafo** cinema
ciò that, this; —— **che** what, which
cioccolata chocolate
cioè = **ciò è** that is (to say), namely
cipiglio frown, scowl
cipresso cypress
circa about
circolazione *f.* traffic
cịrcolo club, group, circle
circondare to surround
circospetto circumspect
circostante neighboring, surrounding
città city
cittadino citizen
ciuffo tuft
civile civilized, civil
civiltà civilization
clamoroso sensational, noisy
clero clergy
clivo hillock
cocciuto stubborn
cognato brother-in-law
colà over there
colazione *f.* breakfast, lunch
colle *m.* hill
cọllera anger
collo neck
collocarsi to take position, to be situated
colmare to fill up, to overwhelm
colmo full; —— *m.,* limit, climax
colonna column
coloro those (people)
colpa guilt, blame
colpire to strike
colpo blow, stroke; **di** —— suddenly; —— **d'occhio** sight, glance
coltello knife

coltivato cultivated
cólto cultured
còlto *p. part of* **cògliere** overtaken, seized
colui the one, that one
combàttere to fight
combattimento fight
combinazione *f.* coincidence
come like, as, how, when, as if
còmico actor, comedian
cominciare to begin
comitiva group, party
commedia play, comedy
commediante comedian, player
commèttere (**-misi, -messo**) to commit
commiato leave-taking
commiserazione *f.* pity
commosso *p. part. of* **commuòvere**
commozione *f.* emotion, excitement
commuòvere (**commossi, commosso**) to move deeply, to touch, to affect
comodità convenience, comfort
compagnìa company; **farc ——** to keep company
compagno companion, friend, colleague
comparare to compare
comparire to appear, to make an appearance
comparsa appearance
compassato stiff, formal, restrained
compenso recompense, reward
còmpera, compra purchase
comperare = **comprare** to buy
compètere to belong to, to compete
compiacenza satisfaction, indulgence, kindness
compiacere to please; **——si** to be pleased
còmpiere (*p. part.* **compiuto**) = **compire** (*p. part.* **compito**) to complete, to accomplish

còmpito task
complesso complex
comporre to compose
comprare to buy
comprensivo understanding, comprehensive
compresso restrained, controlled, pressed
compunzione *f.* compunction, remorse
comune common, ordinary
comunque however
concèdere (*p. part.* **concesso**) to allow, to grant, to concede
concepire to conceive, to express
concerto concert, agreement
conchiglia (sea-) shell
conclùdere (*p. part.* **concluso**) to finish, to do, to conclude
concorde agreed, in agreement
concòrrere to concur
condannare to condemn
condivìdere to share
condizione, condizioni *f.* status, position
condurre (*p. part.* **condotto**) to take, to lead
confermare to confirm, to bear out
confine *m.* border
congedarsi, prèndere congedo to take leave
congiùngere to join, to clasp
congiuntura situation, circumstance
congiura conspiracy
congratularsi con to congratulate
coniglio rabbit, coward
conobbi (*p. abs. of* **conòscere**) I met
conoscenza knowledge, acquaintance, consciousness
conòscere to know, to be familiar with, to meet
consegna consignment, trust

consegnare to hand over, to give, to consign

conseguenza consequence; **per** —— consequently

conservare to retain, to preserve

consigliare to advise

consiglio advice, council, counsel; **a** —— in council

consueto usual, habitual

consuetudine f. custom, usage, habit

consulta consultation

consunto worn out

contadino peasant

contare to consider, to count, to expect

contatto contact

conte count

contegno behavior, bearing

contegnoso dignified, reserved, staid

contendente opponent, rival

contendersi to compete for

contenere to contain

contentare to please, to satisfy

contentezza happiness

contento happy, glad

contenuto content(s); —— *p. part.* *of* **contenere** contained

conteso *p. part of* **contendere** competed (for)

conto account; **fare** —— to note, to imagine; **fare il** —— to reckon, to figure up; **per mio** —— as for me; **per** —— **suo** on his own; **rendersi** —— to realize, to answer for; **a conti fatti** all things considered

contorno border, outline

contraccambio exchange, return

contrada district, area

contrarietà opposition, disappointment

contravvenire to violate, to transgress

contrizione f. contrition

contro against; **di** —— opposite

convenevole suitable

convenire to gather, to be suitable *or* proper, to be fitting to, to be expedient *or* necessary

convenuto agreement; —— *p. part.* *of* **convenire** agreed

conversatore conversationalist

conviene *pr. ind. of* **convenire** it is fitting, expedient *or* necessary

convinto *p. part. of* **convincere** convinced

convivere to live together

copia copy, abundance

coprire (*p. part.* **coperto**) to cover

coraggio pluck, courage; **prendere** ——, **farsi** —— to take heart; **far** —— to encourage

corazzato armored

cordone m. cord, rope-belt, cordon

cornice f. frame, framework

cornuto horned

coro chorus, choir

corpo body, substance

correggere (*p. part.* **corretto**) to correct

correre (**corsi**, **córso**) to run

corriere m. messenger

corsa trip, run, errand; **in**— on the way, speeding

corteo procession

cortesia chivalry, courtesy

cortigiana courtesan

cortile m. courtyard

cortina curtain, smoke screen

corto short

cosa thing; —— *or* **che** —— what?

così thus, so, in that way, like that; —— **fatto** such; **di** —— than this, than that

cosiddetto so-called

cospicuo conspicuous

costà over there
costeggiare to sail along, to follow the coast line of
costei she, her, that girl, that woman
costernato upset
costì = **costà**
costringere (*p. part.* **costretto**) to compel, to force
costruire to build
costui that fellow, that man
costume *m.* habit, custom, costume
cotale such a
cotto *p. part. of* **cuocere** cooked
cranio skull
credenza buffet; —— **di cucina** cupboard
credere to think, to believe, to feel that way
crepare to croak, to drop dead
crescere to grow
crescita growth
cresta crest; **abbassare la** —— to come off one's high horse.
crine *m.* horse-hair
crocchio group
croce *f.* cross
crociata crusade
crollo collapse
crudele cruel
crudeltà cruelty
crudo raw
cuccagna, paese di —— land of plenty, cockaigne
cucchiaio spoon
cucina kitchen, cooking
cucinare to cook
cucire to sew
cugino cousin
cui (to) whom, whose
culto religious practice; **luogo di** —— shrine
cultura culture
cuoco cook

cuore *m.* heart, courage; **di**——, gladly, heartily
cupo gloomy, dark
curare to take care of, to treat (*a patient*); ——**si**, to mind, to care, to pay attention to
custode custodian
custodire to guard, to take care, to look after

D

da from, of, by, as a, since, to (the home *or* presence of); —— **bambino,** —— **piccolo,** as a child; **dal bambino** to *or* before the child; —— **fare** to be done; ——**mangiare,** *etc.* to eat, *etc.*; —— **sè** by oneself; —— **tanti anni** since (so) many years
dà *pr. ind. of* **dare** gives
dabbene honest, respectable
daccapo over again, from the beginning
daga dagger
dama (fine) lady
danaro denaro money
dannato damned
danno damage, wrong, harm; —— *pr. ind. of* **dare** they give
dappertutto everywhere
dapprima at first
dapprincipio from the beginning
dare (*p. abs.* **diedi** *or* **detti**) to give, to face, to strike; ——**si** to happen, to occur; ——**da mangiare** to feed; **darsi a** to begin to, to give oneself over to; **può darsi** perhaps, that (it) may be; **darsi da fare** to get busy; **dai dai!** go to it! give it to him!; **dato che** considering that, since

davanti a in front (of)
davanzale *m.* window sill
davvero really, indeed
debba *pr. subj. of* **dovere** should, *etc.*
debitamente duly, properly
dębito debt
dębole weak
decapitare to behead
decifrare to decipher
decina, una —— **d'anni** about ten years
degnare to deign, to deem worthy; ——**si** to deign, to condescend; **si degni di** please be so kind as to
degnazione *f.* condescension, kindness
degno worthy, dignified
deliberare to decide, to deliberate
delizioso delightful, delicious
deludere (*p. part.* **deluso**) to disappoint
denaro = **danaro** money
denominato named
dente *diminutive* **dentino** *m.* tooth; **mal di denti** toothache
dentro inside, within (it *or* them); **fin** —— **a** (all the way) inside; into
denunzia charge, statement
deplorȩvole deplorable
deporre (*p. part.* **deposto**) to lay down, to put
depọsito warehouse
descritto *p. part. of* **descrȋvere** described
desiderạbile desirable
desiderio desire, wish
desinare to dine
destarsi to awaken
destino destiny
destro right, clever; **la destra** the right (hand)
dettare to dictate

detto *p. part. of* **dire** said, aforesaid; —— **fatto** no sooner said than done
deve *pr. ind. of* **dovere** is to, must, is supposed to, has to, *etc.*
deviare to swerve
dì *m.* day
dialetto dialect
diavolerạ witchcraft, mess
diạvolo devil
dicȩvole suitable
dichiarare to declare
dietro (**a**) in back, behind (it), after (it)
difatti in fact
difesa defense
difetto defect
differenza difference; **a** —— **di** unlike
differire to differ
diffịcile difficult
difficoltà difficulty
difforme different, nonconforming
dignitoso dignified
dileggio mockery, scorn
dilettarsi to delight, to take pleasure in
diletto delight, pleasure
dimenare, ——**si** to swing, to toss
dimenticare, ——**si** to forget
dimestichezza familiarity
dimorare to reside
dimostrare to show
dintorno around, near (it); **i dintorni** outskirts, surrounding territory
dio, Dio god, God
dipȩndere da to depend upon
dipịngere to paint, to portray, to color
dipinto *p. part. of* **dipịngere** colored; *m.* color; painting
dire (**dissi, detto**) to say, to tell, to speak; **voler** —— to mean

diretto through train; —— *p. part.*
of **dirigere**
direttore director, conductor
dirigere to direct; ——**si** to turn
towards
dirimpetto directly opposite, facing
diritto straight (ahead); *m.* right,
law
dirittura straight line
disabitato unoccupied, deserted,
empty
disagio uneasiness, hardship; a——
uncomfortable, ill at ease
disamorare to estrange; ——**si** to
fall out of love
discendente descendant
disceso *p. part. of* **discendere** de-
scended
disco (phonograph) record
discolpa excuse, justification
discorrere to talk
discorso talk, conversation;—— *p.*
part. of **discorrere**
discretamente fairly (well), dis-
creetly
disegnare to design, to describe
disegno plan
disfarsi di to get rid of
disgrazia misfortune
disgraziato miserable (wretch)
disgusto disgust, distaste
disinvolto unembarrassed, casual,
free and easy
disinvoltura free and easy manner
disobbligato freed from obligation
disordinato untidy, disorderly, ex-
travagant
disordine *m.* disorder, confusion
disorientare to confuse
disparato dissimilar, disparate
dispensarsi to excuse oneself, to get
out (*of doing something*)
disperarsi to become desperate

disperazione *f.* desperation
dispetto spite; **a** —— **di** despite;
fare un —— to do an ill turn
dispettoso spiteful
dispiacere to displease, to cause
sorrow; **mi dispiace,** I am sorry;
m. displeasure
disporsi to prepare
disposizione *f.* arrangement, disposition, order
disposto ready, willing
disprezzare to scorn, to disdain
disprezzo scorn, contempt
disputare to discuss
disse *p. abs. of* **dire** said
distacco separation, detaching
distendere, ——**si** to stretch out
distesa stretch
distinguere to distinguish; ——**si**
to make oneself conspicuous
distinsi *p. abs. of* **distinguere** I distinguished
distinto *p. part. of* **distinguere** dis-
tinct, distinguished
distrarre to distract; *p. part.,* **dis-**
tratto absentminded
disturbo bother, disturbance
disuguale unequal
dito finger, toe
divano sofa
diventare to become
diversivo diversion
diverso different, various
divertirsi to have a good time;
divertito amused
diviato direct(ly)
dividere (*p. part.* **diviso**), ——**si** to
divide, to separate
diviene = diventa becomes
divieto prohibition
divorare to devour
dolce sweet, gentle
dolcezza sweetness, joy

dolere (*p. abs.* **dolsi**) to pain, to grieve; ——**si** to regret, to grieve
dolore *m.* pain, grief
doloroso painful
domanda question
domandare to ask
domani tomorrow
domattina tomorrow morning
domęnica Sunday
domestichezza = **dimestichezza** familiarity
dominio domination
donare to give, to present
donatore *m.* donor
donde whence, from where, wherefore
dondolare to sway, to rock
donna woman, lady
donnesco womanly
donnette "pick-up girls"
dono gift
dopo after, later; —— **che** after
dopodomani day after tomorrow, two days later
dopoguerra *m.*, post-war era
doratura gilt
dọrico Doric, Dorian
dormire to sleep
dottore doctor
dove where
dovere to owe, to have to; *m.* duty; **devo** I am (supposed) to, I must; **dovevo** I was to, ought to have; **dovrei** I ought to, *etc.*
doveroso dutiful, right
dovunque wherever
drappo cloth, drape
dritto = **diritto** straight
drizzarsi to stand up, to straighten up
dubbio doubt; **senza** —— no doubt
dubitare to doubt, to suspect, to distrust

dunque therefore, so
durante during
durare to last, to endure
durata duration
durezza hardness, harshness
duro hard, rough, harsh

E

ebbene well then, well
ecc. = **eccętera** et cetera
eccetto except (for)
ecco here is, here are, behold, that's why; —— **che** and now, it so happens (happened) that
editto edict
educato well-bred, polite
effettivamente actually, indeed, really
effetto result, effect
Egitto Egypt
egizio Egyptian
eguagliare = **uguagliare** to equal
elęggere (**elessi, eletto**) to elect, to choose
elemọsina alms, charity
elmo helmet
elogio eulogy, praise
emanare to emanate
emigrato emigrant
energụmeno madman, bully
enorme enormous
entrare to enter
entro within, by the end of
eppure and yet
equivalere to be equivalent to
equịvoco misunderstanding
erba herb, green plant, grass
erede heir
eroe hero
esagerare to exaggerate
esasperazione *f.* exasperation
esclamare to exclaim
esempio example

esercitare to practice, to pursue
esercizio exercise
esilarare to exhilarate
ęsile thin, slender, weak
esistenza existence
esįstere to exist
esitare to hesitate
esitazione *f.* hesitation
ęsito outcome, result
esonerato exonerated
esperienza experience
espiazione *f.* expiation
esporre to expose, to set forth, to expound
esprįmere (*p. part.* **espresso**) to express
ęssere to be; *m.* being, creature
estasiarsi to rave, to become ecstatic
estate *f.* summer
estątico enraptured
estivo (of) summer
estrąneo foreign
età age
etichetta etiquette

F

fa, vent'anni —— twenty years ago
fąbbrica structure, building, factory
fabbricare to construct, to manufacture
fabbricato building
faccenda business, thing, matter
faccia face; —— *pr. subj. of* **fare**
facciata façade, front
facezia jest, witticism
facoltà power, right, ability, faculty
fagiano pheasant
falda brim
fame *f.* hunger
famiglia family
fanale *m.* beacon, signal light, lamp

fanciullo boy, child
fango mud
fantasįa imagination
fantesca maid-servant
fare (**feci, fatto**) to do, to make, to cause, to let; —— **attenzione** to pay attention; —— **luogo** to make room; —— **capire** to let (one) understand; —— **sedere** to help to a seat; —— **presto** to be prompt, to be quick about it; ——**in tempo** to be on time; —— **sì che** to cause (to have as a result that); —— **male a** to hurt; *m.*, manner, behavior; **farsi** to grow, to become; —— **vivo** to appear, to show up; —— **incontro** to come toward; —— **intorno** to gather around; —— **buio** to grow dark; —— **avanti,** —— **innanzi** to come forward
farina flour
fasciame *m.* planking
fastįdio bother
fastigio pediment, gable
fata fairy
fatato enchanted
fatica effort, fatigue
faticoso tiring
fattįbile feasible
fatto *m.* fact, event; —— *p. part. of* **fare**
favilla spark
fąvola fable, story
favore *m.* favor, pleasure; **per** —— please; **biglietto di** —— complimentary ticket
favoręvole favorable, well-disposed
fazzoletto scarf, handkerchief
febbre *f.* fever
fede *f.* faith, evidence; **tener** —— **a** to remain true to
fedeltà loyalty

felice happy
femmina female, woman
fendente *m.* slash, cutting blow
fenomeno phenomenon
ferita wound
ferito wounded
feritore assaillant, wounder
fermare to stop; ——si to stop, to stand still
fermata stop
fermezza firmness, strength
fermo still, motionless
feroce ferocious, fierce
ferro iron, sword, weapon
festa holiday, feast (day); **far**——**a** to give a hearty welcome to
festeggiare to entertain, to celebrate
festosità festive character, gaiety
fetta slice
feudatario landlord, feudal lord
fiamma flame
fiammeggiante shining, blazing
fiammifero match
fiammingo Flemish
fianco side, flank
fiasco flask
fiato breath
ficcare to stick, to put
fico fig
fidanzato fiancé
fidato trustworthy, dependable
fiducioso trusting, confident
fiero proud
figlia, figliola daughter,
figlio, figliolo son, child
figurarsi to imagine
figuretta slim figure
filare to weave; *m.* row
filo thread; **per**—— **e per segno** in detail
filobus *m.* trolley bus
filosofia philosophy

filza string, pack
fin, fino until, up, to, even; —— **a** until, as far as, up to; —— **in fondo** right to the bottom; **fin da** ever since; **fin dove** (for) as far as
finché while; —— *more properly* ——...**non** until; **finché vive** while he lives; **finché (non) muore** until he dies
fine fine, thin, delicate; —— *f.* (*sometimes m.*) end
finestra window
fingere to pretend
fino *see under* **fin**
finto sham, mock; *p. part. of* **fingere**
fiore *m.* flower, bloom; **fior fiore** "cream of the crop," finest
fiorentino Florentine
fiorino florin
fiorire to bloom
fisionomia physiognomy, features
fisionomista *m. or f.* **fisionomo,** physiognomist
fissamente, guardare —— to stare at
fissare to stare (at), to engage, to fix, to appoint
fissità fixity
fitto thick, dense; *m.*, rent, lease
fiume *m.* river
fiutare to sniff, to smell
flanella flannel
florido prosperous
focaccia *a kind of flat, unleavened bread*
focolare *m.* fireplace
foga ardor
foggia fashion, style
folla crowd
fondamento foundation, basis
fondo background, bottom, back, nature; **di**—— on the bottom; **in** —— basically
fontana, fonte *f.* fountain

forbicine *f. pl.* nail scissors
forestiero foreign(er)
formicolare to swarm
fornace *f.* furnace
forse perhaps
forte loud, strong, loudly, powerfully
forza strength, courage, force; **a**
—— **di** by virtue of, because of;
per —— of course, perforce,
necessarily; **di** —— forcibly
forzare to force
fossa ditch, grave
fosse *imp. subj. of* **ẹssere** might be
fra between, among, in
fragore *m.* loud noise
frangetta fringe; bangs (of hair)
frase *f.* sentence
frastaglio indentation
frastono, frastuono din, noise
fratacchione big hulking friar
frate friar
fratellanza brotherhood
fratello brother
fratricidio fratricide
frattanto meanwhile
freccia spire, arrow
freddare to cool, to kill
freddo cold; **aver** ——, **far** —— to
be cold
fregare to rub
frẹmere to quiver, to tremble, to
shudder
frẹmito throb, thrill, shiver
frenare to brake, to put on the
brake(s)
freno brake
fresco fresh, cool; **stare** —— to be
in a pretty pickle
fretta hurry, rush
frettoloso hasty
frivolezza frivolity
fronda leaf, leafy branch

fronte *f.* forehead, brow, face, front;
di —— **a** opposite, in front of
fronzuto leafy
frotta crowd, throng, troop
frumento wheat
frustato whipped
fucile *m.* gun; —— **da caccia** shot-
gun
fuga flight
fuggire, ——**sene** to flee
fụlmine *m.* thunderbolt
fulmineamente swiftly, like lightning
fumare to smoke
fune *f.* rope
funesto, woeful, tragic
funicolare *f.* cable-car
funzionario official
fuoco fire
fuorchè except
fuori out, outside; **fuor di sè** beside
oneself
furbesco cunning
furfante *m.* scoundrel, rogue
furia fury, rage, anger, hurry; **con
tanta** —— in such a hurry
furto theft

G

gabbia cage
gagliardo vigorous, hearty, strong
galanterịe *f. pl.* luxury articles
gaiezza gaiety
gaio gay
galleggiare to float
gallerịa gallery, tunnel; —— **di
quadri** art gallery
gallina hen
galoppatoio riding-track
gamba leg
gancio hook
garbare to please, to suit
garbato polite, gracious

garbo politeness, courtesy
gastigo = **castigo** punishment
gatto cat
gaudente pleasure-lover, pleasure-loving
gelato frozen
geloso jealous
gęmito groan, wail
gemma gem
generare to beget
gęnere *m.* kind, type, species
gennaio January
gente *f. sing.* people
gentile nice, kind; (*in older usage*) noble
gentilezza kindness, politeness
gentiluomo gentleman, nobleman
geǫmetra *m.* surveyor
gerąnio geranium
Gerusalemme Jerusalem
gesto gesture, deed
gettare to throw, to utter
ghiaccio ice
già already, formerly, indeed
giacca jacket
giacchè since
giacere to lie
giallo yellow; **giallino** yellowish
giardino garden
giglio lily
ginocchio knee; **in** —— on one's knees
giocare to play, to gamble
giocatore player, gambler
gioco game, gambling
giogo yoke
gioia joy; ——, **gioiello** jewel
gioire to rejoice
giornale *m.* newspaper
giornata day, day's activity
giorno day, daylight, daytime; **un** —— some day; **di** —— **in** —— from day to day

giostrare to joust
giǫvane young, young man, girl, apprentice
giovanile youthful
giovare to help, to be of use
giovedì Thursday
gioventù *f.* youth, young people
giovinetta young girl
giovinezza youth
girare to turn, to circulate, to travel
giro turn; **fare un** —— to go for a drive, to go around; **lasciare in** —— to leave lying around; **pręndere in** —— to tease, to mock
gita trip, excursion
gitante tripper
gittare = **gettare**; —— **le reti** to throw out the nets
giù down
giudicare to judge, to think, to consider
giųdice judge
giudizio common sense, good behavior, judgment, prudence
giunchiglia jonquil
giųngere (giunsi, giunto) to arrive, to reach
giuocare = **giocare**
giurare to swear
giustizia justice
giusto right, fair, exact, just
godere, ——**si,** —— **di** to enjoy
gola throat, gorge
grącile frail
gracilità frailness
gradino step
gradisca *pr. subj. of* **gradire** please be so kind as to
grado degree, pleasure; **a** —— **a** —— little by little; **di buon** —— willingly, with pleasure; **in** —— **di** able to, in a position to

grandezza greatness
grasso fat, abundant, hearty, greasy
grato grateful
grattacielo skyscraper
grattare to scratch
grave heavy, solemn, serious, grave
grazia grace, charm, favor; —— di Dio goodies, luscious viands
graziaddio = grazie a Dio thank God, thank goodness
grazie thanks, thank you
grazioso graceful, charming
greco Greek
grembiale, grembiule, grembiulino m. apron
greve heavy
gridare to shout; *colloquial for* sgridare to scold
grido shout, cry
grosso big, large
gruppo group
gruzzolo hoard
guadagnare to earn
guadagno earnings, profits
guai *pl. of* guaio woe
gualdrappa saddle-cloth, caparison
guancia cheek
guardare to look (at); ——si da to refrain from, to avoid, to beware
guardaroba wardrobe, wardrobe supervisor
guardia guard
guarire to cure, to heal, to recover
guerra war
guerriero warrior
guidare to guide, to lead, to take, to drive
guisa manner; a —— di in the manner of
guizzare to wriggle
gusto taste, relish

I

Iddio = Dio God
ieri yesterday
ignorare to be unaware of
illecito illicit
imbandito prepared, set
imbarazzato embarrassed
imbarazzo embarrassment
imbarcare to embark, to take (as a passenger)
imbattersi to run across, to meet
imboccare to enter
immacolato immaculate
immagine f. image, impression
immancabile inevitable
immane frightful, enormous
immerso p. part. of immergere immersed
immondo filthy
impacciato uneasy, embarrassed
impadronirsi to get hold, to take hold
impalpabile intangible
imparare to learn
impaurito frightened
impazzata, all'—— madly
impedire to prevent, to oppose, to forbid
impegnare to pledge, to engage; ——si to commit oneself, to promise
impegno promise, pledge, engagement
impercettibile imperceptible
imperio command, commanding force, power, empire
impeto vehemence, impetus
impiccare to hang
impicciato impeded, hindered
impiccio bother, obstacle, trouble
impiego job, occupation
imponente imposing, stately

importa, *pr. ind. of* **importare** implies, means, matters; **non me ne** —— I don't care about it; **che** —— what's the difference, what does it mean *or* matter

imposto *p. part. of* **imporre** to put on, to impose

impresa undertaking, venture.

imprigionare to imprison

impronta imprint, stamp

improvviso, improvvisamente sudden, suddenly

impugnare to grasp, to grip

incamminarsi to set out, to make one's way

incantarsi to become enchanted

incantesimo, incanto spell, charm

incaricare to charge, to entrust; ——si to take upon oneself

incarico task, assignment

incarnarsi to become incarnated

incendiarsi to catch fire

incendio fire

incertezza uncertainty

incerto uncertain

inchinare to bend down; ——si to bow down

inchiodare to rivet, to nail

incidente incidental; *m.* accident, incident

incominciare = **cominciare** to begin

incomodo trouble, inconvenience

incomprensibile incomprehensible

inconfessato unconfessed

incontentabile hard to please

incontentabilità insatiability

incontrare to meet

incontro against, toward; **andare, venire, correre** —— to go, to come, to run to meet; *m.*, meeting

incorrere to fall into, to incur

incredulo unbelieving

increspare to ripple, to ruffle

incrociare to cross (paths), to meet

incrostato encrusted

incubo nightmare

incupire, ——si to grow dark(er)

indaffarato busy

indebitato con in debt to

indelicatezza indelicacy

indemoniato possessed (of a devil)

indennità indemnity

indicibile indescribable

indietro back, backwards, behind, after

indignato indignant

indirizzare to direct, to address

indirizzo address

indomani, l'——, the following day

indossare to wear, to put or have on

indovinare to guess

indugiare to delay

indumento garment

inefficace ineffective, useless

inerzia inertness

inesorabile inexorable

infamia infamy

infastidire to annoy, to irritate

infatti indeed, in fact

infecondo unfruitful, sterile

infelicità unhappiness

infermeria infirmary

infermità infirmity, illness

infermo sick, infirm

inferno hell

infido treacherous

infilarsi to thread one's way

infine finally, after all

informarsi to inquire

informe shapeless, vague

infortunio accident, stroke of bad luck

infrangere (infransi, infranto) to infringe, to violate

infuso infused
ingannarsi to be deceived
ingegnere engineer
ingegnoso clever, ingenious
ingenuità ingenuousness, naïveté
ingęnuo ingenuous, naïve
Inghilterra England
inginocchiarsi to kneel down
inginocchiato, inginocchioni kneeling
ingiuria insult, damage
ingiurioso insulting, abusive
ingiusto unjust
inglese English(man)
ingombro obstructed, crowded
ingresso entrance
iniziare to start, to undertake
innamorare to enamor; ——**si** to fall in love
innanzi = **avanti** before
innumeręvole innumerable
inoltrarsi to enter, to go forward
inoltre furthermore, in addition
inospitale inhospitable
inosservato unobserved
inquieto worried
inquietųdine *f.* worry, inquietude
insegna signboard
insegnare to teach
inseguire to pursue
insensibilmente gradually, imperceptibly
insieme together, at the same time; *m.*, whole (thing)
insigne illustrious
insofferente intolerant
insomma in short
insospettito made suspicious
intanato hidden
intanto meanwhile
ịntegro whole
intemperie *f.* inclement weather
intęndere (**intesi, inteso**) to understand, to intend, to mean, to hear

intero entire; **tutto** —— utterly, all of oneself
interrǫmpere (*p. part.* **interrotto**) to interrupt
interstizio interstice
intervenire to intervene, to take part
intervento intervention, presence
intęsero *p. abs. of* **intęndere** they understood
inteso *p. part. of* **intęndere**
intimare to notify; to enjoin
intịngere to dip
intorbidare, ——**si** to grow dark, to become muddied
intorbidato troubled, confused
intorbidire = **intorbidare**
intorno, d'——, all'—— around
intromęttersi to intervene
inųtile useless
invaghire to charm, to attract
invano in vain
invasare to possess (*with a demon*)
invaso *p. abs. of* **invạdere** invaded
invece on the other hand, instead, on the contrary
inverno winter
invetriata glass partition
invidia envy
ira wrath
irragionęvole unreasonable
irrealizzạbile unrealizable
irresolutezza lack of resolve
irrịguo irrigated
isbrigarsi = **sbrigarsi** to get rid of, to hurry up
ismanie = **smanie** *f. pl.* frenzy
ịsola island
isolano islander
istaccarsi = **staccarsi** to come away
istante *m.* instant, moment
istoriate = **storiate** storied

istruito learned
ivi there

L

là there; di —— that way, from there, over there; in —— toward there
labbro lip
lacrime f. pl. tears
ladro thief
laggiù down there, over there
lagnarsi (con) to complain (to)
lago lake
lagrime = lacrime tears
lagunare (of the) lagoon
lamentoso mournful, plaintive
lampo flash, lightning
lana wool
lancia lance
lanciare to throw, to hurl; —— delle occhiate to cast glances; ——si to throw oneself, to rush
languente languishing, weak
lanzare to harpoon, to spear
largo broad, wide
lasciare to let, to leave, to allow
lassù up there, in Heaven
lato side
latte m. milk
lavare to wash; ——si to wash (oneself), to get washed
lavorare to work
lavoratore m. worker
lavoro work
lebbroso leper, leprous
legare to tie, to fasten
legge f. law
leggere (lessi, letto) to read
leggerezza frivolity, lightness
leggiadro pretty, lovely
leggiero, leggero light, clear, slight
legnaiolo wood-cutter

legnate, f. pl. prendersi a —— to come to blows
lembo edge
lentezza slowness
lento slow, slowly
lenzuolo sheet
lepre f. hare, wild rabbit
lesse p. abs. of leggere
letame m. manure
letizia joy
letterato man of letters
letto bed; —— p. part. of leggere
lettuccio diminutive of letto
levare to lift, to raise, to take off, to remove; ——si to rise, to get up
levatura (level of) intelligence
lì = là there; di —— a after; stare —— —— per to be right on the point of
liberare to free; ——si (di) to free oneself, to get rid of
libro book
licenza license, permission
licenziarsi to take one's leave
lieto gay, happy
lieve light, slight
linea line
lingua language, tongue
liscio smooth, neat, sleek, calm
liso threadbare
livrea (servant's) livery
locale m. premises, place, night club
lodare to praise
logorare to wear out
lontananza distance
lontano distant, far; m., distance
lotta struggle
luccicare to shine, to glitter, to sparkle
luce f. light
lucido bright, shiny
lume m. lamp, light

lumicino small light
lumino night-lamp
luna moon
lungamente for a long time
lungo long, along; **a** —— for a long time; **di gran lunga** by far
luogo place; **fate** —— make room!
lupo wolf
lussuoso luxurious

M

maccheroni *m. pl.* macaroni, spaghetti
macchia stain, spot
macchiare to stain
macchina machine, typewriter, automobile, *etc.*
macchinista scene-shifter
macerie *f. pl.* rubble
madonna my lady, Our Lady
madre mother
Maestà (Your) Majesty
maestoso majestic
maestro teacher, master; ——**di casa** steward, majordomo
maestrucolo paltry pedant
magari perhaps, even, how nice if . . ., *etc.*
magazzino store(house)
maggio May
maggiore greater, greatest; older, oldest
maglia sweater, mail
magro thin, lean, meatless
mah! well, really, after all . . . (*usually equivalent to a shrug of the shoulders*)
mai never, ever
maiale *m.* pig
malato sick
malaticcio sickly
malattia illness, disease

malconcio bruised, banged up
male bad, badly; *m.* evil, wrong, harm, hurt; **far** —— to hurt, to do wrong; **star** ——, **sentirsi** —— to feel ill; **farsi** —— to hurt oneself; **meno** —— all the better
maledire (*p. part.* **maledetto**) to curse
malessere *m.* bodily discomfort, malaise
malgrado, a —— **di** in spite of
maligno evil
malinconia melancholy
malnato wretch
mammola violet
mancare to lack, to be missing, to fail; —— **alla parola** to break one's word
mancanza absence, deficiency, lapse (*from good breeding*)
mandare to send
mandorlo almond tree
maneggiare to handle, to use, to take over
mangiare to eat; **dare da** —— to feed
manicomio mental hospital
maniera manner
manigoldo rascal
mano *f.* hand; **a** —— **a** ——, **man** —— gradually; **fuori di** —— out of the way
mansuetudine *f.* mildness, meekness
mantello cloak
mantenere to keep, to maintain, to support
maraviglia = **meraviglia** marvel
marciapiede *m.* sidewalk
marcire to rot
marcio rotten
mare *m.* sea
marina shore, harbor
marinaio sailor

marino naval, maritime
maritare to marry, to wed, to give in marriage
marito husband
marmo, marmoreo (of) marble
maschio male; **figlio** —— son
masticare to chew
matematico mathematician
materasso mattress; —— **di crine** hair mattress
materia subject-matter, material
materno maternal
matita pencil
mattina, mattino morning
matto mad
mazzo bunch, pack
mazzola mallet
medesimo same, self
medioevale medieval
meglio better, best; **alla** —— **the** best one can (could); **del mio** —— as best I could (can), my best; **star** —— to improve
melanconico melancholy, gloomy
mellifluo unctuous
menare to lead, to handle; —— **la scopa** to sweep
mendicante, mendico beggar
meno less, least; **a** —— **che**, unless
menomo = **minimo** least
mente f. mind; pr. ind. of **mentire**
mentire to lie
mentitore m. liar
mento chin
meraviglia marvel, wonder; **a** —— wonderfully
meravigliarsi to be amazed
mercante m. merchant
mercanzie f. pl. wares, goods
mercato marketplace
merenda picnic lunch, snack
merlato crenellated
merletto lace

mese m. month
messa mass
Messere Master, Mr., sir
mestiere m. profession, trade
metà half
metro meter
mettere (**misi, messo**) to put, to put on, to set; ——**si a** to begin to; ——**si in capo** to get the idea
mezzanotte f. midnight
mezzo middle, means, half of, half a; **in** —— **a** in the middle of; **mezzi** transportation means
mezzogiorno noon; south
miagolare to mew, miaow
miagolio mewing, miaowing
mica not at all, not
micio kitten
mietere to reap
migliaia f. pl., **a** —— by thousands
miglio mile; pl. **miglia** miles
miglioramento improvement
migliorare to improve
millanteria bragging
mille pl. **mila** a thousand
minaccia threat
minaccioso threatening
minimamente at all, in the least
minimo slightest, smallest, least
minuscolo tiny
mirabile wonderful
miracolo miracle
mirare to aim, to stare at
miserabile wretch, wretched
miserando pitiful
miseria wretchedness, extreme poverty
misericordia pity, mercy
misero wretched, miserable, poor
misterioso mysterious
mistero mystery
misura, fuori di —— excessively
misurato measured

mite gentle, mild
mitigare to appease
mobile *m.* article of furniture
moccichino handkerchief
moda fashion
modifica change
modo way, manner; **al mio** —— in my way, to suit me; **in ogni** —— anyhow; **in qualche** —— somehow; **tutti i modi** every way
moglie wife
mollemente softly
molo pier, jetty
moltitudine *f.* multitude
molto much, very; **molti** many
mondano earthly
mondo world, people
monellaccio urchin, little rascal
moneta coin
monna = **madonna** (my) lady
montanaro mountaineer
montato a cavallo jumping on horseback
monte *m.* mountain, heap, pile
morbido soft
mordere (**morsi, morso**) to bite, to gnaw
moribondo dying (man)
morire (*p. part.* **morto**) to die; (*in older usage*) to kill
mormorare to murmur
mormorio whispering, murmur
Moro Moor
morsicare to bite
morte *f.* death
morto died, dead (person)
mosca fly
mossa movement
mossero *p. abs. of* **muovere** they moved
mosso *p. part. of* **muovere** moved
mostra exposition
mostrare to show

mostro monster
mostruoso monstrous
moto movement, motion
motoscafo motor launch
motto word, saying
mozzare to cut off
mucchio heap
mugolio whimpering
muore *pr. ind. of* **morire** dies
muoversi to move (oneself)
muraglia wall
murata boat's side
muratore mason, bricklayer
muro wall
museo museum
muto silent (man); **tempo del** —— time of silent films

N

nascere (**nacqui, nato**) to be born; **nasce** is born, arises
nascondere (*p. part.* **nascosto**) to hide; **di nascosto** secretly
naso nose
nastro ribbon
Natale *m.* Christmas
naturale, al —— life size
nave *f.* ship
naviglio boat, canal
ne of it, of them, some, from there, *etc.*
nè nor, neither
neanche not even
nebbia mist, haze, fog
negare to deny
negozio store, business
nembo rain-cloud, nimbus
nemico enemy; hostile
nemmeno, neppure not even
nero black, dark
nessuno no one, not any, neither
netto clean, spotless

neve *f.* snow
nevicare to snow
nevicata snowfall
nido nest
niente nothing; **nient'altro** nothing more; **per** —— not at all, don't mention it
nientemeno nothing less
nipote nephew, niece, grandchild
nodo knot, lump
noia trouble, annoyance, nuisance, boredom
noioso boring, annoying
nome *m.* name
non not; **non ... che** only; —— **che, nonchè** not to mention, besides
noncuranza heedlessness
nondimeno nonetheless
nonna grandmother
nonno grandfather
nonostante notwithstanding
notaro, notaio notary
notizia, notizie news, information
noto well known
notte *f.* night, nightfall; **alla** —— at night, nights; **farsi** —— to become dark
Novecento twentieth century
novella (piece of) news; short story, tale
novità novelty, news
noviziato novitiate
novizio novice
novo = **nuovo** new
nozze *f. pl.* wedding, nuptials, wedding feast
nulla nothing; **non ... per** —— not at all
numerato numbered
nuovo new; **di** —— again
nutrice wet nurse
nutrire to feed
nuvola cloud

O

o or, either, whether
obbligare to oblige, to compel, to bind
obbligo obligation
oblio oblivion; **in** —— forgotten
occhiata look, glance
occhiello eyelet, buttonhole
occhio eye
occorrere (*p. part.* **occorso**) to be necessary, to happen, to occur
ode *pr. ind. of* **udire** hears
odiare to hate
odio hatred
odorifero, odoroso sweet smelling
offesa offense
offeso *p. part. of* **offendere** offended, injured (person)
offrire to offer
oggi today
ogni each, every; —— **tanto** every now and then
ognuno each, every (one)
oimè alas
olandese Dutch
oltre beyond; ——**modo** exceedingly; ——**misura** extremely
ombra shade, shadow, obscurity
omicida murderer
onde whereby, whence, therefore; **d'**—— from where
onesto honest, honorable
onnipotenza omnipotence
onorare to honor, to entertain
onorario honorary; *m.,* fee
onta shame, disgrace, spite; **in** —— **a** to the disgrace of; **ad** —— **di** despite
opaco opaque
opera work, opera
operare to perform

operoso industrious
opporsi (*p. part.* **opposto**) to be opposed; **all'opposto** on the contrary
oppure or else, or rather
ora now; *f.*, hour, time; **non vedo l'—— di** I can't wait to; **di buon' ——** early
oramai, ormai now, from now on, by this time
ordinare to order, to command
ordinato tidy, orderly
ordine *m.* order
orecchia, orecchio ear
organetto accordion, grind-organ
orgoglio pride
orizzonte *m.* horizon
oro gold
orologio watch, clock
orrendo horrible, awful
orrore *m.* horror
orso bear; **—— bianco** polar bear
orto orchard
orvietano from Orvieto
osare to dare
oscurità darkness
ospedale *m.* hospital
ospite host, guest
osso bone
ostacolo obstacle
ostante, ciò non —— notwithstanding that
ostentare to show off, to feign
ostinarsi to persist
ostinazione *f.* obstinacy
ottenere to obtain
ottimismo optimism
ottuagenario octogenarian
ove = **dove** where
ovvero or, or else
oziare to loaf
ozio idleness
ozioso idle

P

pacco package, parcel
pace *f.* peace
padre father
padrona mistress, owner
padroncino young master
padrone boss, master, owner; **—— di casa** landlord
paese *m.* country, (native) town, village
pagare to pay (for)
paggio page boy
paglia straw
paladino paladin, knight errant
palafreniere footman, groom, palfrey
palazzo large building, palace
palco platform, box (*at the theater*)
palloncino little ball, balloon
palustre swampy
panca bench
pane *m.* (loaf of) bread
panno cloth; **panni** clothes, clothing
pantaloni *m. pl.* trousers
papa *m.* pope
papà = **babbo** papa, daddy
pappa, pap, mush
pappagallo parrot
paragone *m.* comparison; **al —— di** in comparison with
parare to adorn
parco park
parecchio quite a lot; *pl.*, several, plenty; **da ——** since (for) a long time
parentado, parentela kin, relatives
parente relative
parere (**parve, parso**) to seem, to appear, to seem like; **mi pare** I think so, it seems (so) to me

pari peer, equal, even.
Parigi *f.* Paris
parlare to speak; **nel** —— in (*the act or manner of*) speaking
parmigiano Parmesan (cheese)
parola word; **far** —— to speak
parrà *fut. of* **parere** will appear
parrucca wig
parrucchiere, parrucchiera hairdresser, beautician; **parrucchiere dei signori** gentlemen's barber
parte *f.* side, direction, part; **da** —— aside, on the side; **da ogni** —— from everywhere; **d'altra** ——, **dall'altra** —— on the other hand; **fare la** —— **di** to play the part of
partenza departure; **vapore in** —— ship ready to sail
particolare particular, private; *m.* detail
partire to leave, to start
partita game, match
partito resolution, proposal, alternative; **a mal** —— in a bad way
parve *p. abs. of* **parere** seemed
pascolo pasture
passaggio passage; **di** —— on the way, while passing through
passato past
passeggiare to take a walk
passeggiata walk
passeggio, a —— out walking
passo step; **a due passi** a few steps (away); **fare due passi** to go for a short stroll
pasta *general term for spaghetti, macaroni, noodles, etc.*
patente *f.* (driver's) license; **prendere la** —— to get a license
patire to suffer
patito worn, sickly
patria fatherland

patto agreement, pact
pattuito agreed upon
paura fear; **aver** —— to be afraid; **far** —— **a** to frighten
pavimento floor
paziente patient
pazienza! well, after all! all right! never mind!
pazzo crazy
peccato sin, shame; ——! too bad! what a pity!
pedestre pedestrian, uninspired
pedone *m.* pedestrian
peggio worse, worst; **far** —— make things worse
pegno pledge
pelato plucked
pelle *f.* skin
pellegrino pilgrim
pellicola film
pena trouble, punishment, pain
penare to trouble, to suffer, to struggle
pendente hanging
penna feather, pen
penombra half-light, dim light
penoso painful
pensare to think, to decide; ——**ci** to think about it
pensiero thought; **stare in** —— to be worried
pensione *f.* boarding house
pentimento repentance
pentirsi to regret
penzolare to dangle, to hang
per for, in order to, through; —— **via** through, along the street; —— **via di** = **per causa di** because of
perbene respectable, well-behaved
perchè because, why, in order that; *m.*, reason
perciò therefore
percossa blow

pẹrdere (*p. part.* perduto *or* perso) to
lose; ——si to get lost, to be
ruined
pẹrdita loss
perdono pardon, forgiveness
perfino even
perforza obviously, necessarily
perịcolo danger
periferịa outer zone, periphery
perla pearl
permesso permission
permẹttere to permit, to allow
però however; (*in older usage*) =
perciò therefore
perocchè since
perseguitare to persecute, to pursue
persiana Venetian blind, shutter
perso *p. part. of* pẹrdere lost
persona person, figure, body
personaggio character, personage
pertanto theiefore
pesante heavy
pesca peach
pesce *m.* fish; —— da taglio cut
fish (*cod, tuna, e.g.*)
peso weight
pestare i piedi to stamp one's feet
pettegolezzo bit of gossip
petto chest, bosom
pezzente beggar
pezzo piece, period of time
piacere to be pleasing *or* agreeable
to; *m.*, pleasure, favor; mi piace,
mi piạcciono I like; fare un —— to
do a favor; per —— = per favore
please
piacẹvole pleasant, agreeable
piaggia = spiaggia beach
piagnucolare to whimper, to moan
piagnucoloso whimpering
piạngere (piansi, pianto) to weep, to
cry

piano plain, slowly, quietly; *m.*,
floor, plane; all'ultimo —— on
the top floor; al primo —— one
flight up; pian —— cautiously,
slowly
pianta plant, map, plan
piantarsi to plant oneself
piantatore planter
pianto weeping; scoppiare in ——
to break out crying; —— *p. part.*
of piạngere
piatto plate, dish; flat
piazza square
piccino youngster, kid
piccione *m.* pigeon
pịccolo small, little (one); da ——
as a child
pidocchio louse, upstart
piè = piede; a piè di at the foot of
piede *m.* foot; a piedi on foot; stare
in piedi to bc standing; levarsi in
piedi to get up
piega fold, pleat
piegarsi to yield, to give in, to bend
pieno full; —— zeppo crammed
pietà pity, compassion, mercy, piety
pietra stone
pigliare to take
pigro lazy
piluccare to nibble
pinnạcolo pinnacle
pioggia rain
piombare to fall (heavily)
pioppo poplar
piọvere to rain
pipistrello bat
piscina swimming pool
pittore *m.* painter
pittura painting
più more, any more, several; ——
volte several times; per di —— in
addition; non . . . —— no longer
piuma feather

piuttosto rather
placare to appease
platea stalls, ground-floor seats
poco, po' little, a little; **a** ——
a —— little by little; —— **gentile**
not very nice; **tra (fra)** —— in a
little while
podere *m.*, farm
poesia poetry
poi then, next, later; —— **che** after
poichè since, after
pollame *m.* poultry
pollo chicken; —— **novello** spring
chicken
polmonite *f.* pneumonia
polvere *f.* powder, dust
polveroso dusty
pomeriggio afternoon
pomo di spada pommel of the
sword
ponderato considered, pondered
Ponente, in —— to the West
ponte *m.* bridge
popolato populated
popolo people, populace
poppa stern, transom
porcheria dirt, trash
porcile *m.* pigsty
porgere (porsi, porto) to offer, to
proffer, to put out
porre (posi, posto) to put, to place
porta door, gate
portafoglio portfolio, wallet
portamento carriage, bearing
portare to carry, to bring, to wear,
to bear
portico porch, portico
porto port; —— *p. part. of* **porgere**
portone *m.* main door, main gate
posare, ——si to rest, to alight, to
settle
positura position, posture
possedere to own
possiamo *pr. ind. of* **potere** we can

posto place, position; **a** ——,
apposto in place; —— *p. part. of*
porre
potente powerful; *m.* ruler
potenza might, power
potere to be able to; *m.*, power
poveraccio poor fellow, poor devil
povero poor (man)
pozzo well
pranzare to dine
pranzo dinner
pratico practical
prato meadow
precipitare to throw, to fall; ——**si**
to throw oneself, to rush
precipitato hasty, rash
preciso, di —— precisely
predica sermon
predicare to preach
prediletto favorite
predilezione *f.* predilection
pregare to pray, to request, to beg
pregiato prized, esteemed
premere to be pressing, to press, to
concern
premesso questo this being stated
premiato rewarded
premuroso attentive, kind, con-
siderate
prendere (presi, preso) to take; ——
a to take to, to begin; —— **in giro**
to tease
preoccupante worrisome
preoccupato worried
preparativo preparation
prepotente bully, overbearing
(person)
prescegliere to choose (with care)
presso with, near
prestito loan; **prendere in** —— to
borrow
presto soon, quickly, early; **al più**
—— as soon as possible; **fare**——
to be quick, to hurry

presunzione *f.* presumption
prete priest
pretendere to claim, to demand, to expect
prevalere (*p. abs.* **prevalse**) to prevail
prevedere to foresee, to forecast
previsto, del —— than expected
prezioso precious
prezzo price
prigione *f.* prison
prima first, before
primavera springtime
primiero first, former
primo first; **sulle prime** at first; **ai primi di** at the beginning of
principe prince
principio beginning
privazione *f.* deprivation
privo devoid
procurare, ——si to get (*for oneself*)
prodursi (*p. part.* **prodotto**) to take place, to happen
profferire to offer
profferta offer
promessa promise
promettere (*p. part.* **promesso**) to promise
prontezza readiness, quickness
pronto ready
proporre (*p. part.* **proposto**) to propose
proposito subject, purpose, intention; **a ——** at the right time, opportunely, to the purpose, relevant, by the way
proposta proposal
proprio really, just, exactly; own
prossimo near, next, close at hand, neighbor, forthcoming
prova test, proof
provare to experience, to try, to feel

provenzale Provençal
provvedere to provide
prua bow, prow
puah! *expresses disgust*, phew!
pubblicità advertisement
pugnalata stab, dagger thrust
pugnale *m.* dagger
pugno fist
pulce *f.* flea
pulcino chick
pulire to clean
pulito clean
pulizia cleanliness; **fare le pulizie** to do the cleaning
pungolo prick, spur
punizione *f.* punishment
punta point; rush hour; **una —— di familiarità** a touch of familiarity
puntare to point; **—— i piedi** to put down one's foot
puntellare to prop up
puntiglio, punctilio, pique, obstinacy
punto not any; **—— p. part. of pungere** to prick; **—— m.,** point, moment; **sul —— di** about to; **alle sei in ——** at six o'clock sharp
può, puoi *pr. ind. of* **potere** can
pupilla pupil (*of the eye*)
pure also, even, yet, indeed; **fate —— ** please go right ahead
puttini, putti *ornamental figures like cherubs, etc., in art*
puzzare to stink

Q

qua = qui here; **di ——** here, this way
quadro (*framed*) picture, painting, frame
qualche some (*commonly plural in meaning*); **una —— ragazza** any girl

qualcheduno someone
qualcosa = **qualche cosa** something
quale which, as, who; **così tal** —— just like that (one)
qualsìasi, qualsivoglia, qualunque no matter what, any, every
quando when; **di** —— **in** —— from time to time
quanto how much, as much as, that which, what; **(in)** —— **a** as for, regarding; **fra** —— when, in how long a time; **per** —— as much as, no matter how much; **quanti** how many; **tutti quanti** all
quantunque although
quartiere *m.* section, neighborhood
quarto fourth
quasi as if, like, almost
quassù up here
quattrino small coin; **quattrini** = **soldi** money
quegli *m. sing.* that one, the former, he, him
questi *m. sing.* this one, the latter, he, him
qui here; **di** —— this way
quindi therefore, hence
quivi there
quotidiano daily

R

rabbia anger, rage
rabbrividire to shudder
raccapricciare to shudder, to be horrified
raccogliere to collect
raccomandare to recommend, to urge, to entrust; **mi raccomando** I beg you
raccomandazione *f.* recommendation
raccontare to relate, to tell

racconto tale
raccostarsi to approach, to come close, to come alongside
raddoppiare to double, to redouble
radere (*p. part.* **raso**) to shave, to skim (over), to graze
radunare to gather
raffreddore *m.* cold
ragazzo, ragazza boy, girl; **ragazzi** children, young people
raggio ray, beam
raggiungere (*p. part.* **raggiunto**) to reach, to catch up with
ragionare to talk over, to discuss
ragione *f.* right, reason, accounting; **aver** —— to be (in the) right
ragionevole reasonable
ragnatela spiderweb
rallegrarsi to rejoice, to be glad
rallentare to slow down
rame *m.* copper
rammarico regret, sorrow
rammentare to recall, to remind; ——**si** to remember
ranciato = **aranciato** orange (*color*)
rapporto relationship
rappresentazione *f.* performance, show
rasente a grazing (*pr. part. of* **radere**)
raso *p. part. of* **radere** shaven
rassegnato resigned
rasserenare to clear up
rassicurare to reassure
rassomigliare a to look like
rattristarsi to become sad
ravvedersi (*p. abs.* **ravvidi**) to realize one's error, to mend one's ways
ravviluppato entangled, wrapped up
ravvolse *p. abs. of* **ravvolgere** to wrap; **si** —— **nel sacco** he put on the sackcloth (*of the Franciscan order*)

re king
realtà reality
recapitare to deliver
recare to bring; ——si to go
recingere (*p. part.* recinto) to gird, to encircle
reciso cut (off)
recita performance
recuperare = ricuperare to recover
reduce returning; veteran
regalo gift
reggia royal palace
regina queen
regista *m.* film director, theatrical producer
regnare reign
regno reign, kingdom
regola rule
regolamentare prescribed, according to regulations
regolare to regulate
remare to row
remo oar
rendere (resi, reso) to give back, to render; —— conto di to answer for; ——si conto to realize
rendita income
repentaglio risk
replicabile reproducible
replicare to reply, to retort
respiro breath, breathing
restare to stay, to remain, to be left
restio reluctant, unwilling
restituire to give back
resto rest, remains, change; del—— besides, moreover
reticolato network
retta, dar —— a to heed, to listen to
rettilineo rectilinear, straight stretch of road
retto right (angle)

riandare to recall, to go again, to go back over
rianimarsi to cheer up, to take heart
riaprirsi to reopen; to be reopened
riavere to get back
ribadire to confirm (*lit.*, to rivet)
ribaldo scoundrel, rogue
ribollimento boiling; sentire un —— di to boil over with
ribrezzo disgust, horror
ricamato embroidered
ricamo embroidery
ricco rich
ricerca search, research
ricevere to receive
ricevimento reception
ricevuta receipt
richiamato called back
richiedere (richiesi, richiesto) to request, to ask (for)
ricominciare to begin again
riconciliare to reconcile
riconoscente grateful
riconoscere to recognize, to acknowledge
riconoscimento gratitude, recognition
riconquistare to reconquer
ricoprire to cover over
ricordare to recall; ——, ——si to remember
ricordo remembrance
ricorrere (*p. part.* ricorso) to have recourse, to apply, to run (back)
ricoverarsi to take shelter
ricuperare to recover, to salvage
ridere (risi, riso) to laugh
ridicolo ridiculous
ridiedero *p. abs. of* ridare they gave back
ridurre (*p. part.* ridotto) to reduce

riempire to refill; ——, ——**si** to fill up

rientrare to re-enter

riescì = **riuscì** *p. abs. of* **riuscire** succeeded

rievocare to call back (to mind)

rifiutare, ——**si** to refuse

riflettore *m.* spotlight

rifugiarsi to take refuge

rifugio shelter, refuge

riga line

rigagnolo brook, rivulet

rigare to furrow

rigonfiare to swell (up)

riguardare to concern, to regard

riguardo respect, regard, care

rilievo, mettere in —— to point out

rimandare to send (back)

rimanere (rimasi, rimasto) to remain

rimaritarsi to remarry

rimbrottando grumbling

rimettere (rimisi, rimesso) to put back; ——**ci** to lose (out); ——**si** to recover

rimorso remorse

rimostranza remonstrance, protest

rimpiangere to lament, to regret

rimpianto regret; —— *p. part. of* **rimpiangere**

rimpiattarsi to hide

rimproverare to reproach

rinascere to be reborn

rinculare to recoil, to draw back

rinfrancarsi to take heart again

rinfresco refreshment(s)

ringalluzzito elated, cocky

ringraziamento thanks

ringraziare to thank

rinovellare to renew

rintuzzare to blunt

rinunciare to renounce, to give up

rinvenire to recover one's senses

riparare to shelter, to repair

riparazione *f.* reparation, atonement

riparo shelter, cover

ripescare to fish out, to find

ripetere to repeat

ripiegare to bend again, to fold (up)

ripieno full

ripigliare to take up again, to continue

riposare, ——**si** to rest

riposo rest

riprendere (ripresi, ripreso) to continue, to get again, to take back; ——**si** to recover, to collect oneself

ripresa resumption, repetition

riprovazione *f.* reprobation, criticism

ripugnanza repugnance

risarcire to compensate, to repair, to make reparation

risata laughter; **grosse risate** hearty laughter

rischiarare to clear up

rischiare to risk

risciacquare to rinse

riscuotersi to shake (oneself)

riso laugh

risolino snicker, little laugh

risoluto resolute, determined

risoluzione *f.* resolve, decision, resolution

risolvere to solve, to resolve; ——**si** to decide

rispettabile respectable, considerable

rispetto respect; **portare** —— **a** to have respect for; **a** —— **di** regarding

rispondere (risposi, risposto) to answer

risposta answer

ristabilire to re-establish

ristare to stay again, to hold back, to stop, to remain

ristette *p. abs. of* **ristare**

ristorante *m.* restaurant

ristorare (di) to compensate (for)

ristretto *p. part. of* **ristrịngere** reduced, limited, restricted

risvegliare to awaken

risveglio awakening

ritaglio cutting, clipping

ritegno reserve, restraint

ritenere to judge, to keep, to hold

ritirare, ——si to draw back, to withdraw

ritirata retreat

ritornare, ——sene = tornare to return

ritorno return; **di ——in** returning to, back to

ritrarre (ritrassi, ritratto) to withdraw

ritrovare to find again, to meet

ritto upright, straight

riunirsi to meet, to come together

riuscire (a) to succeed (in), to manage (to), to come out

rivedere to see again

rivelazione *f.* revelation

riverenza bow

riverso on one's back

rivista magazine, review

rivọlgere (rivolsi, rivolto) to turn, to address

rivoltella revolver

rizzarsi to stand up

roba stuff, things, property

roco hoarse, raucous

rogo funeral pyre

romito solitary, hermit

rọmpere (ruppi, rotto) to break

ronda rounds, patrol

ronzịo buzzing

rosa rose; pink

rosaio rosebush

rossigno reddish

rosso red, red-haired

rotondo round, plump

rovesciare to overturn, to turn upside down *or* inside out

rovina ruin

rovinare to ruin

rozzo rough, coarse

rubare to steal, to rob

rubino ruby

ruga wrinkle

ruggito roaring, roar

rugoso rough, wrinkled

rumore *m.* noise

rumoroso noisy

ruzzare to romp

S

saccheggio pillage, sack

saccone *m.* straw mattress

sacramento! *mild oath*; **——! se è una buona idea,** Gosh! what a swell idea

sacripante bully

saggio = savio wise

sagrestano sacristan

sala room, hall

salario wages

salire to go up, to climb, to get into (*a vehicle*)

salita climb

salone *m.* large hall, drawing room

saltare to jump

saltellante skipping, hopping

salto jump

salubre healthful

salumiere *m.* delicatessen (proprietor)

salutare to greet, to hail, to salute

salute *f.* health

saluto greeting, bow, salute

salva volley, round
salvare to save
salvatore savior
salvezza safety, salvation
salvo except (for); safe; **sano e ——** safe and sound
sanare to heal
sangue blood
sano healthy; **—— e salvo** safe and sound
santo holy, saint
sapere to know (how), to learn, to contrive, to succeed (in), to have a taste, to smack, to smell
sapiente wise, learned, skilful
sarò *fut. of* **essere** I will be
sasso stone, rock
savio wise (man)
sbagliare to do wrong, to err; **——si** to be mistaken
sbalordito astonished, dumbfounded
sbarcare to land, to disembark
sbattere to knock, to bank, to flap, to beat
sbeffeggiare to jeer (at)
sbertucciato wrinkled, crumpled
sbigottire to amaze, to terrify; **——si** to be terrified, dismayed
sbirraglia (*contemptuous*) police, cops
sborsare to pay out
sbottonare to unbutton
sbranare to tear to pieces
sbrigarsi to hurry, to get busy, to get rid
scacchi *m. pl.* chess
scaffale *m.* bookshelf
scagliare to fling, to hurl
scala stair(s)
scaldare, ——si to warm up
scalinata flight of steps
scaltro shrewd, crafty

scalzare, ——si to take off (one's) shoes and socks
scalzo barefoot
scampagnata picnic, trip into the country
scampo escape; **aver ——** to have a way out
scansare to avoid, to shun; **——si** to step aside
scantonare to turn the corner
scappare to leave, to depart, to escape; **—— via** to run off
scaraventare to hurl, to fling
scarpa shoe
scarso poor, scanty, scarce
scatto, di —— abruptly
scavalcando jumping over
scegliere (**scelsi, scelto**) to choose
scena stage
scenata scene
scendere (**scesi, sceso**) to go down, to descend, to get out (*of a vehicle*)
scheggia splinter, piece of shrapnel
scherma fencing; **tirare di ——** to fence
scherzare to joke
schiera (battle) formation
schietto genuine
schifo disgust, shame
schioppo gun
sciabola saber
sciacquare to rinse off, to wash
sciacquio washing, rinsing, lapping
sciagura disaster, misfortune
sciagurato miserable, unfortunate; *m.* wretch
scienziato scientist
scimitarra scimitar, *Moslem type of curved saber*
scimmia monkey
sciocchezza foolishness
sciocco foolish, fool

sciolto *p. part. of* **sciogliere** free, freed; melted, dissolved
sciorinare to spread out
sciupare to spoil, to waste
sclamare = **esclamare** to exclaim
scocciatore *m.* bore, nuisance
scolpito sculptured
scomparire (*p. part.* **scomparso**) to disappear
scompartimento compartment
scomporsi to get upset, to lose countenance
sconcertato upset, baffled
sconficcare to pull out
sconoscente ungrateful
sconoscere to be ungrateful (for)
sconosciuto unknown
sconquassare to ruin, to shatter
sconquasso, che —— what a mess!
sconsigliare to advise against, to discourage
sconsolato depressed, disconsolate
scontento unhappy, dissatisfied
scontro encounter, crash, clash
sconveniente unbecoming, unsuitable, unprofitable
sconvolgere (**sconvolsi, sconvolto**) to disturb, to upset
scopa broom; **menar la** —— to sweep
scopo aim; **a** —— **di** for the sake of
scoppiare to burst; —— **a ridere** to burst out laughing
scoprire to reveal, to discover, to uncover; ——**si** to undress, to be bared
scoramento depression, discouragement
scorgere (**scorsi, scorto**) to discern, to see, to glimpse
scorrere to look through, to flow
scorso past, last
scossi *p. abs. of* **scuotere** I shook

scozzese Scottish
scricchiolio creaking
scrivere to write; —— **a macchina** to type
scrosciare to roar
scroscio roaring (*of waters*)
scrupoloso scrupulous
scuola school
scuotere to shake
scuro dark, grim
scusa excuse, pardon
scusarsi to apologize, to excuse oneself
sdebitarsi to acquit oneself
sdegno scorn
sdraiare, ——**si** to sprawl, to lie down, to stretch out
se if; *before* **la, lo, le, li, ne** = *reflexive pronoun* **si**
sè *emphatic reflexive pronoun; spelled without accent in expression* **se stesso**
seccare to dry (up), to annoy
secco dry
secolo century, secular world
seconda, a —— **di** according to
secondare to follow, to correspond to, to gratify
secondo second; according to, in the manner of; —— **il solito suo** as usual
sede *f.* seat, center, office
sedere, ——**si** to sit (down), to be seated
sedia, seggiola chair
segno sign
segreto secret
seguire to follow
seguitare to continue, to go on, to follow
seguito retinue (*of companions, etc.*); **di** —— next, following
selva forest

selvaggio, selvàtico wild, uncivilized
sembrare to seem
seme *m.* seed
seminare to sow
seminario seminary
semi-vivo half-dead
sèmplice simple
sempre always, still
sennò = **se no** otherwise
seno breast, bosom
senso sense
sentire to hear, to perceive, to feel;
——**si** to feel
senza without; **senz'altro** absolutely,
without fail
sepolcro tomb
seppi *p. abs. of* **sapere** I contrived
to, I learned
sera evening, night; **la** ——, **di** ——
by night, in the evening
serbare to preserve
sergente sergeant
serio serious; **sul** —— seriously
serpeggiare to wind, to meander
servetta young serving maid
servire to serve, to be of use, to be
used, to help
servitore *m.* **servo** servant
sesso sex
sessuale sexual
seta silk
sete *f.* thirst; **aver** —— to be thirsty
settentrione *m.* north
settimana week
sfavillante sparkling
sfilare to parade
sfiorito withered, faded
sfoderare to unsheathe
sfogare to give vent to, to let out
sfogliare to leaf through
sfogo eruption, outlet
sfolgorante blazing
sfondare to smash in

sforzare to strain, to force
sforzo effort, strain
sfuggire to escape
sghignazzare to laugh scornfully
sgomentarsi to be dismayed, to get
frightened
sgomento dismay
sgozzare to cut the throat of, to
slaughter
sgradèvole, sgradito unpleasant
sgraffiato scratched
sgraffiatura scratch
sgranare gli occhi to open one's eyes
wide
sguainato unsheathed
sguardo glance, look
sgusciare to slip away
si *3rd. person reflexive; also used as
indefinite subject;* **si può** one can
sì yes, so, indeed; **sì che** so that
sia *pr. subj. of* **èssere** be, is; ——
... **che** both ... and
sìbilo hiss
sicchè = **sì che** so (that)
siccome since, as, because
sicurezza security, certainty
sicuro sure, certain
siede *pr. ind. of* **sedere** sits
significare to mean
signora lady, woman, Madame,
Mrs.
signore man, lord, master, gentleman, sir, Mr.
signorile high-class, genteel
signorina young lady, miss
silenzio silence
sillabare to spell out, to syllabicate
sìmbolo symbol
sìmile similar
simpatìa attraction, liking, sym-
pathy
simpàtico nice, charming, likable
simulazione *f.* simulation, feigning

sindaco mayor
singhiozzare to sob
singolare peculiar, odd, singular
sinistro left, sinister
sino a = fino a until
sintomo symptom
sirocchia (*archaic*) = sorella sister
sissignore = sì, signore
slanciarsi to hurl oneself
slattare to wean
smagliante dazzling
smania impatience, eagerness, frenzy
smanioso eager, restless
smemorato forgetful, absentminded
smettere to cease, to quit
smisurato enormous, immeasurable
smorfia grimace
so *pr. ind. of* sapere I know (how)
soave gentle
sobrio moderate, temperate, sober
socchiuso half-closed
soccorso help
sodalizio society, association
soddisfare to satisfy
soddisfazione *f.* satisfaction
sofferente sufferer, suffering
soffermarsi to pause
sofferto *p. part. of* soffrire suffered
soffiare to blow
soffitta attic, garret
soffocare to choke, to stifle
soffribile endurable
soffrire to suffer, to permit, to endure
soggetto subject, type, "specimen"
sogghigno sneer
soggiornare to dwell
soggiungere (*p. abs.* soggiunsi) to add, to reply
sognare to dream
sogno dream
soldato soldier

soldo cent
sole *m.* sun
solito usual, accustomed; di —— usually; al —— usually, as usual
sollazzarsi to enjoy oneself
sollazzo entertainment
sollevare to lift (up)
sollievo relief
solo only, alone, mere; da —— alone, by oneself
soltanto only
somigliare to resemble
somma sum
sommamente supremely
sonno sleep, nap
sono *pr. ind. of* essere I am, they are
sontuoso magnificent, sumptuous
soppiatto, di —— on the sly
sopra above, on, over
sopraddetto above-mentioned
sopraggiungere to arrive, to supervene
soprannome *m.* nickname
soprattutto especially, above all
sopravvissuto survivor, surviving
soprintendente superintendent
sorcio mouse
sordido ignoble, sordid, filthy
sordo deaf
sorella sister
sorgere (*p. abs.* sorsi) to rise; —— in piedi to jump up
sorpresa surprise
sorreggere to support
sorridere to smile
sorriso smile
sorse *p. abs. of* sorgere rose
sorso sip, gulp
sorta kind, sort
sorte *f.* fate, destiny, lot
sorvegliare to watch (over)
sorvolare to fly over

sospeso *p. part. of* **sospẹndere** hung, hanging
sospetto suspicion
sospirare to sigh
sospiro sigh
sosta pause, stop
sostanza essence, substance, fortune, matter
sostenere to maintain, to support
sottile thin, fine, subtle
sotto beneath, down, under
sottomẹttersi to submit
sottoporsi to submit
sottoposto *p. part. of* **sottoporre** exposed, subjected
sottostante beneath
sottovoce in a low voice
sovente often
soverchiatore overbearing; *m.* oppressor
soverchio excessive
sovraccạrico overloaded
sovrannaturale supernatural
sovrappensiero = **soprappensiero** lost in thought
sovrapporre to superimpose
spada sword
spalancato wide open
spalla shoulder
sparare to shoot
spạrgere (*p. part.* **sparso**) to scatter, to shed, to spread
sparire to disappear
spasso amusement
spaventare to frighten
spavento fear
spaventoso fearful, frightful
spaziare to roam
spazio place, space, time
spazioso spạcious
specchio mirror
specie *f.* kind, sort
spẹcola observatory

spedire to send, to dispatch
spedizione *f.* expedition
spẹgnere (**spensi, spento**) to extinguish; ——**si** to die out
spelonca cave, squalid place
spẹndere (**spesi, speso**) to spend
spenzolare to hang, to dangle
speranza hope
sperare to hope
spesa expense, purchase
spesso often
spettạcolo spectacle, show, performance
spettare to concern, to belong to, to be (one's turn)
spettatore spectator
spezzare to break
spiacente sorry
spiacẹvole unpleasant
spiegare to explain, to spread (out)
spiegazione *f.* explanation
spina thorn, pin
spịngere (**spinsi, spinto**) to push, to shove, to drive
spinta push
spirato dead
spịrito spirit, wit; **di** —— witty, lively, resourceful
spiritoso witty
splẹndere to shine
spogliare, ——**si** to undress
sponda edge, brink, side
sporco dirty
sporta basket
sportello door, counter, window
sposa wife
sposare to marry; ——**si** to get married
spregiudicato open-minded, unconventional
sprezzante scornful
sprezzo scorn
spropriarsi to deprive oneself

spuma foam
spuntare to appear, to emerge
spuntonata thrust
sputare to spit
squadrare to size up
squagliarsi squagliạrsela to sneak off, to steal away
squalo shark
squillo peal, clang
stabilire to settle, to decide, to establish
staccare to take off, to detach
stagliarsi to stand out
stalla stable
stamane this morning
stampa print, press
stanchezza fatigue
stanco tired
stanga bar
stanotte this past night, tonight
stanza room
stare to be, to stay, to stand; —— **per** to be about to; —— **bene** to be well, to be good *or* proper; —— **fermo** to stand still
stasera tonight, this evening
stato state, condition; —— *p. part. of* **ẹssere, stare**
stavolta this time
stella star
stendardo banner
stẹndere (stesi, steso), ——**si** to stretch (out)
stentare to have difficulty (*in doing*)
stentato labored, difficult
stento difficulty
stesso same, self; **lo** —— just the same, anyhow
stimare to value, to esteem
stinto *p. part. of* **stịngere** discolored
stivaletto ankle-boot
stizza anger, irritation
stocco rapier

stoffa material, stuff
stomachẹvole sickening
stọmaco stomach; **fare**——to sicken
stoppa tow
stọrcere to twist, to writhe
storia story, history
storta sprain, twist
storto *p. part. of* **stọrcere** crooked, twisted
stracco exhausted
strada road, street; **cambiare** —— to change direction; **fare la** —— to walk the distance
strage *f.* slaughter
stralunare to open wide, to roll (one's eyes)
straniero foreign(er), strange(r)
strano strange
straordinario extraordinary
strappare to tear, to pull out
strạscico train, aftereffect
strascinare to drag
strazio torment
strepitare to rave, to howl
strẹtto *p. part. of* **strịngere** narrow, tight; **più** —— **a sè** closer to himself; **una stretta di mano** a handclasp
strido scream
strillare to shriek
strịngere (strinsi, stretto) to shake, to clutch, to grip; —— **la mano a** to shake hands with; —— **il cuore** to wring one's heart; ——**si** to press against, to crowd (around), to flock together
striscia strip, streak
strisciare to graze, to skim
stropicciare, ——**si** to rub
strumento instrument
struzzo ostrich
studiare to study, to strive
stupefatto amazed, stupefied

stupidàggine *f.* stupidity, foolishness
stupire to astonish, to amaze
sturare to uncork
stuzzicadenti *m.* toothpick
stuzzicare to poke, to pick at, to tease
su on, in, up
sùbito immediately; **di ——**
suddenly
succèdere (successe, successo) *usually in 3rd. person* to happen
sudare to perspire
suggeritore prompter
suntuoso sumptuous
suòcero father-in-law
suolo ground, foundation
suonare to ring, to sound, to play (*an instrument*)
suonatore performer, player
suono sound
superare to exceed, to outdo, to surpass
superbia pride
superbo haughty, proud, superb
superficie *f.* surface
supplicare to entreat
supporre to suppose
suscitare to provoke, to stir up
sussurrare to whisper
svago diversion, amusement
svanito vanished
svaporare to evaporate
svegliare, ——si to wake up
sveglio awake
svelto slender
svogliato lazy, listless, unwilling
svòlgere (svolsi, svolto) to develop, to carry out; **——si** to take place, to unroll
svuotare to empty

T

tacere (*p. abs.* **tacqui**) to be quiet, to keep silent

tagliare to cut; **——si le unghie** to cut one's nails
tagliatelle *f. pl.* noodles
taglio cut; **pesce da ——** cut fish
tale such, some one, above-mentioned; **il signor ——**, a certain gentleman, Mr. so-and-so
talvolta sometimes
tamburino, suonare il —— to drum
tanto so, so much, only, anyhow; **—— ... quanto** as ... as, both ... and; **ogni ——** every now and then; **——per vedere** just to see
tappa lap, stage, stop
tappeto rug
tardare to delay, to be long; **—— a** to be long before
tardi late; **èssere ——**, **fare ——** to be late
tardo tardy, late, slow
targa license plate
tasca pocket
tàvola, tàvolo (dinner) table
tavolino night table, small table
tazza cup
tè *m.* tea
teatro theater
tedesco German
tegame *m.* skillet
tela canvas
temerario rash, reckless (person)
temere to fear
tempio temple
tempo time, weather; **da (gran) ——** (since) a long time ago
tempra temper
tenda curtain
tèndere (tesi, teso) to hold out, to stretch (out), to spread; **—— l'orecchio** to prick up one's ears
tènebra darkness

tenebroso dark
tenere to hold, to keep, to bind, to have, to practice; ——sene to abstain
tenerezza tenderness
tẹnero tender, affectionate
tentare to try, to tempt
tentennare to hesitate, to shake
teorịa theory, procession
terminare to finish
terra ground, earth, land; in —— on the ground
terrazza, terrazzino terrace
tẹrreo wan, pallid
terrificante terrifying
tesi, tẹsero, teso, *from* **tẹndere** stretched out, spread
tesorerịa treasury
tesoro treasure; —— **mio** darling!
tẹssere to weave
testa head; **in** —— on his (her, *etc.*) head
testardo stubborn, headstrong
testimonianza testimony
testimoniare to testify
testimonio witness
tetro dismal
tetto roof
tiene *pr. ind. of* **tenere**
tiẹpido warm
timidezza timidity
tịmpano eardrum
tinta color, tint
tipo kind, type, fellow
tiralịnee *m.* drawing pen
tirare to pull, to draw, to shoot, to twist; —— **su** to bring up; —— **vento** to be windy; ——**si dietro** to pull at, to drag
tiro, brutto —— dirty trick
toccare to touch, to fall to one's lot, to happen, to befall; **tocca a te** it's your turn, it's up to you

tọgliere (tolsi, tolto), ——**si** to take off, to remove, to take away
tọrcere (torsi, torto), ——**si** to twist, to turn, to writhe
tornare to return; **torno a dire** I say again
torpedone *m.* tourist bus
torre *f.* tower
torto wrong; **aver** —— to be wrong; **dar** —— **a** to decide against, to blame
tosarsi la testa to shave one's head
toscano Tuscan
tovaglia tablecloth
tovagliolo napkin
tra = fra among, between
traboccare to overflow, to brim over
traccia trace
tracciare to map out
tradire to betray
traditore traitor
traendo *pr. part. of* **trarre**
trafugare to steal
tramandato handed down
tramontare to set (*of the sun*)
tramonto sunset; **sul** —— at sunset
tramortito senseless, inanimate
tranne except
tranvai *m.* tramway, streetcar
trarre (trassi, tratto) to draw, to utter, to pull
trascinare to drag, to impel
trascorso past, passed
trasparire to shine through
trasportare to transport, to carry away
trasse *p. abs. of* **trarre**
trastullo plaything
trattare to treat, to handle; **si tratta di** it is a question of, we are dealing with
trattenere to hold back; ——**si** to stay, to stop, to restrain oneself

tratto stretch; **d'un** ——, **tutt'a un** —— suddenly; **da un buon** —— for (since) quite a while; —— *p. part. of* **trarre**

trattoria restaurant, inn

trave *f.* beam

travedere to glimpse

travestito da disguised as

Trecento fourteenth century

tremare to tremble, to shudder, to shake

tremulo trembling, quivering

tribolazione *f.* tribulation

trionfo triumph

triste sad

tristezza sadness

tristo miserable, wicked, mean

trombetta trumpet

troppo too (much); **troppi** too many

trovare to find, to meet; ——**si** to be, to be situated, to meet, to find oneself, to happen to be

truffare to cheat, to swindle

tubo pipe

turbamento perturbation, agitation

turbare to upset, to disturb

turbine *m.* whirl

tuttavia yet, however

tutto every, everything, quite, completely; —— **di** full of; **tutt'a un tratto** all of a sudden; **tutt'al più** at the most; **del** —— completely; **per** —— = **dappertutto** everywhere; **tutti** all, every one; **tutt'e due, tutt'e due,** both; **tutti quanti,** all of them

tuttora still

U

ubbidienza obedience

ubbidire to obey

ubbriacarsi to get drunk

ubbriaco, ubriaco drunk, drunkard

uccello bird

uccidere (uccisi, ucciso) to kill

uccisore slayer

udire to hear

uguale equal; —— **a** the same as

ulivo = **olivo** olive tree

ultimo last

ululare to howl

umano human

umbro Umbrian

umido moist

umile humble, modest

umiliazione *f.* humiliation

umiltà meekness, humility

ungherese Hungarian

unghia fingernail, claw

unico only, sole

unire to unite, to join

uomo man

urbanamente civilly, politely

urbanista city planner

urlare to yell

urlo yell, howl

usanza custom, usage

usare to use, to employ, to be accustomed to

uscio door

uscire to go out, to come out

uso accustomed, used; *m.* use, custom

utile useful

V

va, vado, va' *from* **andare**

vacanze *f. pl.* vacation

vacca cow

vacillante wavering, vacillating

vagabondaggio vagrancy

vago, vague, desirable, lovely

valere (*p. abs.* **valsi**) to be worth;

vale a dire that is to say
valigia suitcase
valle *f.*, valletta valley
valore merit, worth, value
valoroso brave
valutare to evaluate, to appraise
vanaglorioso vainglorious
vantaggio advantage
vantare, ——si to boast
vapore *m.* (steam)ship
vario various, varied, *pl.* several
vaso vase
vecchio old (man); vecchietto,
vecchiettino *diminutives*
vece *f.* stead; in —— sua instead of
him (her)
vedere (vidi, visto *or* veduto) to see;
——si to appear, to be clear;
——ci to have the power of sight;
non vedo l'ora I can't wait
vedova widow
veggono = vedono
veicolo vehicle
vela sail; far —— to set sail
velluto velvet
veloce fast
vendere to sell
vendetta revenge
venerato worshipped
venerdì Friday
veneto Venetian, *of the Venetian
territory*
veneziano Venetian, *of the city of
Venice*
vengo, vengono *pr. ind. of* venire
venire to come, to happen
ventre *m.* belly, stomach
ventura luck
venturo future, following, next
verde green
vergogna shame; con —— di to the
shame of
vergognoso ashamed

verità truth
vero true, real; *m.*, truth; non è
vero? not so?
verrà *fut. of* venire will come
versare to spill, to pour
verso towards, about; *m.* verse,
way, means
veruno no, any; veruna cosa nothing, anything
vescovo bishop
vespero evening
veste *f.*, vestito *m.* dress, suit,
clothes
vestire to dress, to wear; ——si to
get dressed
vestizione *f.* ceremony of taking the
habit
vetraio glass worker
vetrata, porta —— glass door
vetrina shop window
vetro, vetrato (of) glass
vezzeggiare to fondle
vi you, to you; —— there; vi sono
= ci sono there are
via away; *f.* road, street; per ——
di on account of; ——! come on!
look here! well!
viaggiare to travel
viaggio trip, voyage
viale *m.* boulevard, avenue
vicenda, a —— in turn
vicino near, nearby, close; *m.*,
neighbor; più —— di così (how
can one get) closer than that
vide *p. abs. of* vedere
vietare to prohibit, to prevent
vigna vineyard
vile cowardly, low, base
villania villany
villano rude, ill-bred, low, uncivil;
m., peasant
vincere (vinsi, vinto) to win, to
defeat

vincitore *m.* winner
vino wine
viscido sticky, slimy
visibile clear, evident
visitatore visitor
viso face
vispo lively
vissuto *p. part. of* **vivere** lived
vita life; **fare una** —— to lead a life
vittoria victory
vivanda (dish of) food
vivo keen, deep, strong, alive, vivid, lively, sharp, quick-tempered
voce *f.* voice; **ad alta** —— aloud
voga, banco di —— rowing seat
vogata rowing stroke
voglia desire; —— *pr. subj. of* **volere**
voglio, vogliono *pr. ind. of* **volere**
volare to fly
volentieri gladly; **mal** —— grudgingly
volere (*p. abs.* **volli**) to want, to wish, to decide; *m.*, will; —— **bene a,** to have affection for, to be fond of, to love; —— **dire,** to mean; **ci vuole, ci vogliono** it takes, it requires
volgere (**volsi, volto**) to turn; ——**si in giù** to turn (back) downward

volo flight
volontà will, will power
volse *p. abs. of* **volgere** turned
volta time, turn, occasion; **a sua** —— in his (her, its) turn; **una** —— once; **un'altra** —— once again, some other time; **poco per** —— a little at a time; **qualche** ——, **a volte** sometimes
voltare to turn; ——**si** to turn around
vólto face; **in** —— **a** in the face of
vòlto *p. part. of* **volgere** turned
vuole *pr. ind. of* **volere** wants
vuoto empty, void

Z

zampa paw
zanzara mosquito
zelo zeal
zeppo, pieno —— packed full
zio, zia uncle, aunt
zitto silent; ——! hush!
zoccolo clog, wooden sandal
zoppicare to limp
zoppo lame
zufolo di canna reed pipe
zuppiera (soup) tureen
zuppo, —— **fradicio** soaked

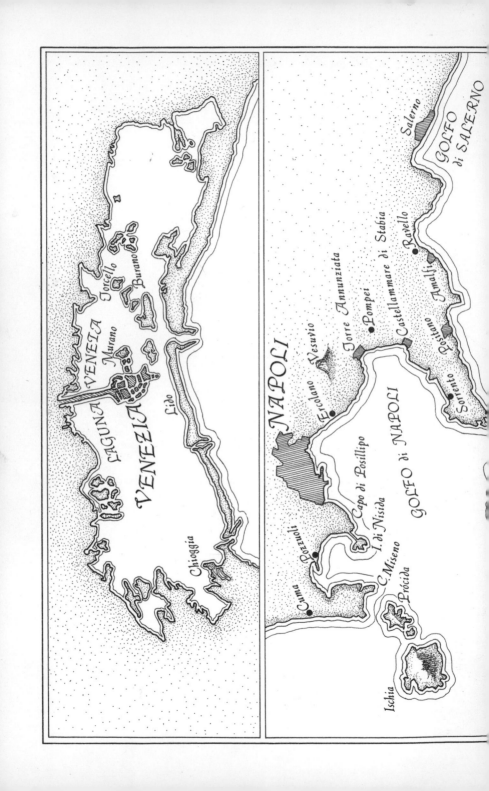